VILLA ROSA

Van Nicky Pellegrino verschenen eerder:

Caffè amore
De granaatappelboom
Bella Italia

Nicky Pellegrino

Villa Rosa

Oorspronkelijke titel: *Recipe for Life*
First published in Great Britain in 2010 by Orion Books,
an imprint of The Orion Publishing Group Ltd

Uitgeverij De Kern, een imprint van De Fontein|Tirion bv,
Postbus 13288, 3507 LG Utrecht
Vertaling: Jolanda te Lindert
Omslagontwerp: Wil Immink Design
Omslagillustratie: Getty Images
Opmaak binnenwerk: Het vlakke land, Rotterdam
ISBN 978 90 325 1180 7
NUR 30

www.defonteintirion.nl

Voor Hatty,
die meteen vanaf het begin al gelijk had…

Proloog

In de tuin van Villa Rosa blafte een hond. Hij rende als een puppy tussen de verspreid staande artisjokken door achter een vogeltje aan. Hij rende over het terras dat door de bougainville in bezit was genomen, langs het groepje citroenbomen en over het door de zon verschroeide gazon. Toen de hond eindelijk ophield met blaffen, hoorde je alleen nog het zachte briesje door de granaatappelbomen en de stampende zee tegen de lager gelegen rotsen.

Het huis was leeg, en afgesloten tegen indringers, de hekken zaten stevig op slot. Alleen het hondje en de rotshagedissen wisten hoe ze door het gat in de met onkruid overwoekerde muur moesten kruipen.

Het leek een verlaten, vergeten plek. De bloembedden hadden de strijd tegen het onkruid allang opgegeven en de blauweregen was verwilderd. Maar er moest wel iemand zijn geweest: in de nazomer was het fruit van de bomen gehaald en waren de herfstbladeren van de paden geveegd.

Het weer had altijd vrij spel gehad met dit huis. De zoute wind en de brandende zon hadden de lak op de blinden gebladderd en de roze verf op de muren verbleekt. Zonder de stenen die op het dak lagen, zouden de dakpannen er tijdens de hevigste stormen zijn af geblazen en zou het water naar binnen zijn gesijpeld. In het huis lag een dikke laag stof, er stonden koffiekopjes omgekeerd op het afdruiprek en een bed was niet opgemaakt. Schilderijen waren van de muren gehaald en alleen hun schaduwen bleven zichtbaar. Spinnenwebben versierden het plafond.

Misschien was het maanden geleden dat hier nog iemand had gewoond. Of al jaren.

DEEL EEN

Je tijd is beperkt, verspil die dus niet
door het leven van iemand anders te leiden.

— Steve Jobs, CEO Apple Inc.

Alice

Het eerste wat ik voelde was zijn gewicht, onbekend en verkeerd, languit op mijn lichaam. Ik opende mijn ogen, maar het enige wat ik in het donker kon zien was de vorm van zijn haar, krullend en lang. Ik neem aan dat ik gilde en dat hij zei dat ik stil moest zijn, maar dat deel kan ik me niet goed herinneren. Ik herinner me dat hij iets scherps tegen mijn wang drukte, een keukenmes of een schaar misschien, en de dingen die ik dacht... niet dat hij me zou vermoorden, maar dat ik er een litteken aan over zou houden. Een wang ontsierd door een messteek. Het lijkt belachelijk dat je zoiets denkt als je wordt verkracht.

Het was een onbeholpen, goor gedoe dat niet lang duurde. Na afloop bleef ik stil liggen en hoorde hem de vier trappen af rennen. Pas toen ik zeker wist dat hij weg was, stapte ik uit bed en liep naar beneden, naar Charlies kamer.

'Ik ben verkracht.' Ik deed mijn mond zo ver open om die woorden te schreeuwen dat mijn kaken pijn deden.

Op Charlie na geloofde niemand me, denk ik, tot ze het gestolen geld vonden dat hij had verloren toen hij wegrende over het pad. De politie suggereerde zelfs dat ik alles had gedroomd. Maar dat was nog voordat ze daar een speciale opleiding voor kregen; ik denk dat zoiets nu niet meer zou gebeuren.

Ik hoorde dat ze in hun walkietalkies over me praatten als over 'het slachtoffer'. Dat vond ik verschrikkelijk. Ik vond het ook verschrikkelijk dat ik op een vel bruin papier moest staan terwijl ik me uitkleedde in aanwezigheid van een arts die mijn kleren in doorzichtige plastic zakken stopte en ze ergens mee naartoe nam. Ik vond het verschrikkelijk dat hij me porde en prikte en dat ik daarna urenlang alleen werd gelaten met een kopje slappe thee in een felverlichte kamer. Ik vond het verschrikkelijk dat ik de volgende dag de koppen op de voorpagina's van de kranten zag – *Studente verkracht* – en wist dat het over mij ging. En dat al mijn vrienden, iedereen die ooit in mijn kamertje was geweest, hun vingerafdrukken moesten laten nemen, zodat ik het met geen mogelijkheid stil kon houden en iedereen altijd naar me wees als ik op de campus was: 'Dat is dat verkrachte meisje. Kijk!'

Het heeft alles veranderd. Als ik naar een pub ging dacht ik altijd: hij zou hier nu kunnen zijn. De anderen zaten te kletsen, naar de muziek te luisteren of te darten, maar ik was op zoek naar de man met het lange krullende haar.

Als ik 's nachts alleen was, luisterde ik of ik hem op de trap hoorde. Slapen was onmogelijk. Ik probeerde het zelfs amper.

Charlie bleef veel vaker bij me dan ik had verwacht. Ik denk dat hij zich schuldig voelde. Als we nog steeds een relatie hadden gehad, zou hij naast me in dat bed hebben gelegen toen die onbekende man mijn kamer binnen kwam.

Het was zo'n fijn huis geweest om in te wonen: hoge plafonds, dikke vloerkleden, centrale verwarming. Het was dus niet vreemd dat we geen van beiden wilden verhuizen toen we uit elkaar gingen. Zo'n huis vond je niet gauw weer. Daarom bleven we er wonen: Charlie in de ene kamer, ik in een andere. We vonden allebei dat de ander maar moest vertrekken en we waren allebei te koppig om in te zien hoe belachelijk we ons gedroegen.

Eigenlijk ben ik vooral vertrokken vanwege het beddengoed. De politie had het meegenomen voor forensisch onderzoek, maar na een tijdje zei ik dat ik het terug moest hebben omdat ik geen geld had en dus geen nieuw kon kopen. Ze keken verbaasd, maar brachten het toch. Toen ik mijn bed weer had opgemaakt, zag ik dat er nog steeds vlekken op zaten. Ze hadden er met blauw krijt cirkels op getekend en er een paar stukjes stof uit geknipt. Ik maakte er een prop van en smeet het in de vuilnisbak.

Op dat moment wist ik dat het niet goed voor me was als ik daar bleef en me zou blijven vastklampen aan de gescheurde randen van mijn leven. Ik moest ergens anders zijn. Waar dan ook.

Ik stopte de dingen waar ik aan gehecht was in een paar zakken, nam een trein naar het zuiden en vertelde niemand behalve Charlie dat ik vertrok. In de trein maakte ik plannen voor een nieuw begin. Ik begon dit te beschouwen als extra tijd... mijn leven na 18 november 1985, de datum waarop een onbekende man een mes tegen mijn gezicht had gedrukt. Ik keek door het raam naar het Engelse landschap dat voorbij raasde en besloot dat ik vanaf nu elke dag als een bonus zou beschouwen. Ik was van plan alle tijd goed te gebruiken. Ik zou het leven helemaal uitpersen, tot er niets meer in zat.

Babetta

Babetta keek naar de zee om te zien waar haar man al zo lang naar staarde. Hij zat in een oude rieten stoel die hij op het terras had gezet. Ondanks de kilte leek hij nog niet van plan in beweging te komen; het was alsof hij op iemand wachtte. Maar ze verwachtten niemand vandaag. Er kwam bijna nooit iemand.

Er moest gewerkt worden vanochtend. Babetta wilde uien poten, knapperige rode, die zo lekker waren in een zomerse salade. Normaal zou Nunzio er al mee bezig zijn, de aarde omwoelend, zijn rug iets gebogen en met de kromme oude spade in zijn sterke armen. Maar vanochtend had de rieten stoel hem geclaimd en had hij het druk met naar de horizon turen.

Nunzio staarde vrijwel zonder te knipperen. Hij nam niet de moeite naar Babetta te kijken, ook al probeerde ze zijn aandacht te trekken door met haar bezem over de terracotta tegels te krassen. Hij had zijn vieze bruine hoed stevig op zijn hoofd gedrukt en hield de armleuningen van zijn stoel vast alsof hij bang was dat ze zou proberen hem eruit te trekken.

Ze hield op met vegen. '*Buongiorno*, Nunzio,' zei ze luid. Hij werd een beetje doof.

Nunzio draaide zijn hoofd om en keek eindelijk naar haar, met kille ogen en een uitdrukkingsloos gezicht. '*Buongiorno* is dood, Babetta,' zei hij met een lage stem. '*Buongiorno* is dood.' Daarna keek hij weer naar de horizon en was het net alsof hij niets had gezegd.

Dat waren de vreemdste woorden die hij in de lange jaren van hun huwelijk had gezegd, dacht Babetta toen ze de spade pakte en de aarde voor het uienbed begon om te spitten. Af en toe keek ze op en dan zat hij er nog steeds, staarde zwijgend voor zich uit en trok zich er niets van aan dat zij al het zware werk moest doen.

Rond lunchtijd kwam hij binnen. Hij ging op zijn stoel aan de keukentafel zitten en wachtte tot zij zijn eten zou brengen. Hij doopte zijn brood in de dampende dikke pasta-bonensoep tot het zo zacht was dat hij het kon kauwen en hij lepelde zijn eten snel en luidruchtig naar binnen. Nadat hij de laatste hap had doorgeslikt duwde hij de lege kom van zich af en liet hem op tafel staan zodat zij hem kon afwassen terwijl hij terugging naar zijn post in de rieten stoel.

Tegen het vallen van de avond kwam hij binnen maar hij had nog altijd niets gezegd. Babetta wikkelde een wollen sjaal om haar hoofd en liep naar buiten om hout voor het vuur te halen. Het was een windstille avond, met een smal zilveren maansikkeltje. Terwijl ze haar mand met aanmaakhout pakte, keek ze omhoog naar de berg, naar het zoals altijd verlichte grote witte standbeeld van Christus.

Zij en Nunzio woonden hier al jaren, sinds de dood van de oude Umberto Santoro – de vorige huisbewaarder – en elke avond gaf het haar een vredig gevoel te weten dat Christus boven hen in de duisternis zweefde.

Dit was een eenzame plek. Ze hadden geen buren om mee te praten en geen auto om de heuvel op te rijden naar de stad. Toen Babetta nog jong was woonde ze hier niet ver vandaan. Een keer per week liepen zij en haar zussen naar Triento om de door haar vader gemaakte manden te verkopen. Maar nu reden er zo veel snelle auto's over de slingerweg langs de kust dat ze er niet eens langs zou durven lopen, zelfs niet als ze dacht dat haar benen haar nog zo ver konden dragen. Daarom bleef ze hier met als enig gezelschap Nunzio en het beeld van Christus de Verlosser in de verte.

Er kwamen natuurlijk wel bezoekers. Op dinsdag kwam de groenteman met zijn platte vrachtwagen. Babetta verkocht hem alle groenten die ze overhad. Op woensdag kwam de slager met zijn koelwagen en als ze meer geld nodig hadden verkocht Babetta hem een kip of een stuk prosciutto dat ze sinds ze de laatste keer een varken had geslacht in de kelder had gehangen om te rijpen. Elke tweede donderdag kwam de visboer om haar een inktvis of een zak oesters te verkopen. Ze kocht nooit veel, net voldoende om voor het avondeten door een beetje pasta te doen.

Door deze manier van leven hoefde Babetta zelden het geld aan te spreken dat zij en Nunzio betaald kregen voor het verzorgen van de tuinen van het lege huis ernaast. Villa Rosa was een verlaten plek, verborgen achter hoge muren. Toen zij en Nunzio hier nog maar net woonden, kwam de familie van wie de villa was elke zomer naar het zuiden om te zwemmen en te zeilen. Babetta wist nog goed dat het er toen vol leven was geweest. Maar nu was het alweer jaren geleden dat iemand de moeite had genomen om te komen en het huis zag er verwaarloosd uit: de verf bladderde van de roze muren en Babetta had het idee dat het dak begon te lekken.

Maar het huis was niet haar verantwoordelijkheid. Zij en Nunzio kregen alleen betaald om te zorgen voor de tuinen, die terrasvormig afliepen naar de zee en beplant waren met citroenbomen en granaatappelbomen, met ertussenin de artisjokken en tuinbonen die zij en Nunzio daar hadden geplant toen ze begrepen dat de eigenaren niet terugkwamen.

Het verbaasde Babetta wel dat er elke maand geld op hun bankrekening werd gestort. Waarom zou iemand zich er druk over maken of de tuinen van Villa Rosa verwilderden en overwoekerd raakten? Jarenlang was hun saldo toegenomen en inmiddels stond er een behoorlijk bedrag op de rekening. Altijd als haar dochter Sofia uit Salerno langskwam, wilde Babetta naar de bank om te controleren of het geld er allemaal nog was.

Haar dochter kon maar niet begrijpen waarom Babetta het weigerde uit te geven. 'Koop eens wat nieuwe kleren voor jezelf, mama, of fleurige gordijnen om het huis op te vrolijken. Verwen jezelf toch eens!'

Elke keer schudde Babetta koppig haar hoofd. Ze had alles wat ze nodig had. En het was een geruststelling te weten dat het geld er was en het saldo elke maand groeide.

Babetta had het koud gekregen van de zeewind en ze bracht het hout naar binnen. Nunzio staarde in het vuur. Ze vroeg zich af wat er met hem aan de hand was. Hij had regelmatig een slechte bui. Haar zussen zeiden altijd dat ze nooit had moeten trouwen met een man uit Calabrië – hun bloed was verhit door te veel Spaanse pepers en ze waren een beetje zwartgallig. 'Je had een jongen van hier moeten nemen,' zeiden ze als ze zich over Nunzio's buien beklaagde.

Zelfs toen ze voor de priester stonden vroeg ze zich nog af of ze wel de juiste keuze maakte. Nunzio was tien jaar ouder dan zij en niet de man die ze verwacht had te zullen nemen. Maar toen was het al te laat. Ze had de richting gekozen die haar leven zou nemen en daar moest ze mee doorgaan.

Tijdens de afgelopen tientallen jaren waren zij en Nunzio aan elkaar gewend geraakt. Als hij een woedeaanval kreeg, sloot ze zich op in de kelder tot hij huilend naar de deur kwam en beloofde dat hij zou kalmeren. Zijn ergste buien konden weken en soms maanden duren, en Babetta wist dat ze zich maar bij zijn zwijgen moest neerleggen tot er iets in hem veranderde en hij weer bij haar terugkwam.

Maar deze nieuwe stemming van Nunzio leek in niets op wat ze kende. Nooit had hij een dag niet gewerkt. Hoe ongelukkig of boos hij ook was, Nunzio had altijd de moed kunnen opbrengen om zijn spade te pakken en de tuin in te gaan. Hij deed alle routineklusjes: 's winters snoeide hij de druiven en in de lente spitte hij de aarde zodat zij de zaailingen kon planten. Hij werkte keihard, tot het te heet of donker werd.

Ze had nooit eerder meegemaakt dat hij van 's ochtends vroeg tot 's avonds laat in zijn stoel naar het niets zat te staren. Ook de blik in zijn ogen kende ze niet, leeg en stil, alsof hij zich langzaam afsloot.

Babetta was bang dat haar man gek werd.

Alice

Na mijn verkrachting vluchtte ik naar Leila, de enige die ik vertrouwde en die me zou helpen mijn leven weer op orde te brengen. We hadden ons eerste studiejaar in hetzelfde studentenhuis gewoond en ze had me verbijsterd. Ze liet me rode wijn drinken en ze praatte over dingen waar ik amper ooit over had nagedacht: over Bobby Sands die in hongerstaking was gegaan of de situatie in Iran.

Je moest je wel aangetrokken voelen tot Leila's kleurrijke figuur. Ze leek wel een jurk waarvan ik wist dat hij me niet stond maar die ik toch wilde hebben. Tijdens mijn hele saaie burgerlijke leventje had ik nog nooit iemand als zij ontmoet.

Leila dronk Guinness in de pub en ze beweerde dat ze vegetariër was, hoewel ik haar een keer betrapte toen ze halfverscholen achter een pilaar vlak bij de bakkerij een vleespasteitje at. Ze droeg tweedehands kleren; zijden jurken met kraaltjes bestikt en een wollen herenjas eroverheen of smokingjasjes die nog steeds naar sigaren roken.

Tijdens ons tweede studiejaar zag ik haar zelden. Ze verhuisde naar een huis in het centrum, waar mensen woonden die uitsluitend in oranje gekleed gingen en geobsedeerd waren door een Indiase goeroe die Bhagwan heette. Toen ik haar een keer opzocht, schonk ze thee die rokerig smaakte, ging op de bank zitten en maakte op steeds nieuwe vellen papier achter elkaar dezelfde tekening.

Toen Leila ophield met studeren was ik het er niet mee eens, maar het verbaasde me niet. Nu deed ik hetzelfde en reisde net als zij zuidwaarts, naar Londen.

Ze woonde in een appartement dat eigendom was van haar moeder, in een herenhuis in Maida Vale. Het was zo schoon en wit dat het me aan een operatiekamer deed denken. 'Van de muren afblijven, van de muren afblijven!' zei ze steeds weer. Kennelijk zat er verf op die verschrikkelijk vlekte als je eraan kwam.

'Waarom heeft je moeder geen verf gebruikt die je kunt schoonvegen?' vroeg ik.

'Dan ziet het er heel anders uit,' antwoordde Leila, maar het klonk alsof ze iets herhaalde wat zij vaak te horen had gekregen. En dus liep ik met mijn armen over elkaar door het appartement. Ik mocht er immers gratis logeren en ik wilde dus niets doen om haar moeder, die in Zuid-Frankrijk woonde en heel af en toe naar Londen kwam, boos te maken.

Elke middag kocht ik de *Evening Standard* en speurde langs alle personeelsadvertenties, terwijl Leila haar Franse sigaretten zat te roken. Ik had een paar sollicitatiegesprekken bij uitzendbureaus en eentje bij een restaurant in Covent Garden, maar het bleek veel moeilijker te zijn werk te vinden dan ik had verwacht. Of ik had niet voldoende ervaring of ze waren bang dat ik er snel genoeg van zou hebben, omdat ik halverwege met mijn studie Engels was opgehouden.

Mijn moeder had me misschien wel wat geld kunnen sturen, maar ze was woedend omdat ik mijn doctoraal niet had gehaald en niet kon uitleggen waarom niet. Ze woonde alleen, mijn vader was lang geleden vertrokken, en ze wentelde zich in haar zorgen en spijt. Meestal bleef ze urenlang praten, dan wilde ze gevoelens en tranen delen en zeuren over dingen waar ik niet eens aan wilde denken. Als ik haar zou vertellen wat me was overkomen, zou ik het gevoel hebben dat ik steeds maar weer werd verkracht.

'Als ik niet heel snel een baan vind, weet ik niet wat ik moet doen,' zei ik op een ochtend tegen Leila terwijl ik rokerige thee dronk en afwijzingsbrieven opende en zij een asbak vulde met sigarettenpeuken.

'Waarom neem je mijn baantje niet?' vroeg Leila. Ze werkte als serveerster in een klein zaakje in onze straat, de Maida Vale Brasserie.

'En jij dan?'

Leila stopte een haarsliert in haar mond en begon erop te sabbelen. Ze haalde een schouder op. 'Geen idee,' zei ze. 'Misschien ga ik wel net zo leven als Holly Golightly in *Breakfast at Tiffany's*.'

Zij was de enige die ik kende die zoiets belachelijks kon zeggen.

Ik lachte. 'En wat houdt dat in?'

'Nou, dan eet ik wanneer een man me een etentje aanbiedt en ik drink wanneer een man champagne voor me koopt.' Ze stak weer een sigaret op en glimlachte. Ze was echt prachtig met haar ravenzwarte haar, zwart omrande ogen en volle roodgeverfde lippen. Ik kon me goed voorstellen dat ze kon leven van de dingen die mannen voor haar kochten.

'Maar zouden ze het in de brasserie wel goedvinden?'

Weer haalde ze haar een schouder op. 'Wat kan jou dat nou schelen?'

Die avond ging ik dus naar de brasserie om haar dienst over te nemen en ook al leek de maître d', Robbie, niet bijster enthousiast, hij gaf me toch haar schort en liet mij haar werk doen. Die eerste avond moest ik mijn best doen om iedereen bij te houden, en mijn dienst verstreek in een waas van cassoulet en salades met geitenkaas. Ik kon geen borden op mijn armen in evenwicht houden zoals de andere serveerster en ik had er moeite mee om meer dan twee bestellingen te onthouden. Tegen middernacht deden mijn voeten pijn en kraakten mijn knieën.

'Jij bent jong en sterk,' zei de kok tegen me toen ik bekende dat ik kapot was. 'Hoe denk je dat ik me voel, hè?'

Hij schonk een glas rode wijn voor me in, maar het viel me op dat hij zelf niets nam. 'Ik heet trouwens Guyon,' zei hij. 'Beetje onbeleefd van Robbie om ons niet aan elkaar voor te stellen.'

'Ik ben Alice,' zei ik. 'Ik ben een vriendin van Leila en zij heeft me zo ongeveer haar baantje gegeven.'

'Aha, dat verklaart het dan. Robbie is gek op die schattige Leila. Volgens hem lokt ze extra klanten aan en misschien heeft hij wel gelijk. Niet dat jij niet ook schattig bent, hoor!' voegde hij er snel aan toe.

Ik lachte om te laten zien dat het me niets deed. Het was niet bepaald nieuw voor me dat ik niet aan Leila kon tippen. Ik ben altijd een onopvallend meisje met bruin haar geweest: vrij klein en een beetje éénkleurig. Niet lelijk of zo, maar ook niet heel knap.

'Denk je dat ik van Robbie mag blijven?'

'Ik zou niet weten waarom niet. Het is immers gemakkelijker jou te houden dan naar iemand anders uit te kijken. Probeer gewoon niets te laten vallen,' suggereerde hij. 'O, en kom morgen wat vroeger. Om halfvijf serveer ik altijd een personeelsmaaltijd, want ik wil dat iedereen de speciale gerechten proeft, zodat je ze beter kunt beschrijven aan de klanten.'

'Dat heeft Leila me niet verteld.'

'Tja, nou, Leila leek niet bijzonder veel te eten,' zei Guyon droog.

De brasserie was een eenvoudige gelegenheid met witte gietijzeren tafeltjes en stoelen die met zonnige dagen op het trottoir werden gezet. Aan de lichte muren hingen kleurige schilderijen van lokale kunstenaars en op de bar stond altijd een bijzonder extravagant bloemstuk in een enorme vaas. Het was zo'n buurtcafé waar je naartoe ging als je geen zin had om te koken, maar Guyon deed graag net alsof het een chic restaurant was.

Hij vond het vooral belangrijk hoe het eten werd opgediend en hij liet ons vaak wachten terwijl hij een paar druppeltjes romige saus van de rand van een bord veegde of een nagerecht besprenkelde met een perfecte krul frambozencoulis. Dat veroorzaakte heel vaak ruzie, omdat snelheid Robbies ding was. 'Erin, eten en eruit,' zei hij vaak. Dan schudde Guyon zijn hoofd en maakte een bord helemaal opnieuw op, alleen maar om hem op stang te jagen.

'Verdomde mislukte ouwe zuipschuit,' gromde Robbie zodra hij buiten gehoorsafstand was. 'Hij mag blij zijn dát hij nog een baan heeft na alles wat er is gebeurd.'

Je kon zien dat Guyon aan de drank was geweest. Hij had rode wangen met gesprongen haarvaatjes en een bobbelige neus. Robbie vertelde me een keer fluisterend dat Guyon ooit zo veel had gedronken dat het totaal uit de hand was gelopen in het chique restaurant in Maifair waar hij chef-kok was. De koelkasten lagen vol rottend voedsel en de keukens waren smerig en krioelden van het ongedierte. Uiteindelijk vergiftigde hij een paar klanten en het restaurant is dat schandaal nooit te boven gekomen. Niemand wilde daarna meer iets met hem te maken hebben, al was hij nog zo'n geweldige chef geweest. De enige baan die hij kon vinden was die van kok in een bejaardentehuis. En nu werkte hij hier – een voormalige alcoholist – en bereidde biefstuk met *pommes frites* in de brasserie.

'Pretentieuze ouwe rukker,' klaagde Robbie als hij het dagmenu op het bord schreef. 'Ja hoor, *Poulet aux olives vertes*. Waarom noemt hij het niet gewoon Stoofschotel met kip en olijven?'

Dat had ik me ook afgevraagd en daarom vroeg ik het Guyon een keer op een rustige avond toen Robbie niet in de buurt was.

'Weet je, Alice,' zei hij, 'mensen gaan niet alleen naar een restaurant om te eten. Het gaat ze om de belevenis. Ze gaan zelfs naar een restaurant om zich een paar uur bijzonder te voelen voordat ze terugkeren naar hun eigen leven.' Hij veegde zijn messen schoon en hing ze van groot naar klein aan de keukenmuur. Ik vroeg me af of hij het moeilijk vond om tijdens het werk niet te drinken, met al die dozen vol wijnflessen onder handbereik, maar dat durfde ik hem niet te vragen.

Op een keer kreeg Robbie tijdens een drukke zondagslunch een woedeaanval en vertrok. De week daarna boden de eigenaren mij zijn baan aan. 'Je hebt niet veel ervaring,' zeiden ze. 'Maar Guyon zegt dat je slim bent en goed met de klanten kunt omgaan. Daarom bieden we jou deze kans.'

Toen ik Guyon wilde bedanken, lachte hij. 'Vergeet niet dat ze jou ongeveer een derde betalen van wat Robbie kreeg. Daar komen ze mee weg omdat je zo weinig ervaring hebt. En ze zijn van plan je keihard te laten werken.'

Ik vond het niet erg, het extra werk of de lange uren in de brasserie. Op een bepaalde manier was het wel een opluchting, omdat Leila's plan om net als Holly Golightly te gaan leven niet helemaal goed uitpakte. Ja, ze had wel veel mannen, maar dat waren allemaal muzikanten, kunstenaars en beeldhouwers en geen van hen leek veel geld te hebben.

Als ik na mijn werk thuiskwam wist ik nooit wie van hen bij haar in bed lag, maar het appartement had wafeldunne muren. Op een nacht gilde Leila zo hard dat ik ongerust werd en haar kamer binnen rende. Een van de mannen – de kunstenaar, volgens mij – zat naakt boven op de kleerkast. Ik vond het doodeng.

'Sorry, liefje,' zei Leila de volgende ochtend toen hij was vertrokken. 'We waren allebei een beetje dronken.'

'Het lijkt wel of er elke nacht een andere man bij je is. Krijg je daar nooit genoeg van?'

'Nee.' Ze glimlachte naar me. 'Ik ben goed in bed, Alice. Echt, heel goed. Het zou toch doodzonde zijn daar niet zo veel mogelijk van te profiteren?'

Meestal vond ik Leila's gretige plezier in seks geen probleem. Dat herinnerde me eraan dat wat mij was overkomen iets totaal anders was: geweld en haat, geen hartstocht. En Leila's mannen waren niet bedreigend, ze waren fysiek zo in de ban van haar dat ze mij amper zagen. 's Ochtends dronken ze thee in de keuken en dan waren ze aardig tegen me, maar niet geïnteresseerd.

Vaak voelde ik me eenzaam en dan dacht ik aan Charlie. Ik miste zijn fysieke nabijheid nog steeds. Hij had me al een tijdje niet meer geschreven en voor zover ik wist, was hij nog altijd met Sarah White, het meisje dat hem van mij had afgepikt.

Vreemd genoeg had ik altijd gedacht dat ik Charlie eeuwig zou houden. Hij was absoluut niet knap, had een lichte huid, rossig haar en vrijwel geen wimpers. De eerste keer dat ik hem bij me in bed zag liggen, na een dronken eerstejaarsfeestje, wilde ik zo snel mogelijk van hem af. Zelfs zijn lichaam was niet geweldig: hij was slank, maar slap door gebrek aan beweging.

Maar Charlie was slim en erg grappig. Hij maakte me aan het lachen, stapte mijn leven binnen en vulde mijn studentenkamertje met schoenen, kleren en platen. Langzaam maar zeker drukte hij zijn stempel op me. Ik luisterde naar de bands uit het noorden die hij leuk vond, The Smiths en Big Country. Urenlang stond ik met hem in platenzaken tussen albums te zoeken en naar films te kijken met buitenlandse ondertitels. Ik verruilde mijn studentenhuis voor zijn woongroep en elke nacht sliep hij met me in mijn kamer.

Als ik zelf echt goede vrienden had gehad, zouden ze misschien hebben gezegd dat ik eens moest ophouden zo suf te doen. Maar dit leven was nieuw voor me en alles erin was halfhartig, vooral de vriendschappen. Charlie was tweedejaars. Hij nam me op in zijn vriendengroep en met uitzondering van Leila vormden zij mijn sociale leven. Ik kon me een leven zonder hem niet voorstellen.

Toen verscheen Sarah White op het toneel. De eerste keer dat we haar tegenkwamen, was op het Worship Centre op de campus. Daar gingen we naartoe omdat ze borden gebakken bonen of spaghetti op toast uitdeelden. Dat deden ze alleen maar om je binnen te krijgen zodat ze over God konden praten, maar Charlie hield van een goede discussie en ik hield ervan dat ik me gratis kon volstoppen.

Ik zag wel dat Sarah veel aandacht aan hem schonk, maar ik vond dat niet erg. Ik heb me nooit gerealiseerd dat ze een bedreiging kon vormen. Nu denk ik dat Charlie het wel vleiend zal hebben gevonden. Dat hij niet knap was betekende niet dat hij niet ijdel was. En Sarah streelde zijn eigenliefde.

Ze ging in de aanval toen ik een weekend naar mijn moeder was. Toen ik terugkwam, voelde ik meteen een verandering bij Charlie, hij was afwezig en chagrijnig. Een paar keer trok hij me in bed naar zich toe, maar duwde me even stevig weer van zich af. En toen was er de nacht waarin hij helemaal niet thuiskwam. De volgende ochtend werd ik alleen wakker en ik wist dat hij bij haar was.

Ik was wanhopig, voelde me vernederd en werd gek – zo gedroeg ik me in elk geval. Leila had er kinderlijk plezier in als ik haar vertelde welke maffe dingen ik had gedaan. Dat ik naar Sarahs huis rende als Charlie daar was en begon te snikken en te jammeren. Dat ik er elke nacht naartoe ging en scènes schopte zodat ze onmogelijk samen konden zijn.

'Vertel nog eens over die keer dat ze in de pub zaten te lunchen en je bier over haar heen goot,' moedigde Leila me aan. Ze zei dat zij verder zou zijn gegaan, dat ze het eten in Sarahs gezicht zou hebben gesmeerd of haar zou hebben geprikt met een vork.

Ik moest lachen als Leila me vertelde wat ik allemaal had kunnen doen om wraak te nemen, maar in werkelijkheid schaamde ik me. Ik had Charlie en Sarah White lastiggevallen. Ik had mezelf belachelijk gemaakt.

En toen, net op het moment dat ik dacht dat mijn leven niet ellendiger kon worden, was een onbekende met lang krullend haar een nacht op dievenpad gegaan, zag me alleen in bed liggen en greep zijn kans. Binnen een paar weken tijd was ik dus aan de kant gezet en verkracht. Als Leila me niet had geschreven, me had overgehaald naar Londen te komen en haar moeders logeerkamer had aangeboden, weet ik niet hoe mijn leven er nu had uitgezien.

In de maanden daarna draaide mijn leven om de brasserie en de mensen die daar werkten. Ik genoot van de personeelsmaaltijd elke middag; we zaten aan een tafeltje in de overvolle keuken onzin uit te kramen en de specialiteiten van de dag te proeven. Mijn extra verantwoordelijkheden, het inroosteren van het personeel en het opmaken van de kas elke avond, hielden mijn hoofd bezig en mijn dagen gevuld. Alleen de maandagen waren moeilijk, omdat de brasserie dan dicht was. De gedachte aan al die lege uren maakte me bang en daarom begon ik met Guyon op te trekken. Als de zon scheen liepen we kilometers door Londen en als het regende gingen we naar de film of een museum. Hij wilde kennelijk even wanhopig als ik actief en druk blijven.

'Er is geen lol aan met jou,' zei Leila op een ochtend en liet zich op mijn bed vallen. 'Wat heb ik nou aan je als je nooit met me praat?'

'Ga alsjeblieft weg,' smeekte ik. 'Ik sliep niet voor twee uur vannacht. Ik heb nog een paar uurtjes slaap nodig.'

Ze ging dwars over me heen liggen en drukte haar gezicht tegen het mijne, en aan haar adem kon ik ruiken dat ze koffie had gedronken. 'Jij bent altijd aan het werk of bij die vette lelijke nicht Guyon,' klaagde ze. 'Waarom speel je nooit met mij?'

Ik deed mijn ogen open en keek haar aan. 'Dat zal ik doen,' beloofde ik, 'maar niet nu.'

Ze begon een beetje te wriemelen boven op me. 'Ik hou van je, Alice,' zei ze.

'Dat weet ik, dat weet ik wel.'

'Ik verveel me, Alice.' Ze wriemelde nog wat. 'En jij bent saai.'

Ze zou dus niet weggaan. 'Goed dan, wat wil je dat ik doe?'

'Kleed je snel aan.' Ze sprong van het bed af. 'Ik wil je het mooiste uitzicht van Londen laten zien.'

Leila trok een gele zijden jurk en een paar Doc Martens aan, stopte een stuk of wat Franse sigaretten in een klein kralentasje en joeg me helemaal door St.-James's Park tot we op een brug in het midden van het meer stonden. 'Zo, dit lijkt helemaal niet op Londen, hè? Dit lijkt wel een sprookje,' zei ze triomfantelijk.

Toen ze tevreden was omdat ik ten volle genoot van het beste uitzicht van de hele stad, liepen we naar Chinatown en aten dimsum in een restaurant aan Wardour Street. Vervolgens gingen we naar een pub aan de achterkant van een theater in Soho waar we de hele middag bleven drinken. We zagen er inmiddels waarschijnlijk een beetje verfomfaaid uit, want een oudere man die wijn voor ons had besteld, drong erop aan dat we meegingen naar het restaurant in het pand ernaast. In feite beweerde hij dat het van hem was. Misschien was dat ook wel zo want, ook al waren we heel dronken en veel te luidruchtig, we kregen champagne en we mochten pizza bestellen.

Het leven in Leila's kielzog was verslavend en decadent. Met rode wangen en stinkend naar wijn namen we de laatste ondergrondse naar huis. Lachend vroeg Leila zich af wat die rijke man van haar had gedacht te krijgen. Op dat moment realiseerde ik me pas dat ik al bijna een hele dag niet aan mezelf had gedacht.

Zo heb ik een jaar geleefd. Ik woonde in het appartement in Maida Vale en zorgde dat ik de muren niet aanraakte. Soms werkte ik te hard en soms dronk ik te veel. Op een dag hielp ik in de brasserie de tafeltjes klaar te maken, toen ik toevallig door het raam naar buiten keek en ik hem zag: een rossige man die een shagje rookte en de straat overstak. Het was Charlie, natuurlijk, die naar me toekwam, terug in mijn leven.

Babetta

Heel lang merkte niemand behalve Babetta wat er met Nunzio aan de hand was. Al maanden had hij niets gezegd en niets in de tuin gedaan. Ze had kussens in zijn rieten stoel gelegd en hem een deken gegeven zodat hij wat comfortabeler zat. Ze probeerde al het werk in haar eentje te doen en nauwlettend hield ze een oogje op hem, op zoek naar nog meer veranderingen.

Uiteindelijk merkte hun dochter Sofia dat er iets mis was. 'Altijd als ik hier kom, zit papa roerloos als een standbeeld in die stoel. Wat is er met hem aan de hand?'

Babetta wist niet goed hoe ze het moest uitleggen.

'Is hij depressief, denk je?' vroeg Sofia. 'We zouden hem moeten meenemen naar de dokter, pillen vragen.'

'Hoeft niet. Het gaat goed met hem. Ik kan wel voor hem zorgen.' Babetta was bang dat ze hun baan, het verzorgen van de tuinen van Villa Rosa, zouden kwijtraken.

Sofia zuchtte en begon aan haar gebruikelijke tirade. 'Maar jullie wonen hier zo geïsoleerd. Geen telefoon, geen auto. Ik kan misschien wat vaker vanuit Salerno hiernaartoe komen, maar toch...' Ze keek naar haar vader. 'Het zou beter zijn als jullie op de heuvel gingen wonen, in Triento. Misschien doet het papa goed met wat meer drukte om zich heen en dan hoef jij niet zo hard te werken. Je zou je groenten op de markt kunnen kopen in plaats van ze zelf te verbouwen.'

Babetta stelde zich een donker appartement voor in een van de smalle steegjes van Triento. 'We wonen hier prima,' zei ze weer. 'Nunzio wil niet in de stad wonen. Hij houdt ervan over de zee uit te kijken en veel land om zich heen te hebben. Daar is hij aan gewend.'

Haar dochter schudde haar hoofd. 'Jullie zullen toch een keer moeten verhuizen. Het is hier te groot, er is te veel werk. Stel dat je een keer valt? Je moet aan de toekomst denken, mama.'

Babetta vond het niet prettig ver vooruit te kijken. Volgens haar had de toekomst alleen maar slechte dingen in petto: zwakte, ziekte, verlies. Het was gemakkelijker om hard te werken en niet te veel aan de toekomst te denken.

'We zijn er nog niet klaar voor,' zei ze vastbesloten. 'We willen niet verhuizen. We redden het wel.'

Ze vertelde Sofia niet dat bepaalde groenten die ze in de terrastuinen van Villa Rosa hadden geplant al zaad vormden. En dat er onkruid groeide in de bloembedden bij het huis en dat ze geen tijd had gehad om de bougainville te snoeien die het terras overwoekerde.

'Maak je geen zorgen om ons,' zei ze weer. 'Ons leven is goed.'

Drie maanden later ontdekte Babetta dat er geen geld meer op hun bankrekening werd gestort. Ze bleef de tuinen van Villa Rosa zo goed mogelijk verzorgen en wachtte af wat er zou gebeuren. Maar er kwam geen verklaring, geen woord van de familie in het noorden. Babetta wilde dat ze de situatie met Nunzio kon bespreken, maar hij zat nog altijd gevangen in zijn stilte, starend in de verte zonder iets te zien, en hij kwam alleen in beweging rond etenstijd of als het donker werd.

'*Buongiorno* is dood,' mompelde Babetta verbitterd in zichzelf toen ze opkeek naar het beeld van Christus boven op de heuvel.

Pas toen de onbekende auto verscheen, toonde Nunzio een sprankje belangstelling. Hij liep helemaal naar het einde van het pad om een beter zicht te hebben op de glanzende zwarte Fiat die buiten de hekken van Villa Rosa stond.

Babetta zag een jonge vrouw uit de auto stappen. Ze was goed gekleed, in een rood wollen pakje en op hoge hakken. Ze had de sleutel van het hek bij zich en liet zichzelf binnen. Nu zou ze wel naar de bloembedden kijken, verward als ongekamd haar, en de op de grond gevallen bloemen van de bougainville die hoognodig van het pad moesten worden geveegd. Officieel was dat niet Babetta's verantwoordelijkheid. Niemand had haar voor dat werk betaald, dus waarom zou ze het doen? Toch vond ze het jammer dat iemand het landgoed kwam inspecteren nu dat er niet op zijn best uitzag.

Ze bleef een halfuur naar de geopende hekken kijken, maar de vrouw in het rode pakje kwam niet weer tevoorschijn. Nieuwsgierig kwam Babetta dichterbij en gluurde naar de binnenplaats om te zien of ze iets kon ontdekken. Haar moeite werd beloond: de vreemdelinge stond bij de granaatappelboom en maakte aantekeningen in een grote leren map.

De vrouw keek op en zag haar. '*Buongiorno*,' riep ze vriendelijk.

Babetta liep door de geopende hekken. '*Buongiorno*,' antwoordde ze onzeker. 'Ik ben de tuinvrouw hier. Kan ik u ergens mee helpen, *signora*?'

'Dat denk ik niet.' De vrouw gebaarde naar het verwaarloosde terrein. 'Het ziet er niet naar uit dat iemand de laatste tijd iets aan de tuinen heeft gedaan.'

'Er kwam geen geld meer,' zei Babetta ongemakkelijk. 'Ik heb geprobeerd het te blijven doen, maar mijn man werd ziek en toen...'

De vrouw viel haar in de rede: 'Het geeft niet, hoor. We laten toch een ploeg tuinlieden komen. Alles moet ook opnieuw worden geverfd. Er moet hier nog heel veel gebeuren.'

'Komen de Barbieri's terug?' vroeg Babetta.

'Nee, ze willen de boel verkopen. Nou ja, de vrouw dan. Haar man is een paar maanden geleden overleden. Volgens mij was hij hier in de streek heel beroemd.'

'Dat klopt.' Babetta knikte, ze wilde graag vertellen wat ze wist. 'Hij was een Amerikaan. Hij heeft dat grote beeld van Christus op de berg gebouwd. Hij is dus dood, hè? Nou, gelukkig zullen de mensen aan hem blijven denken dankzij dat standbeeld.'

'Waarschijnlijk wel.' De vrouw haalde haar schouders op. 'Maar zijn vrouw is niet van plan hier te komen en alles te bekijken. Ik heb opdracht het landgoed zo snel mogelijk te verkopen.'

Babetta draaide zich om en keek naar de villa met zijn roze muren, gelakte blinden en brede terras met vrolijk gekleurde keramische tegels. 'Ik vind het heel erg dat het huis leegstaat.'

'Het wordt heel veel geld waard zodra het een beetje is opgeknapt. Je kunt ook bij de zee komen, is het niet?'

'Ja, maar de trap naar beneden is niet veilig meer. Hij brokkelt af.'

De vrouw fronste en maakte een aantekening in haar leren map.

'Die ploeg tuinlieden waar u het over had,' zei Babetta aarzelend. 'Die zullen heel veel geld vragen. Mijn man is binnenkort weer beter. Hij en ik kunnen de tuin wel weer gaan verzorgen. Dat kost veel minder.'

De vrouw keek bedenkelijk. 'We zullen zien,' zei ze.

'Ik kan u in elk geval iets te drinken aanbieden. Wat mag ik u inschenken? Koffie? Sap van onze eigen sinaasappels?'

'Espresso alstublieft. Dat zou heerlijk zijn.'

Terwijl ze koffiezette praatte Babetta tegen Nunzio, ook al wees niets erop dat hij luisterde. 'Kun jij erbij dat ze Villa Rosa willen verkopen? Het is al zeker vijftig jaar eigendom van de Barbieri's. Nu zal er eindelijk iemand komen om de boel op te knappen. Volgens mij wordt het een drukte van belang. Dan heb je een veel interessanter uitzicht vanuit je stoel!'

Ze zette de koffiepot, een paar kleine kopjes en een suikerschaaltje op een dienblad. 'Je moet maar snel beter worden,' siste ze tegen hem voordat ze het dienblad naar Villa Rosa bracht. 'We moeten die tuin opknappen, anders raken we onze baan kwijt.'

Zij en de *signora* dronken koffie onder de granaatappelboom op de binnenplaats. Daar pauzeerde Babetta vaak, dan ging ze op het lage muurtje zitten om haar benen rust te gunnen en te genieten van de warmte van de middagzon.

'Ik vraag me af wie dit zal kopen,' zei Babetta peinzend. Ze keek naar de rijen fruitbomen beneden hen en het smalle streepje blauwe zee aan de horizon.

'Buitenlanders misschien,' antwoordde de *signora*. 'Of een bedrijf dat het gaat verhuren als vakantiehuis.'

Babetta had gehoopt op een Italiaans gezin met kinderen die ze dan op de binnenplaats kon horen spelen.

'Het is zo'n mooie plek.' Ze wist dat het weemoedig klonk. 'Ik weet zeker dat iemand er verliefd op zal worden.'

Alice

Charlie leek niet op zijn plek zoals hij daar naast de bar van de brasserie stond. Krampachtig hield hij een bruine canvas plunjezak in zijn handen, de *Guardian* van die dag, een paar exemplaren van het populaire muziekmagazine NME en een van die klassieke Penguins met oranje cover. Alles aan hem leek zo vertrouwd en toch helemaal verkeerd.

'Ik heb je gezicht gemist,' zei hij tegen me.

Dat waren niet de woorden die ik had verwacht te horen en even was ik ontwapend. Daarna werd ik weer woedend. 'Waar is Sarah White?' vroeg ik.

'Dat was een vergissing. Dat is uit.'

'Een vergissing?' De brasserie was geen plek om ruzie te maken, dus praatte ik zachtjes.

'We zijn toch nog steeds vrienden? Je vindt het fijn om me te zien.'

'Ja... Nee. Ik weet het niet. Waarom ben je hier?'

'Ik wilde je gewoon weer zien. Het is al bijna een jaar geleden.' Het leek alsof hij me wilde aanraken. 'Je haar is langer en je lijkt slanker.'

Ik streek met mijn vingers door mijn haar. 'Ik ren hier zes avonden per week rond, daar blijf je slank van,' zei ik. Toen baalde ik van mezelf omdat ik te snel te vriendelijk deed. 'Luister, Charlie, ik kan nu niet praten. Het wordt hier straks heel druk en ik heb nog veel te doen.'

'Later dan?'

'Dan ben ik moe.'

'Morgenvroeg samen koffiedrinken?'

'Oké. Als je wilt zie ik je in het café vlak bij het station van de ondergrondse. Maar niet te vroeg.'

Ik keek hem na toen hij wegliep. Hij liep minder zelfverzekerd, met gebogen hoofd. Een jaar geleden had ik nooit kunnen denken dat ik niet blij zou zijn hem te zien.

'Een ex-vriendje van je?' Guyon had ons door het dienluikje bespied.

'Waarom denk je dat?'

'Je gezicht, Alice,' zei hij. 'Je lijkt van slag.'

Ik glimlachte. 'Van slag? Wat dramatisch. Maar weet je, ik was er al een beetje aan gewend om zonder hem te leven.'

'Stuur hem dan weg. Zeg dat je hem niet wilt zien.'

'Zo eenvoudig is het niet.'

De hele avond, terwijl ik de vaste gasten welkom heette en bij hun naam noemde, hun jassen aannam en naar hun tafeltje bracht, dacht ik eraan dat Charlie ergens in de buurt was. Hij had mijn gezicht gemist; Sarah was een vergissing geweest. Ik had er heel lang naar verlangd die woorden uit zijn mond te horen.

Nadat we de laatste gast hadden uitgelaten, schonk Guyon me een glas wijn in en overstelpte me met vragen.

'Waarom ben je bij hem weggegaan?'

'Hij ging ervandoor met een vriendin van me.'

'Aardige knaap.' Guyon zette de wijnfles weg.

'Volgens mij zijn ze nu uit elkaar. Dat zei hij tenminste.'

'Ze heeft hem dus gedumpt en nu komt hij jou opzoeken,' zei Guyon verontwaardigd. 'Ik hoop dat je hem gaat vertellen dat hij de pot op kan.'

'Ik weet het niet.' Ik nam een slokje wijn. Zoals altijd vond ik het raar om in gezelschap van Guyon te drinken. 'Ik was er kapot van toen hij me in de steek liet, ik dacht dat ik er alles voor over zou hebben om hem terug te krijgen...'

'Zeg hem dat het te laat is, dat je een ander hebt,' opperde Guyon.

'Maar dat is niet zo.'

'Het gaat er nu niet om of je de waarheid vertelt.' Guyon pakte de wijnfles weer en schonk me bij. 'Denk als Gloria Gaynor, liefje.'

Toen hij wegliep om de keuken schoon te maken, zong hij *I will survive*, heel overdreven. Ik lachte omdat hij die reactie bedoelde, maar toen ik de kas begon op te maken, had ik zin om een potje te janken.

Als Charlie me terug wilde hebben, zou ik mezelf dan aan hem geven? Twee jaar lang waren we heel close geweest. We sliepen samen in een eenpersoonsbed en deden alles samen, behalve tijdens colleges of werkgroepen. Het leek wel alsof een deel van mij vrijwel continu een deel van hem had aangeraakt.

Ik weet dat hij niet met mijn moeder kon opschieten, maar volgens mij kwam dat door haar. Ze leefde in zo'n klein wereldje, geobsedeerd door haar boodschappenlijstjes en haar nieuwe wasmachine. Ze had nooit eerder mensen als Charlie en zijn familie meegemaakt en ze wist niet wat ze van hen moest denken.

Ik voelde me eerst ook geïntimideerd door Charlies familie. Zijn vader was arts en Charlies twee oudere broers hadden hetzelfde beroep als hun vader. Ze woonden in een vrij groot huis, vol boeken en oude dingen, en ze hadden het altijd over de kwalificaties die iemand had. Een gesprek met hen begon vaak zo: 'Heb je Jane al ontmoet? Zij is biochemicus.' Ze waren van die mensen die elke sociale gebeurtenis veranderden in een soort gebedsbijeenkomst: ze zetten hun stoelen graag in een kringetje voor een goed gesprek. Daar moest ik vaak om giechelen.

Ze hadden niet veel met me op. Dat voelde ik wel, doordat ze altijd over Charlies vroegere vriendinnetje praatten en over wat zij nu deed. Ze nodigden haar zelfs een keer voor het diner uit toen ik er ook was. Ze ging in de kring op een houten stoel zitten, maar ik bleef op de bank in een tijdschrift zitten bladeren. Charlies moeder zei dat het geldverspilling van mij was, tijdschriften kopen, dat ik voor datzelfde geld een boek had kunnen kopen.

Na een tijdje leek het alsof ze accepteerden dat ik deel uitmaakte van Charlies leven. Ze hadden misschien gezien dat hij altijd mijn hand vasthield of met mijn haar speelde, en zich hebben gerealiseerd dat hij het serieus met me meende. Of misschien hadden ze me toegevoegd aan zijn waslijst vol fouten en eigenzinnige acties. Een doctoraal kunstgeschiedenis in plaats van medicijnen, een klein bruinharig ding met een noordelijk accent in plaats van een meisje uit hun eigen stad. Nóg iets wat ze moesten accepteren.

Het is grappig hoe de macht in een relatie kan verschuiven. Eerst deed Charlie van alles om mij een plezier te doen en verzon hij allerlei uitstapjes voor ons. We gingen bijvoorbeeld naar de kust en zaten in strandstoelen bij de zee; of hij leerde van alles over een historische plek en leidde me er dan rond. Dan bekeken we de kerk en de begraafplaats, dwaalden over oude voetpaden en lunchten in een pub met patat en bier.

In Schotland veranderde dat. We waren met de trein naar het noorden gereisd en liftten daarna door de Schotse Laaglanden, sliepen onder de blote hemel omdat we geen geld hadden voor een bed & breakfast. We waren niet goed voorbereid; we hadden niet eens een zaklamp bij ons en als de zon onder was hadden we alleen het licht van Charlies aansteker. De eerste nacht lagen we in onze slaapzakken in een bushokje en probeerde ik niet aan ratten te denken. De tweede nacht was het donker tegen de tijd dat we een kerk vonden die niet op slot was, en sliepen we op de grond naast een paar kerkbanken en dat was hard en koud.

'Denk eens aan al die mensen in de cottages hier vlakbij,' zei ik verlangend. 'Zij liggen nu in hun heerlijke bedden, onder een donzen dekbed en met de radiator aan.'

'Saaie mensen,' zei Charlie. 'Ze missen dit avontuur. Wij kunnen overal naartoe, wij kunnen alles doen wat we willen.'

Nadat we wakker waren geworden legden we wat munten in de collecteschaal en stapten de lenteochtend in. De kerk bleek in de middle of nowhere te staan, aan de rand van een meer en tussen glooiende akkers en grote loofbomen.

'Wat is het hier prachtig, vind je niet?' zei ik bewonderend. 'Gisteravond in het donker had ik er geen idee van dat dit hier allemaal was.'

Charlie trok me tegen zich aan. 'Dat heb je met avonturen,' zei hij. 'Dan gebeuren er onverwachte dingen.'

Opeens beleefde ik zo'n moment van puur geluk waarop alles, inclusief wijzelf, helemaal perfect is. Het voelt zoals bacon ruikt als je erge honger hebt, of het eerste hapje chocolade.

Charlie leek mijn overgave te voelen, en in de weken daarna trok hij zich terug. Heel subtiel. Hij raakte me niet meer zo vaak aan, plaagde me minder vaak, vertelde niet meer steeds waar hij naartoe ging. Op die manier hield hij me bij zich. En nu was hij me achterna gekomen naar Londen en vroeg ik me af wat hij van me wilde.

Afwezig hielp ik Guyon de brasserie af te sluiten en liep ik terug naar het appartement. Ik verlangde naar mijn bed en wilde tot de volgende ochtend nergens meer aan denken. Maar Leila was nog wakker en helemaal alleen. Ze zat aan de keukentafel en schreef iets op een dik, gelinieerd schrijfblok.

'Hi,' zei ze zonder op te kijken.

'Welterusten,' zei ik en glipte langs haar heen, dankbaar dat ik geen gesprek met haar hoefde te voeren.

Ik kon niet inslapen. Mijn geest was actief en ik kon hem niet uitschakelen. Af en toe hoorde ik Leila in de keuken theezetten of een sigaret aansteken aan het gasstel. Misschien kon zij ook niet slapen.

Ik moet zijn ingedommeld, want de realiteit vermengde zich met dromen en Charlie kwam bijna overal in voor. Hij had zijn bruine plunjezak bij zich en nam me mee op avontuur, maar we leken nooit ergens te komen.

De volgende ochtend voelde ik me geradbraakt, erger dan wanneer ik een kater had; met kleine oogjes en een gelige huid. Leila zat nog steeds in de keuken haar blocnote vol te schrijven in haar priegelige handschrift. Naast haar stond een volle asbak.

'Wat ben je aan het doen?'

'Eh... een boek schrijven,' zei ze, hees van te veel sigaretten.

'Echt? Waar gaat het over? Mag ik het lezen?'

Ze legde haar pen neer en zocht een nieuwe sigaret. 'Ja, misschien, als het af is. Het gaat over honden.'

Verbaasd vroeg ik: 'Over hoe je ze moet trainen of...?'

'Nee, nee, het is een roman. Engelse mensen zijn immers geobsedeerd door honden? Een verhaal over honden móét dus wel een bestseller worden.'

'Je zult eerst een uitgever moeten vinden. Volgens mij is dat niet zo eenvoudig.'

Leila was niet iemand die zich druk maakte over hindernissen in het leven. 'Een man met wie ik wel eens wat drink in de Coach & Horses is literair agent. Volgens mij wil hij me helpen om het uitgegeven te krijgen.'

Ik probeerde iets te lezen van wat ze had geschreven, maar ze schoot in de lach en schermde de woorden af met haar arm. 'Nee, niet doen.'

'Toe nou!'

'Nee, het is nog lang niet zover dat iemand het mag lezen. Maar je kunt wel iets voor me doen.'

'O? Oké, wat dan?'

'Gun me een paar diensten in de brasserie. Ik heb geld nodig.'

Het had een eeuwigheid geduurd voordat Leila door de toelage heen was die haar moeder haar had gegeven. Ze gaf niet veel uit. Ik stopte de koelkast vol eten, meestal *taramasalata* en sesambrood van de Griekse buurtwinkel, en ze hoefde geen huur te betalen. Ze kocht dus hoogstens sigaretten, maar die bietste ze meestal.

'Ik wil niet meer dan twee of drie avonden per week werken, omdat ik me op mijn schrijven moet concentreren,' voegde ze eraan toe.

'Goed, ik kijk vanavond naar het dienstrooster en dan probeer ik je ergens tussen te proppen,' beloofde ik. 'Maar dan moet je er wel om halfvijf zijn voor het personeelsdiner, oké? Guyon wordt gek als niet iedereen de specialiteiten heeft geproefd.'

Fronsend zei ze: 'Ik wil er alleen werken, niet eten. Robbie vond het nooit erg als ik die personeelsetentjes oversloeg.'

'Nou ja, maar Robbie is er niet meer. Nu ben ik de maître d', weet je nog?'

Ze lachte naar me. 'Wat is er trouwens met je aan de hand? Waarom ben je al zo vroeg op en zo chagrijnig?'

Ik wist dat ze het er niet mee eens zou zijn als ik haar vertelde dat ik een afspraak had met Charlie. 'Ik ga weg, ik heb een ontbijtafspraak met een vriend,' zei ik alleen maar.

'O ja? Met wie?'

'Dat vertel ik je nog wel. Nu wil ik eerst douchen.'

Ik was te laat en Charlie zat al op me te wachten, met zijn bruine plunjezak op de stoel naast hem en de krant uitgespreid op tafel. Hij schoof alles opzij toen hij me zag en stond op.

'Alice.' Hij boog zich naar me toe en hield me vast. Hij rook naar tabak en natte wol, wat ik op een vreemde manier prettig vond.

'Charlie.' Ik probeerde mezelf los te maken.

'Heerlijk je te zien!' Hij glimlachte toen we tegenover elkaar gingen zitten. 'Je ziet er geweldig uit, weet je dat?'

Ik friemelde wat aan mijn haar en zei: 'Echt? Dank je.'

'Hier heb je de menukaart. Laten we uitgebreid ontbijten, net als vroeger op zondag. Ze hebben zo'n eiergerecht waar je zo dol op bent, met die kleverige gele saus erover.'

'Hollandaise.' Ik bekeek de menukaart. 'Eerlijk gezegd heb ik niet veel trek.'

'Neem alsjeblieft iets,' zei hij. 'Ik trakteer.'

Hij gedroeg zich bijzonder formeel en welgemanierd, alsof het ons eerste afspraakje was. 'Charlie, ik weet niet eens waarom je hier bent of wat je van me wilt en ik kan niets door mijn keel krijgen omdat ik bang ben,' flapte ik eruit.

'Eerlijk gezegd ben ik ook wel een beetje bang,' bekende hij.

'Echt? Waarom?'

Hij haalde iets uit zijn plunjezak en legde het tussen ons in op de tafel. Het was een klein rechthoekig doosje bekleed met groen fluweel.

Ik keek ernaar en hoopte dat het niet was wat ik dacht. 'Wat is dat...?'

'Een ring.'

Op dat moment kwam de serveerster en ze leek uren nodig te hebben om mijn simpele bestelling – koffie met een croissantje – op haar notitieblok te schrijven.

'Charlie, waarom heb je een ring voor me meegenomen?' vroeg ik zodra ze vertrokken was.

'Volgens mij weet je best waarom.' Hij stak zijn hand uit en pakte mijn vingers stevig vast. 'Omdat ik je heb gemist en me realiseer dat ik het heb verknald. En omdat ik je wilde laten zien dat we samen een toekomst hebben.'

'Alsjeblieft, niet doen...' zei ik, maar probeerde mijn hand niet terug te trekken.

'Alice, wil je met me trouwen?' Hij knielde niet letterlijk voor me, maar verbaal wel een beetje.

'Niet nu. Dat zou niet goed zijn.'

'Maar je houdt toch nog steeds van me?'

'Eerlijk gezegd weet ik dat niet.'

'Kijk nou eens naar die ring. Het is een smaragd. Hij past bij je.' Ik dacht dat ik tranen in zijn ogen zag.

'Haal hem alsjeblieft weg. Ik wil hem niet zien.'

'Weet je dat zeker? Hij is schitterend. Ik heb er heel lang over gedaan om hem uit te zoeken.' Nu zag ik echte tranen. Ze biggelden over zijn wangen.

'Je hebt me gedumpt, Charlie,' zei ik zacht. 'En ik denk dat ik je dat nog niet heb vergeven. Hoe zit het trouwens met die verschrikkelijke dingen die ik jou en Sarah heb aangedaan? Die belachelijke acties? Je drankje van je afpakken in bars en midden in de nacht huilend naar haar huis komen?'

Hij slaagde erin te glimlachen. 'Je hebt Sarah bang gemaakt. Op een bepaald moment wilde ze de politie zelfs bellen. Maar weet je, achteraf gezien was het eigenlijk wel grappig. '

'Echt?'

'We wisten nooit wanneer je zou verschijnen. Je was een heel klein woedend ding en ik vond dat ze zich aanstelde om zogenaamd bang voor jou te zijn. Ze is ongeveer twee keer zo groot als jij. Hoe dan ook, misschien verdiende ze het. Ze heeft immers onze relatie kapotgemaakt?'

'Dat was maar voor de helft haar schuld,' zei ik.

De serveerster bracht onze bestelling, bleef talmen en veegde suikerkorrels van ons tafeltje. Ik vroeg me af of ze Charlie had zien huilen.

'Ja, ik weet dat het ook mijn schuld was.' Hij keek naar het doosje dat nog steeds tussen ons in stond. 'Maar het was een vergissing, een heel grote vergissing. En zelfs als je niet met me wilt trouwen, moeten we volgens mij samen zijn.'

'Volgens mij kan dat niet.'

'Natuurlijk kan dat wel. Ik kom naar Londen als je dat wilt. We kunnen iets huren. Alsjeblieft, Alice.'

'Ik weet het niet...' zei ik onzeker. 'Daar moet ik eerst over nadenken.'

'Er is toch geen andere man?'

'Nee.'

'Is er een andere man geweest sinds… je weet wel, sinds die nacht?' vroeg Charlie. Hij klonk niet op zijn gemak.

'Bedoel je of ik met iemand naar bed ben geweest? Nee.'

Hij schudde zijn hoofd. 'Dat kan niet goed voor je zijn, Alice. Je moet dat achter je laten, eroverheen komen.'

'Het gaat prima met me,' zei ik.

'Heb je er wel eens met iemand over gepraat?'

'Nee, dat heb ik niet.' Ik wilde geen psychische hulp of, nog erger, mijn verhaal delen met andere verkrachte vrouwen. Het leek beter om alles te negeren, het ergens weg te stoppen tot ik wist wat ik ermee aan moest. Toch had Charlie misschien wel gelijk. Het was nu al een jaar geleden en misschien moest ik eens uitzoeken hoe het voelde om met iemand te vrijen.

'Ik logeer bij mijn broer in Camden.' Hij liet mijn hand los en stopte het doosje in het voorvakje van zijn plunjezak. 'Je mag wel meekomen als je wilt. Alleen voor een knuffel.'

Ik sloeg mijn armen over elkaar. 'Dat lijkt me geen goed idee.'

'Alleen deze keer, Alice.' Charlie glimlachte naar me alsof hij wist hoe heerlijk ik het zou vinden me tegen hem aan te drukken, me op te rollen in een tent van lakens en dekens, warm en veilig in zijn armen.

Hij vouwde zijn krant op en stopte zijn boek weg. 'De keus is aan jou, Alice.'

'Misschien alleen voor een knuffel,' gaf ik toe. 'Maar niet langer dan een halfuur.'

Hij grijnsde alsof hij had gewonnen. 'Ja, tuurlijk. Als je dat wilt.'

Charlie pakte mijn hand weer toen we het café verlieten en stak zijn andere arm op om een taxi aan te houden. Toen we achter in de taxi zaten, drukte hij zijn been tegen het mijne en een stukje van mij raakte een stukje van hem tijdens die rit naar het appartement van zijn broer in Camden.

Babetta

Zelfs op dagen waarop de lucht dreigend en vol regen was en er een koude zeewind waaide, wikkelde Babetta een oude sjaal om haar hoofd en ging aan het werk in de tuinen van Villa Rosa. Ze verzamelde de gevallen vruchten van de citroenbomen naast het huis, wiedde het onkruid in de bloembedden en zette potten met rode geraniums langs de ruwe stenen muren. Ze trok zich er niets van aan dat haar eigen tuin er verwaarloosd bij lag of dat het vuur in haar eigen haard doofde en haar man voor zichzelf moest zorgen. Wat haar betreft zat hij de hele middag aan de keukentafel, maar niemand zette iets voor hem neer, geen kop soep, geen grof gesneden brood of schilfers Parmezaanse kaas. Want Babetta maakte zich nu geen zorgen om hem, maar om Villa Rosa.

Ze was opgewonden, ondanks haar pijnlijke linkerheup en haar stijve knieën. Er was hier al zo lang niets gebeurd en nu ging hier zo veel veranderen. Terwijl ze de hele dag zonder pauze doorwerkte, dacht ze aan het gezin dat misschien in het oude huis kwam wonen: aan de vrouw, heel elegant gekleed in de nieuwste designerkleding, aan de kinderen spelend op de binnenplaats bij de granaatappelboom en aan de man die elk weekend met een snelle auto uit de stad kwam. Ze zouden blij zijn met iemand zoals Babetta, die een oogje op alles kon houden terwijl zij het druk hadden met hun leven. Misschien zouden ze in de zomer feestjes organiseren, met lampjes in de bomen en de hele nacht muziek. Dan zou ze een tweede rieten stoel zoeken en urenlang naast Nunzio gaan zitten om te kijken naar alle mensen die kwamen en gingen.

Babetta begon net te denken dat ze de tuin onder controle had toen er drie mannen verschenen. Ze reden hun witte dieplader achteruit door de hekken van Villa Rosa.

'Pas op, pas toch op,' mopperde Babetta en ze keek naar het gereedschap achterin. Ze zag een stel harken en spaden, iets dat op een kettingzaag leek en ander gereedschap dat alleen sterke mannen konden hanteren.

'Wat doen jullie hier?' wilde ze weten. 'Wie zijn jullie?'

'Wij zijn de tuinmannen,' zei de oudste. 'We moeten de boel hier opknappen.'

'Dat is niet nodig. Daar zorg ik voor.'

Hij keek verbaasd. 'We zijn hier toch goed, hoop ik? Villa Rosa?'

'Jawel, maar misschien is er sprake van een misverstand,' zei ze. 'Jullie zijn hier niet meer nodig.'

'*Signora*, we hebben onze instructies.' Hij haalde een verfrommeld papier uit zijn zak en las de tekst. 'Snoei de klimplanten. Haal de groentebedden leeg en zaai graszaad. Spuit het onkruid dood, veeg de paden schoon en maai het gras. Er moet heel veel gebeuren, ziet u wel? We kunnen maar beter aan de slag gaan.'

De hele ochtend werd Babetta gekweld door het geluid van hun werkzaamheden: het gekletter en gedreun van hun machines, het gekraak van de takken die op de grond vielen. Ze probeerde zichzelf af te leiden door haar eigen verwaarloosde tuin aan te pakken, maar ze werd steeds weer naar het terras getrokken, waar ze bij Nunzio's stoel ging staan en zich afvroeg wat er nu precies gebeurde achter de hoge muur die het zicht op Villa Rosa blokkeerde.

Tegen lunchtijd kon ze er niet meer tegen. Ze perste een paar citroenen uit boven een grote glazen karaf, deed er een paar takjes munt en heel veel ijs bij en bracht het, voorzichtig tegen haar borst recht houdend, naar Villa Rosa.

'*Ragazzi,*' riep ze. 'Jullie willen nu vast iets eten. Ik heb iets fris meegenomen om mee te beginnen.'

De mannen waren dankbaar voor het koele bittere drankje. Terwijl ze het opdronken, keek Babetta om zich heen. Alles was teruggesnoeid, zelfs de bloeiende blauweregen op het bovenste terras. De tuin zag er kaal uit en leek zich te schamen. Hier en daar zag ze onkruid dat ze hadden laten staan en zaailingen die ze er juist hadden uitgetrokken. Babetta schudde haar hoofd en klakte met haar tong, maar het lukte haar er niets van te zeggen.

Alice

Charlie logeerde nog maar net een paar dagen bij zijn broer, maar nu was de logeerkamer al een puinhoop van rondslingerend kleingeld, uitgetrapte schoenen en andere dingen. Ik lag op het oude tweepersoonsbed en herinnerde me weer hoe irritant het was geweest om met zo'n slordige man samen te wonen. Een paar minuten daarvoor hadden hij en ik, ondanks al ons gepraat over alleen maar even knuffelen, de veren van het bed laten kraken. Het was precies zo geweest als ik me herinnerde. We wisten allebei wat we moesten doen, hoe we dat op elkaar moesten afstemmen voor een prettige, veilige soort hartstocht. Nu het voorbij was, was ik vooral opgelucht. Het was alsof we de nacht waarop ik was verkracht iets verder naar het verleden hadden geduwd.

Ik realiseerde me twee dingen toen ik daar lag te kijken naar de troep die Charlie in de kamer had laten slingeren. Het ene was dat ik heel gemakkelijk weer met hem zou kunnen samenleven; we zouden een flatje kunnen huren, in het weekend al kletsend lange wandelingen maken en naar buitenlandse films kijken. Dat leek veel aantrekkelijker dan het alternatief – alleen wonen – zelfs als het erop neerkwam dat ik steeds alles achter zijn kont moest opruimen. Het tweede dat ik me realiseerde was dat ik mezelf leuker had gevonden toen ik nog bij Charlie was, op de een of andere manier slimmer en interessanter.

Ik zag dat hij gelukkig was. Hij had zijn lichaam om me heen gewikkeld en af en toe doezelde hij even weg. Het ene moment maakte hij zachte snurkgeluidjes en het volgende had hij zijn ogen open en glimlachte hij naar me. Het was gezellig. Ik had die hele middag wel bij hem kunnen blijven en de veren van het bed nog een of twee keer kunnen laten kraken.

Maar opeens dacht ik aan Leila. Ik was vertrokken met de mededeling dat ik buitenshuis zou ontbijten en nu was het al ver voorbij lunchtijd. Ik schoof Charlies arm van me af en glipte uit bed. Hij gromde even en rolde opzij, viel dieper in slaap. Het leek een beetje gemeen om hem wakker te maken en dus ging ik tussen alle troep op zoek naar een pen. Ik schreef een berichtje voor hem in de marge van zijn krant. 'Kom me maar snel opzoeken in de brasserie.' De woorden krulden langs de zijkant van de pagina. 'Dan trakteer ik je op een maaltijd en een flesje wijn.'

Ik legde de krant naast zijn shag, kleedde me snel aan en sloop de flat uit. De hele terugweg naar Maida Vale voelde ik me vreemd opgewonden. Ik was er nog niet klaar voor om nu al naar zijn ring met de smaragd te kijken, maar ik begon wel te denken dat we bij elkaar hoorden. Ik was ervan overtuigd dat de stukjes liefde die waren verdwenen nadat hij was vertrokken algauw zouden terugkomen. Dat zou even gemakkelijk gaan als een paar kilo aankomen. En als ik bij Charlie was, zou de toekomst niet zo vaag en saai lijken. Ik kon in de brasserie blijven werken, hij zou ergens een baan vinden en alles tussen ons zou weer net zo zijn als vroeger. Veilig, geruststellend. Dat vond ik een prettige gedachte.

Maar Leila's reactie had ik niet verwacht; ze werd woedend toen ik haar vertelde wat ik van plan was.

'Het is dus tijdverspilling geweest, alle tijd die je hebt besteed aan het opnieuw vormgeven van je leven.' Woest drukte ze een sigaret uit. 'Je gaat weer helemaal terug naar af en je wordt weer Charlies kleine meelopertje.'

'Ik snap niet waarom je zo de pest aan hem hebt,' klaagde ik.

'Omdat hij niet goed voor je is. Hij slokt je hele persoonlijkheid op.'

'Dat is onzin,' zei ik.

'Nee, dat meen ik! Zonder hem ben je veel meer jezelf.'

'Is dat zo?' Dat kon ik me niet voorstellen. Ik woonde nu immers in Leila's huis, deed haar werk en ging naar haar favoriete pubs. Hoezo was ik dan mezelf? Misschien was ik wel een menselijke kameleon, een menselijke tofu die elke smaak aannam die iedereen om me heen verspreidde. Dat vond ik geen prettige gedachte.

'Ga niet met hem mee,' zei Leila. 'Beloof me dat alsjeblieft.'

'Maar ik kan hier toch niet eeuwig blijven?' zei ik. 'En ik wil niet alleen wonen of samen met mensen die ik niet ken.'

'Je mag hier zo lang blijven als je wilt.'

'Maar vindt je moeder dat niet vervelend? Stel dat zij terugkomt en haar kamer terug wil?'

'Mijn moeder?' vroeg Leila lachend. 'Die heeft het veel te druk met haar eigen problemen; het maakt haar niets uit of je hier wel of niet bent. Het laatste wat ik hoorde was dat ze Zuid-Frankrijk zou verlaten en naar Italië wilde verhuizen. Ze zegt dat ze daar veel meer inspiratie heeft, maar volgens mij had ze een relatie met een Fransman die op de klippen is gelopen en wil ze daar weg.'

Leila's moeder was schilderes. In het appartement hing wat van haar vroegere werk. Het waren grote doeken, met enorme vierkanten in verschillende blauwtinten naast elkaar. Ik had niet veel verstand van kunst, maar volgens mij waren het allemaal variaties op hetzelfde thema. Maar zij had er succes mee, ze verkocht ze voor een heleboel geld en de *Sunday Times* schreef regelmatig over haar.

'Ik zal toch een keer moeten vertrekken,' zei ik. 'Je moeder zal ooit weer eens in Londen willen wonen.'

'Misschien, maar het heeft geen zin je daar nu al druk over te maken.' Leila ademde sissend uit en zei fel: 'Luister, Alice, als je hem per se wilt zien moet je dat doen, maar ga niet met hem samenwonen. Blijf hier bij mij, blijf in de brasserie werken en blijf het leven leiden dat je hebt gecreëerd nadat hij je vorige leven heeft verwoest.'

'Als je zeker weet dat je het niet erg vindt dat ik hier ben...'

Ze kwam naar me toe en sloeg haar armen om me heen zodat haar lange haar over mijn gezicht viel. 'Ik vind het heerlijk dat je hier bent, Alice. Zonder jou zou ik me eenzaam voelen.'

Ik had het gevoel dat ik werd verleid, net als de mannen die ze mee naar huis nam. 'Dan blijf ik,' beloofde ik. 'Maar Charlie zal wel af en toe langskomen. Vind je dat goed?'

'Dat moet dan maar.'

'Dan is dat geregeld. Alles is geregeld.' Ik was opgelucht, blij dat er een paar besluiten waren genomen.

Maar alles bleek nog niet geregeld te zijn. Want toen ik die middag in de brasserie kwam, liet Guyon een bom vallen. Zodra hij me zag nam hij me mee naar een hoekje van de keuken.

'Ik ga weg,' siste hij. 'Ik heb een nieuwe baan. Een geweldige baan!'

'Wat?' Ik was verbijsterd.

'Het is een nieuw restaurant, Teatro, van een flitsende jonge chef.' Hij was rood van opwinding. 'Ik ga de voorbereidingskeuken runnen en ik krijg de leiding over alles wat van tevoren wordt klaargemaakt: de bouillon, de soepen, het uitbenen en opsnijden van het vlees, het fileren van de vis en dat soort dingen.'

'Maar waarom zou je dat willen?' Ik snapte er niets van. 'Dat is toch een stap terug? Hier heb je de leiding over je eigen keuken.'

'Het gaat om het eten, Alice. De menukaart wordt fantastisch, gerechten die ik vroeger ook klaarmaakte. Het wordt een opwindend restaurant. Het is een stap naar waar ik was voordat alles misging.' Guyon had nooit eerder gerept over de reden waarom hij uit de gratie was geraakt en hij aarzelde even voordat hij eraan toevoegde: 'Daar wil ik zijn.'

'Het zal hier verschrikkelijk zijn zonder jou,' flapte ik eruit. 'Wat moet ik dan doen?'

Hij grijnsde. 'Kom mee. Ik kan je aanbevelen voor een baan, niet als maître d' natuurlijk. Jij zou ook een paar stapjes terug moeten doen.'

'Ik weet het niet. Daar moet ik eerst eens over nadenken.'

Die avond dacht ik steeds maar aan Guyon. Hoe was het mogelijk dat hij zo enthousiast was over in een keuken werken? Volgens mij betekende het keihard zwoegen in een verstikkende hitte en met veel te veel stress. En dan had je de gasten die hun eten op hun bord heen en weer schoven en op zoek waren naar iets om over te klagen. Wat was zo belangrijk aan eten dat hij dat allemaal slikte?

Terwijl ik de keuken in- en uitliep, keek ik naar hem, bezig met koken. Hij bewoog zich snel en in een soort ritme. Vlees siste in de olie, lange vlammen schoten uit pannen en Guyon stond er zwetend boven met een ietwat afwezige blik.

Tot mijn verbazing was ik jaloers. Ik wilde weten hoe die passie voelde, hoe het was om even gedreven en geabsorbeerd te zijn als

Guyon door wat je deed. Maar ik wist ook heel zeker dat ik dat nooit zou ontdekken als ik in de bediening bleef werken.

'Ik doe het! Ik ga met je mee naar die nieuwe tent, het Teatro,' zei ik impulsief na afloop van onze dienst.

'Geweldig! Dan ga ik met de baas praten.' Guyon klonk oprecht blij.

'Onder één voorwaarde: ik wil geen serveerster zijn. Als ik kom, wil ik samen met jou in de keuken werken.'

'Maar, Alice, je hebt helemaal geen ervaring.'

'Dat maakt toch niets uit? Dan begin ik helemaal onderaan, ik zal alles snijden en ik doe alle klusjes. Ik word je keukenslaafje.'

'Dat betekent wel dat je elke ochtend heel vroeg moet beginnen, heel veel uren moet draaien en keihard moet werken voor weinig geld,' waarschuwde hij. 'Waarom zou je dat willen?'

'Om dezelfde reden als jij. Het is een stap naar iets toe. Ik wil het gewoon proberen, oké?'

Hij pakte mijn hand en hield hem voor mijn ogen. 'Zie je de perfecte en ongeschonden huid van je handen?'

Ik knikte en keek naar zijn hand, die hij naast de mijne hield. Die zat onder de littekens van sneden en brandwonden. 'Ik snap wat je bedoelt, Guyon. Ik weet dat het zwaar zal zijn,' zei ik. 'Maar het is de moeite waard om het te proberen. Ik kan toch niet mijn hele leven serveerster blijven? Ik moet nu eindelijk maar eens iets nieuws proberen.'

'Goed dan, Alice. Ik zal mijn best doen je een baan te bezorgen,' beloofde hij. 'Maar zeg nooit dat ik je niet heb gewaarschuwd.'

Ik was al heel lang niet zo opgewonden geweest, realiseerde ik me toen ik die nacht terugliep naar het appartement. Een jaar geleden had ik mezelf beloofd dat ik mijn tijd goed zou gebruiken, dat ik het leven zou uitpersen tot er niets meer in zat. Tot dan toe was ik er absoluut niet in geslaagd. Misschien kreeg ik daar nu eindelijk de kans voor.

Babetta

Babetta stond steeds vaker door de open hekken naar Villa Rosa te kijken. Het leek wel alsof het huis eindelijk tot leven kwam. De blinden waren open en de binnenplaats stond vol ladders en potten verf. De hele dag liepen mensen in en uit. De meesten merkten Babetta niet eens op en zelfs degenen die dat wel deden, zeiden hooguit *buongiorno* en liepen snel door. Ze moesten aan het werk, muren roze schilderen, tegels repareren, treden uithakken in de rotsen die naar de zee leidden. Babetta had er niets mee te maken, maar toch werd ze steeds weer naar de open hekken getrokken waar ze alles kon zien.

Zelfs Nunzio kwam wel eens bij haar staan. Hij had zijn hand opgestoken en de arbeiders toegeknikt. Maar toen ze met hem wilden praten, draaide hij zich om en schuifelde terug naar zijn rieten stoel.

Het liefst wilde Babetta de *signora* met het klembord zien. Ze wilde haar herinneren aan haar aanbod om de zorg voor het terrein weer op zich te nemen. Iedereen kon immers zien wat een puinhoop die ploeg tuinlieden ervan had gemaakt. Het zou veel beter zijn om haar weer met die taak te belasten, zelfs als ze af en toe een mannetje moesten sturen om haar met het zware werk te helpen. Maar toen de *signora* in haar prachtige Fiat kwam aanrijden, leek ze geïrriteerd. Ze knikte kortaf als reactie op Babetta's begroeting en liep snel door het hek. Ze leek ergens boos over te zijn, schreeuwde bevelen naar de arbeiders en zei dat ze sneller moesten werken. Babetta had haar kunnen vertellen dat dit niet de juiste aanpak was, maar in plaats daarvan bleef ze alleen maar staan kijken.

'*Signora*, mag ik even met u praten?' vroeg ze toen de vrouw terugliep naar haar auto. 'Het gaat om de tuinen.'

'Ik heb nu geen tijd om daarover te praten.' Ze stapte al in haar Fiat en Babetta's kans glipte haar uit handen. Toen keek de *signora* op en zei: 'Eigenlijk kunt u me wel ergens mee helpen. Zou u me een plezier willen doen?'

'Natuurlijk,' zei Babetta gretig. 'Wat dan?'

'Weet u, officieel staat het huis nog niet te koop, maar ik heb een klant die het toch wil bezichtigen. Ze komt later in de middag, maar dan kan ik er niet zijn. Als ik u de sleutel geef, wilt u haar dan binnenlaten en rondleiden? Het is misschien te veel gevraagd maar...'

'Geen probleem, hoor. Ik doe het graag.' Babetta stak haar hand uit, nam de sleutel aan en stopte hem snel in haar zak voordat de *signora* zich zou bedenken. 'Hoe heet uw klant?'

'Aurora Gray. Ze is een Engelse, maar ze spreekt wel wat Italiaans en ze begrijpt heel veel als je langzaam praat. Laat haar het huis en de tuinen zien. Ik wilde dat ik hier zelf kon zijn maar...'

Daarna reed de *signora* de heuvel op met een zandwolk achter zich aan.

Babetta legde haar hand op de zak waar de sleutel van Villa Rosa in zat. Ze had het gevoel dat ze een prijs had gekregen: ze was nog nooit binnen geweest en ze had nooit verwacht dat dit nog eens zou gebeuren.

Ze wilde het dolgraag aan iemand vertellen, maar er was niemand die het interesseerde. Nunzio al helemaal niet; hij had zijn stoel verlaten en was boven in bed gaan liggen. Daarom ging Babetta weer aan het werk en wachtte op de Engelse dame. Ze vroeg zich af hoe ze eruitzag, of ze rijk was en waarom ze Villa Rosa zou willen kopen.

Het was laat geworden en Babetta was al bang dat er niemand zou komen, toen ze de auto van de heuvel af zag rijden. Ze rende naar de hekken, met de sleutel in haar hand.

'Buonasera,' riep ze toen de Engelse dame het portier achter zich dichtsloeg.

De vrouw glimlachte naar Babetta. Ze was lang, had koperkleurig haar en nog altijd een knap gezicht.

'Buonasera,' antwoordde ze. 'Wat een prachtige namiddag, hè? Ik was zo bang dat het zou regenen en ik dit niet op zijn mooist kon zien.'

'Bent u Aurora Gray? Ik ben Babetta. De *signora* heeft me gevraagd u Villa Rosa te laten zien, omdat zij vanmiddag andere afspraken heeft. Als u met me meekomt, dan zal ik u meteen het huis laten zien.'

'Nee, nee, als u het niet erg vindt, wil ik liever eerst door de tuinen lopen en naar de zee beneden. Het huis kan wel wachten.'

Babetta was teleurgesteld, maar ze begeleidde de Engelse dame door de tuinen, vertelde de namen van de fruitbomen en zei expres een paar keer dat zij tot voor kort degene was geweest die ze zo goed had verzorgd.

Toen ze het pad naar de zee af liepen, zag Babetta dat de treden nog altijd niet goed waren gerepareerd. 'Het is te gevaarlijk om verder te gaan, *signora*. Maar in de zomer is het hier prachtig. Er is een metalen ladder die je aan de rotsen vastmaakt, dan kun je naar beneden klimmen en in zee zwemmen als die rustig is.'

'Dat klinkt goed.' De vrouw keek naar de trap. 'Ik weet zeker dat ik via de rotsen naar beneden kan klauteren. Ik moet alleen een beetje opletten.'

Voordat Babetta haar kon tegenhouden, stapte ze de brokkelige treden af. Ze was bepaald geen jonge vrouw meer, maar wel heel lenig. Algauw stond ze helemaal beneden op de rotsen te kijken naar de vele lagen blauw waar de lucht de zee raakte.

'Misschien is dit het wel,' mompelde de vrouw.

Het huis interesseerde haar niet erg. Babetta liep met haar door elk vertrek, fronste toen ze zag dat er stof op de witte tegels lag en dat de gordijnen begonnen te vergaan. Ze nam alles in zich op omdat ze niet wist of ze ooit nog eens binnen mocht komen. Maar Aurora Gray leek meer gefascineerd door het uitzicht vanuit elk raam. Ze bleef staan toen ze de zon zag ondergaan en de lagen blauw roze kleurden. Daarna draaide ze zich om naar Babetta en zei: 'Volgens mij heb ik alles wel gezien.'

Toen de Engelse dame wegreed, keek Babetta naar het beeld van Christus hoog boven haar. Ze bleef er even naar kijken, haalde haar schouders op en liep naar binnen om eten te maken voor die arme Nunzio.

Alice

Ik had het gevoel dat ik in een soort hel terecht was gekomen, een ziedende put met stalen wanden en boordevol lichamen. Ik had geen keus, ik moest nog harder en nog sneller werken, want als ik ophield, ook al was het maar heel even, raakte ik achterop en dat kon echt niet.

De keuken van het Teatro bevond zich aan de voorkant van het restaurant en had ramen naar de straatzijde zodat iedereen die voorbijliep ons kon zien in onze witte kokskleding, gebogen over een snijplank of worstelend met een grote pan kippenbouillon. Gasten die onderweg waren naar de eetzaal moesten door een smalle gang langs de keuken lopen; ze voelden de hitte van de ovens en de vlammen, en roken de gerechten die werden bereid. Zelfs als ze zaten te eten konden ze door een glazen wand de koks aan het werk zien.

Het andere verschil was dat het Teatro geen wijnkelder had. In plaats daarvan stonden de flessen op schappen over de volle hoogte van de drie resterende wanden. De sommeliers moesten op een ladder klimmen om een wijnfles te pakken die ze vervolgens in een mandje aan een katrol naar beneden takelden.

'We geven onze gasten niet alleen te eten,' vertelde Guyon. 'We geven hun ook een avondje theater.'

Maar als wij er waren was de eetzaal natuurlijk leeg; het Teatro was alleen geopend voor het diner. Wij moesten van tevoren zo veel mogelijk klaarmaken voor de avondkoks, die de laatste hand legden aan de gerechten en de borden opmaakten.

De chef-kok, Tonino Ricci, stond bekend om zijn moderne Italiaanse cuisine en daarom maakten we heel veel lichte sauzen en bouillons, fileerden we vis en beenden we vlees uit. In het begin mocht ik dat allemaal niet doen, omdat het te moeilijk voor me werd geacht. Voor mijn gevoel heb ik wekenlang alleen maar groenten gesneden.

Op mijn eerste dag gaf Guyon me een zak wortels en zei dat ik ze in blokjes moest snijden. Dat kostte me twee uur en af en toe keek hij even of ik het wel goed deed.

'Wat doe je als ze niet perfect zijn?' vroeg ik.

Hij knikte naar de stoofpot. 'Dan gooi ik ze daarin.'

'Dat meen je niet!'

Grimmig schudde hij zijn hoofd. 'Er staat hier veel op het spel, Alice. Er is heel veel geld geïnvesteerd. We kunnen het ons niet permitteren dat iemand er een puinhoop van maakt... zelfs het keukenslaafje niet.'

Ik had hem nog nooit op die toon horen praten, als een strenge leraar. Tot mijn verbazing begon ik bijna te huilen en ik ging maar snel door met hakken.

Zodra ik de groente perfect kon snijden, mocht ik vlees in blokjes snijden voor een ragout of de schil van citrusvruchten raspen. Pas toen Guyon verklaarde dat ik op de juiste manier een mes kon hanteren – niet optillen maar op en neer bewegend – mocht ik andere dingen doen: een eend of kip in stukken snijden, kruiden klaarmaken voor een salade, dunne lapjes vlees snijden voor *involtini*. Uiteindelijk kreeg ik te zien hoe ik pastadeeg moest maken, uitrollen en in de vormen snijden die nodig waren voor de gerechten van die avond.

Halverwege de middag kwamen de avondkoks en maakten hun afdeling klaar. Dan werd het echt heel druk en vol in de keuken. De geur van gestoofd vlees en pruttelende bouillon en sauzen steeg op. Het vreemde was dat er bijna niets te horen was, alleen het geluid van messen op een hakblok en af en toe het gekletter van pannen.

Het was zwaar werk. Aan het einde van de dag deden mijn armen en schouders pijn, roken mijn handen en haren naar voedsel en was ik zo moe dat ik alleen nog maar wilde gaan liggen. Toch had ik nog geen zin de keukens van het Teatro te verlaten, omdat het dan juist interessant begon te worden.

'Denk je dat ik ooit zo goed zal zijn dat ik avonddienst mag draaien?' vroeg ik Guyon op een ochtend terwijl ik de selderij in plakjes sneed.

Hij schoot in de lach en wees naar me met zijn mes. 'Het virus heeft je te pakken,' zei hij. Maar hij gaf geen antwoord.

's Avonds was het altijd hectisch in het restaurant omdat dit hét hippe nieuwe restaurant van de stad was en Tonino Ricci de chef over wie iedereen het had.

'Maar de gasten vinden de gerechten niet eens belangrijk,' zei Guyon. 'Die mensen zijn verdwenen zodra het volgende trendy restaurant zijn deuren opent. Om het juiste publiek te trekken moeten we goede recensies krijgen.'

Zelfs ik ging op zondagochtend allereerst een krant halen om te zien of het Teatro werd genoemd. Ik kon voelen dat iedereen gespannen afwachtte hoe het restaurant zou worden beoordeeld. Alleen Tonino zelf leek ongeïnteresseerd. Hij was een rustige man die meer op een marathonloper leek dan op een kok. Hij had donkerbruine ogen en een heel zachte stem. Nico, de souschef, maakte het meeste lawaai. Tonino liep maar wat rond, fluisterde iets in iemands oor of duwde zachtjes mensen opzij om hen te laten zien hoe ze iets moesten doen. Hij was nog jong, midden twintig, maar volgens Guyon had hij al vanaf dat hij een mes kon vasthouden in het restaurant van zijn familie in het zuiden van Italië gewerkt.

Toen de recensies verschenen waren ze positief, maar we konden ons nog niet ontspannen omdat Tonino zijn eerste Michelinster wilde verdienen. Hij zette nog meer specialiteiten op het menu en dat betekende dat Guyon zelfs nog vroeger moest beginnen om zijn lijst op te stellen met dingen die we voor die dag moesten bereiden. Hij begon al om zes uur 's ochtends en draaide diensten van twaalf uur. Ik begon me zorgen om hem te maken.

We waren allemaal gestrest en uitgeput, maar alles liep gesmeerd tot Tonino ongeveer een jaar na de opening zijn begeerde Michelinster kreeg. Die middag schonk hij voor iedereen een glas champagne in, bedankte ons en bracht een toost op ons uit. Guyon hief zijn glas en nam net als iedereen een slokje. Nadat hij het in één keer achterover had geslagen, accepteerde hij nog een glas.

Ik zei niets omdat ik niet hoorde te weten dat Guyon een drankprobleem had; hij praatte er nooit met iemand over. Hoe dan ook, zijn dienst zat er bijna op, we vierden een groot succes en een paar glaasjes champagne konden toch geen kwaad?

In het begin kon Guyon het nog bolwerken. Ik was kennelijk de enige die rook dat zijn adem zurig was geworden en dat hij na lunchtijd regelmatig de koelruimte in- en uitliep. Ik was degene die daar de halflege fles witte wijn ontdekte, verstopt achter een paar op elkaar gestapelde trays morieljes, maar ik hield nog steeds mijn mond. Hoe zou ik erover moeten beginnen? Het leek gemakkelijker om hem in de gaten te houden.

Toen begon hij fouten te maken. Guyon liet een keer een schaal vlees zo lang in de oven staan dat alle vocht verdampte en het vlees uitdroogde. Er gebeurden meer dingen. Een keer leende de chef de partie zijn mes en klaagde dat het niet scherp was; een teken van slordigheid. Hij vergat een saus te maken, waardoor Tonino een specialiteit van de kaart moest halen. Allemaal kleine dingetjes die op zich niet rampzalig waren. Bovendien leek Guyon niet dronken, hij stond niet te wankelen op zijn benen en hij praatte niet onduidelijk. Daarom begon ik er niet over en ik hoopte maar dat hij uit zichzelf mee zou stoppen.

Er gebeurde geen ramp, geen enkele gast werd vergiftigd, niets ging kapot. Maar op zijn eigen kalme manier zag Tonino alles wat er in zijn keuken gebeurde. Als ik had gemerkt dat Guyon niet goed draaide, had hij dat ook gezien. Op een ochtend kwam ik binnen en zag niet Guyon maar een mager meisje in kokskleding bij de counter staan. Ze maakte een lijst van alles wat die dag moest worden klaargemaakt.

'Waar is Guyon?' vroeg ik.

'Weg,' antwoordde ze.

'Wat, op vakantie?'

'Nee, gewoon weg,' herhaalde ze kortaf. 'Ik ben Chloe. Ik ben je nieuwe baas.'

Ik kon niet wachten tot mijn dienst erop zat en ik naar Guyons appartement kon gaan om te zien of het wel goed met hem ging. Ik nam een taxi, zo ongeduldig was ik. Maar hij deed niet open, hoewel ik heel lang bleef kloppen en aanbellen. Daarom ging ik naar de brasserie om te zien of Leila aan het werk was.

'Ik vind het een rotstreek dat Tonino hem zo heeft laten gaan,' zei ik tegen haar en ik nam een groot glas wijn aan. 'Hij heeft keihard gewerkt. Als het Teatro een succes is, dan is dat deels aan Guyon te danken.'

'Misschien mag hij hier wel terugkomen.' Ze keek even naar de nieuwe kok die net iets liet vallen. 'Het loopt hier allemaal niet zo lekker. Maar dan moet Guyon wel laten zien dat hij van de fles kan afblijven. Denk je dat hij dat kan?'

'Ik weet het niet. Misschien is het probleem erger dan ik dacht. Maar goed, hij doet zijn deur niet voor me open.'

'Wat ga jij nu doen?' vroeg Leila. 'Ga jij ook weg?'

'Nee, ik denk dat ik blijf.'

'Waarom?' vroeg ze verbaasd.

Ik haalde mijn schouders op. 'Wat moet ik anders doen?'

'Geen idee, maar ik dacht dat je een soort plan had.'

Ik lachte. 'Niet echt. Ik werk gewoon keihard en ik leer heel veel. En als de dag voorbij is ben ik zo kapot dat ik niet goed kan nadenken, laat staan een plan maken. Ik bedoel, wie heeft er nu een plan?'

'Ik,' zei Leila vol overtuiging. Daarna liep ze weg om een bestelling op te nemen, een paar tafeltjes af te ruimen en een paar gasten hun tafeltje te wijzen, zodat ik een minuut of tien moest wachten voordat ik haar kon vragen wat dat was.

Dat wilde ze me natuurlijk niet vertellen. 'Dat zul je wel zien,' zei ze alleen maar. Ze draaide een streng haar om haar vingers en glimlachte.

Ik liep naar huis, lekker soezerig van de wijn en ik was afwisselend nieuwsgierig naar Leila's plannen en bezorgd om Guyon. Toen ik thuiskwam had hij een bericht ingesproken op het antwoordapparaat.

'Ik heb het verknald, Alice,' zei hij met een stem die even dik was als een van zijn favoriete romige Franse sauzen. 'Ik heb het he-le-maal verknald.'

Babetta

De stilte was het eerste wat Babetta opviel. Geen krijsende remmen van cementwagens die de heuvel op zwoegden, geen mannen die tegen elkaar schreeuwden, geen schoonmakers die rondliepen met emmers en bezems. Het werk op Villa Rosa was af en het huis stond achter de gesloten hekken te wachten tot iemand het opeiste.

De Engelse dame Aurora Gray was niet teruggekomen, maar er waren wel allerlei andere mensen geweest. Soms leidde de *signora* hen rond maar vaker, vooral als het mensen uit de buurt waren die alleen maar langskwamen om zich te vergapen, gaf ze Babetta de sleutel en liet het aan haar over.

Een paar kijkers kende ze. Fabrizio Russo – rijk geworden door zaken waar ze maar liever niet aan dacht – maakte vernietigende opmerkingen over Villa Rosa en riep dat het allemaal veel te eenvoudig voor hem was. Zijn broer Stefano, eigenaar van de stoffenwinkel in Triento, en zijn ambitieuze hebzuchtige vrouw keken vol minachting om zich heen. Babetta leidde hen zo kort mogelijk rond en bleef niet staan wachten opdat ze het uitzicht konden bewonderen of aan de nieuwe fluweelzachte gordijnen konden voelen.

De enige voor wie ze tijd maakte was de knappe Raffaella Ricci, die bekende dat ze alleen maar was gekomen omdat ze ooit op Villa Rosa had gewerkt en de villa graag nog een keer vanbinnen wilde zien.

'Ik heb zo veel herinneringen aan deze plek,' zei Raffaella en ze nam een slokje van de espresso die Babetta voor haar had gemaakt. 'Toen ik nog heel jong was kookte ik hier voor de *americano* die het beeld van Christus op de berg heeft gebouwd. Kun jij je hem nog herinneren?'

Babetta glimlachte. Ze had Raffaella en haar tweede echtgenoot Ciro altijd graag gemogen. Het waren goede mensen, gul en hardwerkend. 'Ik weet nog dat ik de *americano* zag op de dag dat het beeld werd gezegend,' antwoordde ze. 'Hij was knap om te zien. Heel jammer dat hij en zijn gezin nooit terug zijn gekomen. Dit landgoed is daarna erg verwaarloosd.'

Raffaella keek naar het terras met de gekleurde tegels en het prachtige uitzicht over de zee. 'Vreemd, maar het lijkt wel alsof dat altijd zo is geweest. Het is hier prachtig en toch wil niemand hier lang blijven.'

'Waarom koop jij het niet?' vroeg Babetta hoopvol.

'Nee, dat is niets voor mij. Ik ben heel blij met het oude huis van mijn ouders vlak bij de haven. Daar liggen ook heel veel herinneringen.'

Jaren geleden was Raffaella het knapste meisje van Triento geweest. Ze was al heel jong weduwe geworden en Babetta wist nog goed dat de mensen haar daarom hadden gehaat. Zelfs toen al was er zo veel jaloezie en werd er zo veel geroddeld in de stad. Dat was een van de redenen waarom Babetta het prettig vond dat ze zo afgezonderd woonde; hier kon niemand zich met haar zaken bemoeien.

Ze liep achter Raffaella aan naar buiten en over het pad naar de zee. 'Ik ben al heel lang niet meer bij de haven geweest,' zei ze. 'Dat is al eeuwen geleden.'

'Het verandert. Heel veel toeristen, veel meer cafés en restaurants. Als mijn ouders nog leefden, zouden ze het niet meer herkennen.'

'Maar toch, al die nieuwe mensen zullen wel goed zijn voor de zaak,' zei Babetta terwijl ze voorzichtig over de gerenoveerde trap op de rotsen liep.

'Ja, het is de hele zomer druk in ons restaurant. En de pizzeria op de heuvel doet het hele jaar goede zaken. Mijn zoon Lucio heeft daar nu de leiding.'

Ze stonden naast elkaar te kijken naar de golven die beneden tegen de rotsen sloegen. 'Jouw familie heeft goed geboerd,' zei Babetta. 'Je zult wel trots zijn. Hoe is het met je oudste zoon? Ik hoorde dat hij naar Engeland is gegaan.'

Raffaella zuchtte. 'Tonino heeft een groot restaurant in Londen geopend, heel duur, heel chic. Hij maakt zulke lange dagen dat hij geen tijd heeft om aan een vrouw of een gezin te denken. Hij is alleen maar bezig met koken. Kwam hij maar thuis. Maar hij is nog zo jong en ambitieus dat de tijd daar niet rijp voor is, denk ik.'

Ze liepen naar boven en door de tuinen. Raffaella verontschuldigde zich omdat ze zo veel van Babetta's tijd in beslag had genomen. Daarna klauterde ze op haar oude Vespa en reed de heuvel op. Haar lange haren wapperden achter haar aan, net zoals vroeger.

Babetta keek nog even naar Villa Rosa met de pas geverfde roze muren en de open luiken. Daarna deed ze de hekken op slot en liep terug naar haar eigen huis. Haar dochter zou straks komen om haar naar Triento te brengen zodat ze haar mand kon vullen met de dingen die zij en Nunzio nodig hadden: een stuk Parmezaanse kaas, misschien een zak meel en een beetje gist, wat azijn, olijfolie, zout en suiker. Haar boodschappenlijstje was nooit erg lang omdat ze hier een eenvoudig leven leidden, verscholen onder aan de heuvel bij de zee. Er was nooit een reden geweest hier verandering in te brengen.

Alice

Zonder Guyon was de voorbereidingskeuken van het Teatro maar een eenzame plek om te werken. In stilte sneed ik groente, rolde pasta uit en fileerde vis, en ik vroeg me af hoe het met hem was.

Een week lang ging ik elke dag naar zijn appartement, maar hij was er nooit. Ik heb zelfs bij de buren op de deur geklopt, maar ook dat leverde niets op. Eén vrouw zei dat ze dacht dat hij was vertrokken, maar ze klonk vaag en op de achtergrond hoorde ik kleine kinderen krijsen. Daarom dacht ik dat ze waarschijnlijk niet veel had kunnen zien.

Hoe bezorgder ik werd, hoe meer ik Tonino de schuld gaf. De hele tijd dat ik in het Teatro werkte, had de chef-kok amper iets tegen me gezegd. Er heerste een strenge hiërarchie in zijn keuken, hij stond helemaal bovenaan en ik helemaal onderaan. Als hij tegen me opbotste als ik aan het werk was, was het mijn schuld en bood ik mijn excuses aan. Als hij me iets wilde laten doen, liet hij dat door Guyon zeggen. Hij was dus erg verbaasd toen ik naar hem toe ging en vroeg of hij even tijd voor me had.

We liepen de koelruimte in om onder vier ogen met elkaar te kunnen praten. Ik stond naast een tray met ham en rilde een beetje toen ik hem vertelde dat ik ontslag nam.

'Mag ik vragen waarom?' Zijn stem was zoals altijd rustig en beheerst.

'Om Guyon.' Mijn terechte woede maakte me moedig. 'U hebt hem toch ontslagen, chef?'

Hij knikte. 'Ja, dat klopt.'

'Nou, dat vond ik niet eerlijk. Waarom kon u hem niet nog wat meer tijd geven om zichzelf weer in de hand te krijgen?'

'Omdat het dan alleen maar erger was geworden.' Hij klonk zakelijk. 'Dat heb ik eerder gezien. Guyon zou niet op dit niveau moeten koken. Hij heeft het talent er wel voor, maar niet het temperament.'

'Maar nu is hij verdwenen. Niemand schijnt te weten wat er met hem is gebeurd.'

'Hij zit in een afkickkliniek in Kent. Ik heb hem er zelf naartoe gebracht.'

'O...'

'Tevreden?'

'Ja... sorry...'

'En ik weiger je ontslag te aanvaarden.' Tonino was op een kalme Italiaanse manier arrogant. 'Maar volgens mij ben je wel aan verandering toe. Ik wil dat je 's avonds werkt. Je kunt beginnen met de pasta.'

'Echt waar, chef? Denkt u dat ik daar klaar voor ben?'

Hij haalde zijn schouders op. 'Dat weet ik niet. Maar het is tijd om te zien of jij er wel het talent en het temperament voor bezit. Als het niet goed uitpakt, accepteer ik je ontslag. Oké?'

'Ja... Ik...'

Tonino wachtte niet eens tot ik uitgesproken was. Hij liep weg om verder te gaan met wat hij aan het doen was geweest en liet me staan in de koelcel, rillend en verbaasd.

De pasta-afdeling in een restaurant als het Teatro is altijd druk omdat veel mensen pasta bestellen als ze Italiaans eten. Dus hoewel mijn nieuwe baan minder zwaar was dan bijvoorbeeld werken aan de grill, was het toch moeilijk. Je had snelheid en uithoudingsvermogen nodig; de pastaplek, zeiden de anderen steeds, was alleen geschikt voor jonge mensen.

's Avonds veranderde de sfeer in de keuken. Tonino, of Nico de souschef, stond bij de deur bestellingen te roepen en de anderen reageerden als goed afgerichte honden: we probeerden zo snel mogelijk te gehoorzamen.

Heel veel dingen vond ik moeilijk. De continue hitte bijvoorbeeld; elke avond stond ik zeker vijf uur boven de pastakoker. Ik vond het ook moeilijk om de bestellingen goed te onthouden, te bedenken welke saus bij welke pastasoort hoorde en alles netjes op te scheppen.

Er hing wel een spiekbriefje boven mijn afdeling waarop ik kon zien hoe elk gerecht opgediend moest worden, maar door de constante stoom uit de pastakoker was het papier verweekt waardoor de tekst bijna onleesbaar werd. Zelfs als ik niet aan het werk was herhaalde ik in gedachten elk gerecht: de tortelloni met een vulling van geitenkaas wordt opgediend met een botersaus en knapperig gebakken tijm; de pappardelle wordt opgediend met een volle eendenragout, verdund met een beetje pastavocht, verrijkt met boter en bestrooid met verse kruiden... totdat ik de elementen van elk gerecht even goed kon citeren als een favoriet gedicht.

De eerste avond deed ik allerlei dingen fout. Ik vergat chilipeper aan een gerecht toe te voegen en aan een ander gerecht de gehakte verse tomaat. Nico siste tegen me: 'Doe het de volgende keer goed, Alice. Doe het goed!'

Ik leefde op adrenaline, maar dat deden we allemaal. De jongen bij de grill bereidde perfect gaar vlees, het meisje van de groenten deed haar best, wij droegen allemaal ons steentje bij zodat de gasten hun eten op tijd kregen en elk gerecht precies zo smaakte en er net zo uitzag als de vorige keer dat ze het hadden besteld.

'Het gaat zowel om consistentie als om smaak,' zei Nico steeds. 'Zorg dus dat je het goed doet.'

Binnen een week had ik lelijke rode blaren op mijn armen waar ik mezelf had bespat met het kokendhete water terwijl ik met de knijper de pasta uit de koker haalde. Ik droeg een hoofddoek zodat mijn zweet niet in het eten zou druppen en ik had geleerd dat ik nog heel veel moest leren.

Soms deed ik 's avonds zo onhandig dat mijn pannen kletterend op de grond vielen, ik saus knoeide en Nico, nadat hij me uit het zicht van de eters had getrokken, me uitschold. Soms deed ik zo veel fout dat hij me opzij duwde en me liet toekijken terwijl hij mijn werk deed. 'Kijk, zo moet je het doen, Alice. Probeer het nu zelf maar. En doe het goed.'

Ik verwachtte dat Tonino me zou komen vertellen dat ik er niet het talent of het temperament voor had en hij mijn ontslag accepteerde. Maar elke avond kwam ik binnen, trok mijn witte kokskleren aan en begon mijn afdeling voor te bereiden. En elke avond vertrok ik ver na enen als ik eindelijk klaar was met het schoonmaken van mijn pastakoker. Uiteindelijk realiseerde ik me dat Nico niet meer tegen me tekeerging. De *orecchiette* was perfect gaar, er was de juiste hoeveelheid zacht gestoomde Italiaanse broccoli doorheen geroerd en ik was de chilipeper niet vergeten. Ik begon het goed te doen.

Omstreeks die tijd begon ik te huilen. Ik huilde nooit in het restaurant of in aanwezigheid van een collega, hooguit als ik alleen was. Ik huilde als ik wakker werd, als ik mijn eerste kop sterke koffie dronk of onder de douche stond. Een paar keer moest ik een paar haltes eerder uit de metro stappen en liep ik met gebogen hoofd door Green Park terwijl de tranen over mijn wangen stroomden. Ik huilde als ik een vrije dag had en 's nachts voordat ik in slaap viel, maar zacht, met mijn gezicht in het kussen gedrukt, zodat Leila het niet zou horen. Ik begreep niet goed wat er aan de hand was. Ik wist alleen dat ik nog maar twee dingen kon doen: pasta koken en huilen.

Een paar keer zag Charlie dat ik rode ogen had. We zagen elkaar meestal op zondag omdat dat de enige dag was waarop we allebei vrij waren. Dan was het Teatro gesloten, net als het filmproductiebedrijf waar Charlie werkte als agent. Meestal spraken we in de brasserie af om te lunchen en lagen we de rest van de middag in bed. Alleen daar, met Charlies armen om me heen, had ik geen behoefte om te huilen. Toch kende hij me zo goed dat hij wist dat er iets mis was.

'Wat is er aan de hand?' vroeg hij steeds. 'Gaat het wel goed met je?'

'Ja hoor, prima,' zei ik dan. 'Vraag me dat nou niet meer.'

Ik kon het niet uitleggen, omdat ik het zelf amper begreep. Ik had eigenlijk medelijden met mensen als Charlie, mensen met een kantoorbaan van negen tot vijf die het moesten doen zonder de geweldige kick die ik elke avond kreeg als ik boven de pastakoker hing en bord na bord vol schepte met pasta.

Ik realiseerde me dat het Teatro heel veel van me eiste, zowel fysiek als mentaal, maar ik wist zeker dat hiermee vergeleken elke andere baan saai was. Daarom genoot ik van de korte zondagsrust in de wetenschap dat ik de volgende dag mijn kokskleren weer moest aantrekken.

Soms, als er even geen bestellingen voor de pasta-afdeling waren, keek ik de keuken rond en nam alles in me op. En dan vroeg ik me af: hoe ben ik hier toch terechtgekomen? Hoe komt het toch dat dit nu mijn leven is?

Dan kwam er een bestelling door en ging ik snel weer aan het werk, bang en opgewonden.

Babetta

In Triento was ook heel veel vrijwel niet veranderd. De marktkooplieden zetten hun kramen nog altijd op de grote *piazza*, versierden ze met strengen gedroogde pepers en dikke salami's, stapelden ze vol ronde bleke *caciocavallo's* en verse producten van het seizoen. Het stadhuis stond nog altijd even trots en hoog op de *piazza* met ernaast het glanzende bronzen beeld van een naakte water spuwende zeemeermin, net zoals toen Babetta nog een meisje was.

Er waren nu wel meer toeristen. Babetta hoorde het gebabbel van onbekende stemmen als ze in de *salumeria* op haar beurt wachtte of langs de hoekbar liep. Er waren meer auto's en meer verkeersagenten met luidruchtige fluitjes om ze te laten doorrijden. Maar Triento was niet zoals zoveel andere steden echt bedorven. De oude huizen en kerken stonden zo dicht op elkaar dat er geen plaats was voor nieuwe gebouwen, voor supermarkten en benzinestations, geen onbebouwde stukken grond voor Amerikaanse hamburgertenten.

In Triento ging het leven al eeuwenlang ongeveer op dezelfde manier door. Vrouwen deden boodschappen met een mand aan hun arm, bleven staan om vrienden te begroeten of roddels uit te wisselen. Jonge Fernando, de slager, stond in de deuropening van zijn winkel, net zoals zijn vader en grootvader voor hem, op klanten te wachten. Fijne stoffen wapperden in het briesje voor de winkel van Russo. Erboven op een terras zaten twee oude vrouwen sjaals te breien en hielden een oogje op het komen en gaan van de plaatselijke bevolking op de *piazza*.

Elke keer als Sofia haar naar de stad bracht, volgde Babetta dezelfde routine. Eerst gingen ze naar de bank, zodat Babetta kon controleren of haar geld daar nog altijd veilig was. Daarna drong Sofia er meestal op aan dat ze koffie zouden drinken met iets lekkers erbij.

'Als je me had gezegd dat je koffie wilde, had ik thuis een gratis kopje koffie voor je gemaakt,' mopperde Babetta dan terwijl ze buiten aan een tafeltje gingen zitten. In werkelijkheid genoot ze ervan hier te zitten, naar de voorbijgangers te kijken en oude vrouwen te groeten die ze al kende toen ze nog jong waren.

Daarna gingen ze samen boodschappen doen en drong Sofia erop aan dat ze haar mand vulde. 'Wat vind je van deze wilde asperges, mama? Die zijn heerlijk als je ze bakt met een eitje erbij. Misschien koop ik zelf ook wel wat voor het avondeten.' Sofia's man werkte bij de spoorwegen. Hij verdiende niet veel geld en Babetta vroeg zich bezorgd af of het weinige geld dat ze hadden niet te snel werd uitgegeven aan allerlei dingen die ze niet nodig hadden.

Soms gingen ze naar de bakkerij voor een versgebakken rond brood gevuld met gekaramelliseerde ui en prosciutto of bestrooid met rozemarijn. Meestal was de oude Silvana er, in de zon op het bankje voor de winkel, ook al had ze de winkel al lang geleden verkocht. Ze was bijna doof en halfblind, maar haar geest was nog scherp en als er ook maar iets gebeurde in de stad, had Silvana het zeker gehoord. Zelfs dat was niet veranderd.

Babetta had geen haast. Langzaam liep ze langs de marktkramen, bekeek alles goed voor ze iets kocht en probeerde af te dingen.

'Je hoeft niet te denken dat je me hetzelfde kunt vragen als de toeristen,' waarschuwde ze de handelaar terwijl hij een stuk pecorino inpakte. 'Kijk toch eens naar dat bleke eindstuk. Dat zal niemand willen kopen, je kunt het me dus net zo goed voor niets meegeven.'

De marktkooplieden mopperden en klaagden en Sofia schaamde zich een beetje, maar Babetta trok zich er niets van aan. Een paar munten hier en daar konden samen een leuk bedragje worden.

Toen ze een keer terugliepen naar de auto zag Babetta de Engelse dame die ze weken eerder Villa Rosa had laten zien. Ze zat alleen aan een cafétafeltje met een glas *prosecco* en zwaaide toen ze voorbijliepen.

Babetta knikte alleen terug, maar Sofia had hun begroeting gezien. Nu zou ze nieuwsgierig zijn en haar allemaal vragen gaan stellen.

'Wie was die vrouw die naar je zwaaide? Hoe ken je haar?' Sofia keek achterom.

'Niet kijken. Let op waar je loopt,' mopperde Babetta terwijl ze doorliep.

'Ze ziet er heel elegant uit. Waarom zwaaide ze naar je?'

Babetta zei ongeduldig: 'Gewoon iemand die ik een paar weken geleden Villa Rosa heb laten zien. Wat zeur je nou, Sofia? Wat kan het jou schelen als de een of andere vrouw naar me zwaait?'

Haar dochter ging er niet op in. 'Als ze een tweede keer naar Triento komt, betekent dat waarschijnlijk dat ze Villa Rosa wel wil kopen. Ze kan het vast wel betalen. Zag je haar chique kleren en die grote leren handtas naast haar op het tafeltje?'

Natuurlijk begon Sofia weer met haar gebruikelijke litanie: 'Wat ga jij doen als zij het huis koopt? Misschien wil ze jullie niet aanhouden als verzorgers. Als jullie je huis kwijtraken, waar gaan jij en papa dan naartoe? Heb je daar al over nagedacht?'

Babetta keek naar de bergen en probeerde zich af te sluiten voor deze woorden.

'Waarom zou je wachten tot je eruit wordt gezet?' zei Sofia. 'Vooral nu papa psychisch zo ziek is, zou je een huisje in Triento moeten zoeken. Liever vandaag dan morgen. Ik begrijp niet waarom je niet naar me wilt luisteren. Waarom ben je zo koppig? Als jullie in de stad woonden zou ik me niet zo veel zorgen hoeven te maken.'

Babetta fronste en weigerde erover te praten. Zwijgend liep ze door naar de auto terwijl ze heel goed wist hoe irritant Sofia dat zou vinden. Maar als haar dochter zelf ouder werd, zou ze het beter begrijpen. Dan zou ze weten hoe het voelt als je niets wilt veranderen, als je alles wat nog over is van je leven wilt vasthouden in de palm van je hand.

Alice

Het leek alsof we het allemaal ontzettend druk hadden. Leila had een tweedehands typemachine gekocht en op de keukentafel gezet. Als ze niet in de brasserie werkte, sloeg ze met een vreemde woestheid op de toetsen en hield daar alleen af en toe mee op om Tipp-Ex op het papier te smeren. Charlie had het ook druk met zijn nieuwe baan; hij maakte lange dagen in de hoop dat dit goed zou zijn voor zijn carrière. We probeerden van alles in onze dagen te proppen: heel veel ervaringen, heel veel lessen. Het was niet zo vreemd dat we maar weinig tijd hadden voor elkaar.

Er was maar één persoon van wie ik wist dat zijn dagen langzaam verstreken, en die bevond zich in een afkickkliniek ergens in Kent. Ik wilde heel graag met Guyon praten, maar Tonino had geweigerd me zijn adres te geven.

'Guyon is daar om een bepaalde reden,' zei hij op zijn gebruikelijke arrogante toon. 'Hij heeft geen behoefte aan interrupties. Als voor hem de tijd rijp is, neemt hij zelf wel contact met je op.'

Hij maakte dat ik me schuldig voelde omdat ik over mijn problemen wilde praten met iemand die zelf al genoeg problemen had. Daarom probeerde ik Guyon uit mijn hoofd te zetten en wijdde ik me aan mijn werk in het Teatro, verankerd aan mijn pasta-afdeling en dacht ik zelden verder dan de volgende bestelling.

Het is verbazingwekkend hoe verslavend de roes van koken kan zijn. Dat was het enige waardoor ik echt wist dat ik leefde. Toen ik dan ook hoorde dat ze te weinig personeel hadden in de voorbereidingskeuken bood ik aan om dubbele diensten te draaien. Daarna bracht ik rustige en kalme dagen door met het maken van lichte kussentjes ravioli en kleine knoopjes tortellini, die ik op hectische en dampige avonden gaarkookte. Ik was dus niet alleen verantwoordelijk voor mijn eigen stukje van het geheel, maar ik deed alles, van begin tot eind. Eindelijk kookte ik echt en ik vond het leuk.

Het werk nam me vrijwel helemaal in beslag. Na een paar weken begon mijn moeder te klagen, maar ik had nooit tijd om naar het noorden te reizen en haar te bezoeken. Charlie en ik brachten de zondagen nog altijd luierend in bed door en ik slaagde erin elke nacht een glaasje wijn met Leila te drinken. Buiten dat was mijn wereld gekrompen en het enige wat ik zag was de restaurantkeuken, het appartement in Maida Vale en de ondergrondse als ik me van de ene plek naar de andere haastte.

Tonino maakte hier een eind aan. Op een middag liet hij me bij zich komen en nam me mee naar de eetzaal en zei dat ik aan een tafeltje moest gaan zitten. Dit was de eerste keer dat ik het restaurant kon zien zoals een gast het zag en dat bracht me uit mijn evenwicht.

'Vertel eens, Alice. Hoe gaat het?' vroeg Tonino en ging tegenover me zitten.

'Volgens mij wel goed, chef.'

'Het lijkt erop dat je het goed doet op de pasta-afdeling.'

'Dank u... ja, chef... Ik begin eraan te wennen.'

'Vind je het ook leuk?'

Hij keek me aan op een manier die ik verontrustend vond. Opeens sprongen de tranen me in de ogen en tot mijn afgrijzen stroomden ze over mijn wangen.

'Het is alleen een beetje veel stress...' wist ik uit te brengen.

Tonino deed net alsof hij niet zag dat ik huilde. Hij gaf me geen netjes opgevouwen zakdoek, zelfs geen tissue. In plaats daarvan haalde hij zijn schouders op en zei: 'Natuurlijk is er veel stress. Je hebt geen enkele opleiding en je werkt in de keuken van een toprestaurant. Het verbaast me dat je het zo goed doet.'

Ik veegde met mijn mouw over mijn gezicht. 'Gaat u me ontslaan?'

Hij gaf geen antwoord. 'Het probleem is, Alice, dat je geen idee hebt hoe je moet koken. Je kunt de gerechten maken die je zijn voorgedaan, maar je hebt nog steeds helemaal geen verstand van eten. Weet je bijvoorbeeld waarom we een gans of eend vullen voordat we hem klaarmaken in plaats van met een lege buikholte?'

Ik schudde mijn hoofd. 'Nee.'

'Wil je het weten?'

'Ja, natuurlijk.'

'De vulling vertraagt het garen van het vlees zodat het vet helemaal kan smelten en de volle smaak zich kan ontwikkelen. Kennis is een van de basisvereisten voor een chef. Bereid vet is verrukkelijk, niet-bereid vet niet. Maar jij weet dit soort dingen niet, Alice. Je kunt ze niet weten omdat je die nooit hebt geleerd.'

'U denkt dus dat ik naar school moet, een koksopleiding moet volgen?'

'Ik denk wel dat je een manier moet vinden om het te leren.'

'Ontslaat u me?' vroeg ik weer.

'Nee.' Hij glimlachte naar me. 'Je werkt hard en het is niet zo dat je geen talent hebt, dus waarom zou ik je ontslaan? Maar ik wil niet dat je dubbele diensten draait. Wat wil je, de voorbereidingskeuken of de pasta-afdeling? Jij mag kiezen.'

'Pasta,' zei ik zonder dat ik daarover hoefde na te denken.

'Goed, dan ben je overdag dus vrij om meer over eten te leren.'

'Maar, chef, hoe weet ik dat dit echt is wat ik wil doen?' vroeg ik. 'Misschien heb ik hier net als Guyon niet het temperament voor.'

Tonino haalde zijn schouders op. 'Je bent tot hier gekomen. Jij bent de enige die kan beslissen of je door wilt gaan.'

Ik vertelde hem niet over de tranen die 's ochtends in mijn bad vielen of 's nachts op mijn kussen. Ik bekende ook niet hoe verschrikkelijk ik opzag tegen het idee dat ik tijd moest doorbrengen in de een of andere saaie schoolkeuken om een diploma te halen, maar ik knikte gehoorzaam. 'Oké, ik zal zorgen dat ik een opleiding volg, chef.' Alleen bij die gedachte werd ik al doodmoe.

'Dan nog iets. Ik wil dat je in je vrije tijd in restaurants gaat eten. Niet de dure, maar goedkope Aziatische eethuisjes, Turkse cafés in Noord-Londen en kleine buurtpubs waar je spaghetti kunt eten. Vraag je af wat je eet, wat er goed aan is en wat niet. En koop kookboeken, kook thuis. Je moet hartstocht kweken, Alice. Je moet je leven helemaal vullen met eten.'

Hij liet me achter in de lege eetzaal, terwijl ik naar de muren van wijnflessen staarde en meer dan ooit wenste ik dat Guyon er was om met me te praten.

Babetta

Haar huis was zo mooi als Babetta het maar had kunnen maken. Jaren geleden had ze de muren vol gehangen met handgemaakte manden, elke iets anders qua patroon en ontwerp. De woonkamer werd bijna nooit gebruikt, maar toch dweilde Babetta de vloer bijna elke dag met een vochtige doek om een bezem geslagen. Zij en Nunzio waren meestal in de keuken. Hier stond een oude tv op het aanrecht en de radio was meestal aan. Ze hadden het hier prettig gevonden. Het was gemakkelijk geweest om te vergeten dat het huis van iemand anders was.

Nu had Sofia haar gedwongen na te denken over hoe alles zou veranderen, of ze dat nu leuk vond of niet. Elke ochtend als Babetta wakker werd, vroeg ze zich af of ze vandaag misschien zouden komen. Dan liep ze steeds als ze een auto hoorde naar het keukenraam. Nunzio leek het niet uit te maken wat er gebeurde. Hij schuifelde van zijn bed naar zijn rieten stoel, draaide zijn hoofd weg en maakte haar woedend.

'Dit is allemaal jouw schuld,' schreeuwde ze vaak tegen hem. 'Als jij niet was opgehouden met leven, dan was dit allemaal niet gebeurd.'

Het was bijna een opluchting toen de *signora* kwam aanrijden en ze de Engelse dame, Aurora Gray, zag uitstappen. Ze liepen door de hekken van Villa Rosa en pas een halfuur later kwamen ze terug. Opgewonden zag Babetta dat ze het pad naar haar huis op liepen en de *signora* steeds even bleef staan om een paar interessante dingen in haar tuin aan te wijzen.

'Zoals u ziet, is hier vrij veel land. Op dit moment wordt het allemaal bebouwd, maar het kan vrij snel weer worden veranderd in een tuin. Dit huis zou perfect zijn als extra gastenverblijf, maar u kunt er natuurlijk ook twee appartementen van maken en die verhuren.'

Aurora knikte, maar ze leek niet op haar gemak. Ze had waarschijnlijk gezien dat Babetta hen kon horen.

'Dit huis is dus tegelijk met Villa Rosa gebouwd?' vroeg ze.

'Ja, inderdaad.' De *signora* klemde haar leren map tegen de borst. 'Het is altijd gebruikt als woning voor bedienden en tuinlieden. Als u het zou verhuren, kunt u er een leuk bedrag voor vragen. U kunt er natuurlijk ook een zwembad bij aanleggen.'

Babetta liep naar het terras en wachtte zwijgend tot de beide vrouwen haar trap op kwamen.

'Juffrouw Gray wil het huis graag vanbinnen zien. Komt dat nu uit?' vroeg de *signora* met een brede glimlach.

Babetta knikte, maar zei nog steeds niets. Ze liet de beide vrouwen in haar betegelde keuken en bleef daar terwijl zij door haar huis liepen – naar de zonnige voorkamer waar Sofia vroeger had geslapen, haar eigen plekje met het kleine bedje, en naar de achterkant van het huis waar Nunzio vaak naartoe ging om haar te ontlopen. Op een bepaald moment hoorde ze dat de Engelse dame een uitroep slaakte toen ze de oude manden op de overloop zag, de manden die Babetta's zus jaren geleden had gemaakt. Misschien dacht ze dat ze ze kon kopen, tegelijk met al het andere.

Pas toen ze weer beneden waren, had Babetta haar stem teruggevonden. 'Kan ik u koffie of een koel drankje aanbieden?' vroeg ze.

'Nee hoor, dat is niet nodig.' De *signora* klonk kortaf.

'Eerlijk gezegd ben ik uitgedroogd,' zei Aurora verontschuldigend. 'Ik zal u niet lang ophouden, maar ik wil heel graag iets drinken.'

Terwijl ze twee grote glazen met gekoelde limonade vulde, greep Babetta haar kans. 'U gaat Villa Rosa dus kopen,' zei ze tegen de Engelse dame.

'Ik weet het nog niet zeker.' Aurora nam haar glas dankbaar aan. 'Toen ik hier de eerste keer was, had ik niet door dat er twee huizen op het terrein stonden. Daardoor kost het meer dan ik van plan was uit te geven.'

'Maar volgens mij gaat u het toch kopen.' Babetta vulde haar glas bij. 'U wilt hier heel graag wonen.'

'Ja, dat denk ik ook,' beaamde ze.

'Ik woon hier al jaren. Het is hier fijn, vredig. Nunzio en ik zijn hier gelukkig geweest.'

Aurora knikte en even was het onplezierig stil, tot de *signora* op haar horloge tikte en zei: 'Sorry dat ik u moet haasten, maar ik moet terug naar de stad.'

Toen ze het terras op stapten en de trappen af liepen, leek Nunzio dat amper te merken. Zijn gezichtsuitdrukking was onveranderd.

Babetta zag de beide vrouwen wegrijden en werd weer woedend. 'Dit is jouw schuld, stomme ouwe man die je bent!' zei ze sissend. 'Als wij hier nog steeds de tuinlieden waren geweest, zouden we dit probleem niet hebben.'

Alice

Leila hield het appartement altijd extreem netjes, voor het geval haar moeder onverwacht langskwam, maar die ochtend lag de keukentafel bezaaid met foto's. Ik zette de waterketel aan en bekeek ze terwijl ik wachtte tot het water kookte. Op de meeste foto's stond een huis met gesloten luiken, roze muren en gietijzeren balkonnetjes met potten geraniums erop. Er waren ook een paar foto's van het uitzicht op zee en een stuk of vijf van de lucht, strepen blauw met wolken ervoor.

'Wat is dit?' vroeg ik aan Leila.

'Dat is het huis in Italië wat mijn moeder gaat kopen. Het ligt helemaal in het zuiden. Ze zegt dat de luchten er precies goed zijn.'

'De lucht is toch overal hetzelfde?' vroeg ik verbaasd.

'Kennelijk niet.' Leila stak haar eerste sigaret van de dag aan met de gasvlam. 'Hoe dan ook, ze wil heel graag dat ik daar naartoe kom en een tijdje blijf. Waarom ga je niet mee?'

'Onmogelijk,' zei ik automatisch. 'Werken.'

'Jij hebt toch ook recht op vakantie, net als iedereen?'

Ik begon thee te maken in de hoop dit gesprek te kunnen afsluiten.

'Nou? Ja toch?' Leila was niet van plan het erbij te laten zitten.

'Ja, misschien wel.'

'Waarom neem je dan geen vakantiedagen op?'

'Dat kan nu niet. Tonino wil dat ik een opleiding ga volgen, dus ben ik op zoek naar een cateringcursus of zo. Misschien een andere keer.' Ik zette de volle theepot bij haar op tafel en keek weer naar de foto's. 'Maar het ziet er heel mooi uit.'

Leila hield me tegen voordat ik snel in mijn kamer kon verdwijnen. 'Denk maar niet dat ik niet weet wat er aan de hand is,' zei ze.

'Wat bedoel je?'

'Al dat gehuil... Je gemoedstoestand... Ik baal ontzettend van je, Alice. Waarom wil je niet met me praten, waarom vertel je me niet wat er aan de hand is?' Ze schonk twee koppen thee in en duwde er eentje naar me toe. 'Ga zitten en vertel!'

'Het probleem is dat ik niet weet wat er aan de hand is.' Ik pakte het theekopje, maar bleef staan. 'Ik voel me... overweldigd, denk ik.'

'Door je werk?'

'Gedeeltelijk...'

'Hou er dan mee op. Ga weer een tijdje als serveerster werken. Wees aardig voor jezelf, Alice. Je hebt immers een zware tijd achter de rug.'

Ik gaf toe en kwam bij haar zitten. 'Maar het is niet dat ik er de pest aan heb.' Ik probeerde het uit te leggen. 'Eerlijk gezegd vind ik het geweldig! Het is alleen dat ik, als ik dat niet aan het doen ben, instort. Ik heb geen idee wat er met me aan de hand is. Misschien heb ik drugs nodig of zo. Maar ik heb geen tijd om vakantie op te nemen. Ik kan niet stoppen, niet nu.'

'Twee weken maar...'

'Nee, als ik ermee ophoud, kan ik misschien niet weer beginnen.'

'Dat is toch niet erg? Ik bedoel, je kunt honderden andere dingen gaan doen.'

Ik begreep zelf ook niet waarom ik wilde blijven koken. Maar de gedachte aan twee weken Italië, lekker op een stretcher in de zon, maakte me doodmoe. Ik wist zeker dat ik mezelf daarna nooit meer kon vermannen.

'Weet je?' zei Leila. 'Ik koop gewoon een ticket voor je en je gaat met me mee, of je wilt of niet. Ik bedoel, dit is Italië, Alice. Italianen zijn gek op eten. Volgens mij kun je daar veel meer van koken leren dan op een cateringcursus.'

'Maar ik kan niet...'

'Ja hoor, je kunt wel.' Ze gaf me een foto van het lichtroze huis. 'Je gaat mee naar Triento en je blijft minstens twee weken logeren op Villa Rosa. Kom mee, Alice. Kom mee, dan kun je de lucht zien.'

'Maar, Leila...'

'Probeer geen smoesjes te verzinnen. Zeg maar gewoon tegen Tonino dat je op vakantie gaat.' Ze grijnsde. 'Hij kan de pasta wel een paar weken door iemand anders laten koken.'

'Ja, maar als ik toch vrij neem, zou ik naar huis moeten gaan en mijn moeder moeten opzoeken. Ik heb haar al eeuwen niet gezien.'

'Zij begrijpt heus wel dat je een echte vakantie nodig hebt. Ik durf te wedden dat zij zich ook zorgen om je maakt.'

Als Leila geobsedeerd raakte door een idee, dan was het slopend om tegen haar in te gaan. Ze begon steeds maar weer over Italië, haalde al mijn tegenargumenten onderuit en uiteindelijk was het het gemakkelijkst om maar te gaan doen wat ze wilde.

'Jij wint,' zei ik tegen haar.

Ze lachte alleen maar. 'Ik wist het wel!'

Het gekke was dat Tonino helemaal enthousiast was over het plan. Ik had hem nog nooit zo enthousiast en opgewonden gezien als toen ik hem vertelde wat ik van plan was.

'Italië, ja, ja,' herhaalde hij steeds. 'Je zou langer dan twee weken moeten blijven. Dit is de tijd van de lentegroenten: malse boontjes, wilde asperges, kleine artisjokharten. Ga er maar naartoe en blijf daar de hele zomer. Kook het hele seizoen.'

Later, toen ik na de dienst mijn afdeling aan het schoonmaken was, kwam hij naar me toe. 'Waar in Italië staat het huis dat de moeder van je vriendin heeft gekocht?' vroeg hij.

'Ik weet het niet zeker,' bekende ik. 'Ergens in het zuiden, in Triento. Maar verder weet ik er niets van.'

Hij keek verbaasd. 'Triento? Je houdt me voor de gek zeker?'

'Nee, chef, ik weet bijna zeker dat Leila dat heeft gezegd.'

'Maar daar kom ik vandaan! Wist je dat niet?'

Er hadden talloze persoonsbeschrijvingen in de krant gestaan die maar doordramden over zijn jeugd in Italië, maar omdat de naam van de stad me niets had gezegd, had ik die niet onthouden.

'Wat vreemd. Wat toevallig,' zei ik.

'Het is meer dan toeval. Het is een groot geluk,' zei hij. 'Morgenochtend zal ik meteen mijn moeder bellen. Je kunt een tijdje werken in het visrestaurant van mijn vader en moeder. Dit is je kans om net zo veel over eten te leren als ik heb gedaan, Alice. Ik ben heel blij voor je.'

'Maar hoe moet het dan met mijn baan hier?'

Hij lachte. 'Ik kan gemakkelijk iemand anders op de pasta-afdeling zetten. En als je terugkomt zijn er misschien wel nieuwe mogelijkheden voor je. Dan heb je heel veel geleerd.'

En opeens was het dus de bedoeling dat ik de hele zomer in Italië bleef. Ik zou de lucht gaan zien waar Leila's moeder verliefd op was geworden en ik zou leren koken zoals Tonino het had geleerd. Ik zou Charlie, mijn werk en mijn zorgen een tijdje achterlaten. Natuurlijk was ik opgewonden. Logisch toch? Maar ik was ook bang, en niet zo'n beetje ook.

Babetta

Babetta had het plan verzonnen toen ze op een avond in haar voortuin stond te kijken naar het verlichte beeld van Christus hoog op de berg. De volgende ochtend liep ze meteen met haar spade naar Villa Rosa. Ze stond op de plek waar de tuinlieden de groentebedden hadden omgeploegd, daar waar zij en Nunzio vroeger zoete rode uien en kerstomaten hadden geplant. Nu was er alleen maar geëgaliseerde kaneelkleurige aarde. Babetta had verwacht dat iemand zou terugkomen om er nutteloze bloemen te planten die in de zomer zouden verdorren en doodgaan, tenzij diezelfde iemand eraan dacht ze water te geven. Maar er kwam niemand en de aarde bleef kaal.

Ze markeerde een stuk grond met haar spade en bedacht hoe ze het wilde beplanten. Artisjokken achterin, waar ze breed konden uitgroeien; twee rijen houten stokken voor tomaten; een bed wilde rucola in een beschaduwd hoekje en wintervaste kruiden daar waar de zon de aarde verschroeide.

Ze begon de grond om te spitten. Later zou ze er compost doorheen scheppen, gemaakt van het tuinafval en de mest van haar kippen en varkens. Daarna zou ze de plantjes daar voorzichtig planten en blijven besproeien tot ze zich hadden gezet. Dat zou haar cadeau zijn voor de Engelse dame, Aurora Gray.

Babetta ging ervan uit dat haar leven op deze plek bijna voorbij was. Algauw zou haar en Nunzio worden gevraagd hun weinige bezittingen mee te nemen, afscheid te nemen van het huis dat ze elke dag had schoongeboend en het land dat hen al deze jaren had gevoed. Die gedachte maakte haar niet verdrietig, maar verdoofde haar. Misschien stortte ze net als Nunzio psychisch in, trok ze zich terug naar een lege plek diep vanbinnen waar ze nooit meer uit kon komen. Ze was woedend geweest op haar man, maar toen ze haar spade in de aarde stak, vroeg ze zich af of zijn manier misschien de betere manier was om haar laatste levensjaren te slijten. Misschien had hij wel de gezondste keuze gemaakt.

Ze werd oud, realiseerde Babetta zich, ook al was haar lichaam nog altijd sterk van de lange dagen fysiek werk. Maar wat zij van het leven verlangde was nog altijd hetzelfde als toen ze nog een meisje was.

Net als haar zussen had zij het pad gevolgd dat hun vader voor hen had uitgekozen. 's Ochtends hielpen ze hem met het maken van manden, 's middags werkten ze samen met hun moeder in de groentetuin en allemaal wachtten ze tot de juiste man hen zou nemen en ze een eigen gezin konden stichten.

In veel opzichten was Nunzio een goede kandidaat geweest. Hij had een vaste baan als wegwerker en maakte tunnels in de bergen. Elke ochtend stuurde ze hem uit huis met voldoende eten voor die dag: knapperig brood, *mortadella*-worstjes, een portie *rigatoni* en gehaktballetjes die ze 's ochtends had klaargemaakt en in folie verpakt. Overdag zorgde ze voor de groenten, varkens en kippen en maakte ze manden tot, na een heel lange tijd, Sofia eindelijk was gekomen.

Nu was haar dochter volwassen en uit huis en probeerde wanhopig zelf kinderen te krijgen. En nu waren zij en Nunzio dichter bij het einde van hun leven.

Babetta voelde zich niet verdrietig. Ze voelde helemaal niets.

Ze zou deze tuin beplanten voor de Engelse dame en daarna zou Sofia haar zin krijgen. Er zou een appartement zijn voor haar en Nunzio in Triento, met kleine kamertjes zonder uitzicht en zonder aarde die ze met haar spade kon omspitten. Babetta's lichaam zou slap en zacht worden door de ouderdom, maar dat was niet erg. Niemand behalve zijzelf zou het merken.

Ze boog haar hoofd en begon nog fanatieker te spitten. Af en toe stopte ze even om haar hoed naar achteren te duwen die ze droeg om haar oude ogen tegen de zon te beschermen. Er was niet veel tijd. De Engelse dame zou algauw hier zijn en Babetta wilde dat de tuin dan was beplant en klaar voor haar was.

Ze schrok van het geluid van een tweede spade in de rotsachtige aarde. Toen ze opkeek, zag ze dat haar man aan de andere kant van het groentebed met gebogen rug energiek aan het spitten was. Naast hem lagen zijn schoffel en een zak compost die hij had meegenomen.

Nunzio keek op en ving haar blik, maar hij zei niets. Babetta zweeg ook. Ze wijdde zich weer aan haar werk en werkte door alsof deze dag niet anders was dan de dag ervoor.

Alice

Leila beweerde dat het geen enkel probleem was om met een huurauto van Napels naar Triento te rijden. Ze had al jaren haar rijbewijs en ook al had ze de laatste tijd niet veel gereden, ze was ervan overtuigd dat het wel goed ging zodra ze weer achter het stuur zat.

Maar zelfs zij leek in paniek toen de motor twee of drie keer afsloeg en we daarna schokkend van de parkeerplaats reden. Op de *autostrada* werd het pas echt spannend. Het was ongelooflijk druk en iedereen reed heel snel. Grote vrachtwagens reden ons rakelings voorbij, iedereen toeterde en als er al verkeersregels waren leek niemand zich daar iets van aan te trekken. Leila bleef vloekend op de rechterrijbaan rijden en ik concentreerde me op de kaart en probeerde de juiste weg te vinden. Na een paar gemiste afslagen en wat paniekerig geschreeuw reden we uiteindelijk op de weg naar het zuiden.

Vlakbij Salerno stopten we bij een benzinestation zodat Leila een kop koffie kon drinken en haar zenuwen tot rust kon laten komen. Terwijl zij een paar sigaretten rookte, liep ik de winkel binnen en keek verbaasd naar alles wat er te koop was: verse mozzarella uit Avellino en Caserta, stukken prosciutto, bossen bladgroente die ik niet kende, dingen die je alleen in een dure delicatessenwinkel in Londen tegenkwam en toch was het hier te koop. Ik vulde een boodschappenmand met spullen die ik dolgraag wilde proeven.

We vertrokken weer, met allemaal zakken op de achterbank en de auto vol verleidelijke geuren van kaas en gedroogd vlees. In eerste instantie was ik opgelucht toen we de snelweg hadden verlaten en over de kleinere wegen langs ravijnen en door tunnels reden. Maar Leila liet zich steeds weer afleiden door terrassen met citroenbomen of een stadje tegen een bergtop.

'Naar de weg blijven kijken, Leila... rustig aan,' mompelde ik een paar keer.

'Hou je mond, Alice,' antwoordde ze. 'Wil je nu eindelijk eens gaan genieten?'

Uiteindelijk zagen we de zee, een blauwe vlek aan de horizon, en daarna ontdekte ik een groot beeld van Christus op een berg.

'Nu kan het niet ver meer zijn,' zei Leila. 'Mijn moeder zei dat ze dat beeld vanuit de tuin van Villa Rosa kan zien.'

Toen we bij de kust waren, reden we over een doodeng smal weggetje en daarna over een steile oprit die eindigde bij hoge hekken.

Leila toeterde en riep: 'We zijn er! Doe de hekken maar open!'

Villa Rosa was zo prachtig dat ik glimlachte toen ik hem zag. Het huis op zich was heel eenvoudig, maar de tuin bestond uit terrassen die helemaal doorliepen tot de zee beneden. Het huis stond met de achterkant naar de berg gericht en voor het huis was een binnenplaats met een granaatappelboom in het midden.

Leila's moeder Aurora bracht ons glazen ijskoude *limoncello* waarna we samen naar de ondergaande zon keken.

'Ik denk dat ik nu geniet,' zei ik tegen Leila, en ik nam een grote slok van het bittere drankje.

We schonken onze glazen weer bij en zaten bijna zonder iets te zeggen naar Aurora's stukje lucht te kijken. Een tijdlang dacht ik aan alles wat ik had achtergelaten: mijn knagende schuldgevoel omdat ik mijn moeder verwaarloosde, mijn halve leven met Charlie, de hitte in Tonino's keuken. Het was hier zo mooi dat dit alles alleen al door hier te zijn veel minder belangrijk leek.

Toen het daglicht was verdwenen zei iemand dat we wel naar de pizzeria op de heuvel konden gaan, maar in plaats daarvan maakte ik iets klaar van de dingen die ik in het winkeltje bij het benzinestation had gekocht. Snel blancheerde ik de onbekende groente en mengde er een dressing van citroen en olijfolie doorheen. Op een schaal legde ik kazen, salami, artisjokken in olie, groene olijven en een pikante paté van tomaten, ansjovis en chilipeper. Aurora schonk rode wijn uit een mandfles zonder etiket in en daarna gingen we aan de keukentafel zitten.

Het was een eenvoudige maaltijd die snel klaar, maar toch heel smakelijk was. Toen ik nog eens opschepte, dacht ik eraan hoe kritisch Tonino zijn ingrediënten altijd uitkoos. Als een leverancier iets niet kon leveren, haalde hij vaak een gerecht van de kaart in plaats van ergens anders op zoek te gaan. Ik had hem nogal kieskeurig gevonden, maar nu had ik mijn eerste les al geleerd: de ingrediënten van een gerecht zijn even belangrijk als wat je ermee doet. Als ze niet goed zijn, wordt het niets.

We aten en kletsten een tijdje over Aurora's kunst en haar plannen om de lucht te schilderen, maar ik was moe en begon de keuken op te ruimen. Daarna pakte ik mijn koffer en liep naar boven naar mijn kamer om te gaan slapen.

Eenmaal boven ontdekte ik dat er een probleem was. Aurora had me een kleine slaapkamer gegeven aan het einde van een lange gang aan de zijkant van het huis. Hij had openslaande deuren, een klein terras met een bloeiende wisteria en met een trap naar de binnenplaats beneden. Ik neem aan dat ze dacht dat ik het leuk zou vinden, afgezonderd en mooi. Maar toen ik op het bed zat raakte ik in paniek. Een onbekende kon op allerlei manieren binnenkomen. De sloten leken niet veel soeps en het huis lag afgelegen. Ik dacht niet dat ik daar kon slapen.

In Maida Vale had ik me altijd veilig gevoeld. Het appartement lag op de bovenste verdieping en tussen mijn kamer en de buitenwereld waren altijd ten minste vier veiligheidssloten. Leila lag daar vlak bij me, aan de andere kant van een dunne muur. Maar hier was alleen stilte en eenzaamheid. Ik was bang. Ik had weer hetzelfde gevoel als vlak nadat ik was verkracht.

Ten slotte schoof ik het bed voor de balkondeuren en hoopte dat Aurora het schrapende geluid op de tegelvloer niet had gehoord. Ik sliep onrustig, werd wakker van elk onbekend geluid, wenste dat de muren van het huis niet van steen waren of dat Charlie naast me lag. Misschien had ik iets moeten zeggen, moeten vragen of ik een andere kamer kon krijgen. Maar toegeven dat ik bang was vond ik nog enger.

Zodra het licht werd kleedde ik me aan en liep naar buiten. Ik dacht dat het misschien zou helpen als ik de omgeving verkende en wist hoe het er om het huis uitzag.

Eerst nam ik het pad naar beneden en de trap naar de zee met een paar nieuwe treden erin, langs een wildebloementuin en een stuk gravel dat doorliep tot aan ruige rotsen. Eronder zag ik een kolkende massa golven en schuim.

Gerustgesteld liep ik weer naar boven door de tuinen. Ik liep door de hekken van Villa Rosa en ontdekte nog een huis, met een goed onderhouden moestuin eromheen. Ik hoorde kippen tokken in een ren vlakbij en vroeg me af of ik de zurige lucht van varkens rook. Degene die daar woonde zou Villa Rosa in de gaten kunnen houden, kunnen zien wie in en uit liepen. Maar het was nog steeds erg vroeg en er was geen teken van leven.

Ik liep terug om koffie te zetten en terwijl ik in de keuken bezig was, besloot ik dat ik niet langer bang zou zijn. Ik was al gestopt met mijn studie en iets totaal anders gaan doen, om iets wat een onbekende me had aangedaan. Mijn woede op hem voelde nog steeds vers, mijn teleurstelling in mezelf was nog niet verminderd. Ik moest er niet aan denken dat mijn angst me ook hiervandaan zou jagen.

Ik besloot de hele zomer op Villa Rosa te blijven, precies zoals ik van plan was geweest.

Babetta

Babetta had gekeken en gewacht. Eerst had ze gezien dat er verhuiswagens kwamen en sterke mannen Aurora Gray's bezittingen uitlaadden. Daarna was Aurora zelf naar binnen gegaan. Nu was het nog maar een paar weken later en alweer was er iemand anders gearriveerd. Een jonge vrouw, klein, met bruin haar en met een vermoeide blik stond bij Babetta's hek naar haar tuin te kijken. Na een tijdje draaide ze zich om en liep terug naar Villa Rosa. Babetta vroeg zich af of het tijd werd hen echt welkom te heten.

Ze pakte een mand en dwaalde door haar tuin. Ze vulde hem met dikke tuinbonen, zoete peultjes en jonge lente-uitjes. Babetta hield van de geur van de aarde in de vroege ochtend als er nog dauw op de grond lag. Ze bleef even staan tussen de jonge ranken van de tomaten en sperziebonen, en koesterde zich in de warmte van de ochtendzon. Daarna tilde ze haar overvolle mand op en nam hem mee naar Villa Rosa.

Vanuit de keuken kwam haar de sterke geur van koffie tegemoet. Bij het fornuis stond de jonge vrouw met het bruine haar.

'*Buongiorno*,' riep ze en tilde de mand met groente op.

De jonge vrouw keek geschrokken. 'O, is dat voor ons? Dank u wel! Ik bedoel, *grazie*.'

Babetta gaf haar de mand. De jonge vrouw keek er even in. 'O, wat heerlijk. Vers geplukt en zo.' Ze keek op en wees naar zichzelf. 'Ik ben Alice. Het spijt me, maar ik spreek geen Italiaans en u begrijpt waarschijnlijk niets van wat ik zeg.'

Babetta glimlachte en haalde haar schouders op. Ze noemde haar eigen naam en gebaarde toen dat de vrouw mee naar buiten moest komen.

'Viene, viene qua,' zei ze.

Babetta liep voor de vrouw uit over het pad dat naar de zee leidde en nam haar mee naar de plek waar een natuurlijk zwembad was met hoge rotswanden eromheen. Ze maakte zwembewegingen met haar handen en de jonge vrouw knikte.

'Ja, ik zie het,' zei ze glimlachend.

Daarna nam Babetta haar weer mee naar boven naar de nieuwe moestuin. Ze liet haar zien dat de jonge tomatenplanten al groot genoeg waren om aan de stokken te worden vastgebonden en hoe ze haar vingers in de aarde moest steken om onkruid te verwijderen. De vrouw leek verbijsterd. Ze glimlachte naar Babetta, maar maakte geen aanstalten haar te helpen onkruid te wieden.

Toen iemand vanuit het huis haar naam riep, verontschuldigde ze zich en liep weg. Maar Babetta bleef en werkte gehurkt op haar eigen langzame, kalme manier. Ze vond het jammer om de moestuin te laten verwilderen en als niemand op Villa Rosa ervoor ging zorgen, zou zij dat blijven doen, in elk geval nog een tijdje.

Toen ze klaar was, haalde ze een bezem om het blad van de granaatappelboom van de paden te vegen. Ze zag dat Nunzio dichter bij het huis aan het werk was, in het citroenbosje. Hij raapte het gevallen fruit van de grond zodat het niet bleef liggen rotten. Hij keek even met een niets ziende blik naar haar en ging daarna verder met het oprapen van de gevallen vruchten.

Babetta glimlachte en ging door met haar werk.

Alice

Ik had niet met die oude vrouw naar de zee willen lopen, maar ze bleef aandringen en ik kon haar met geen mogelijkheid vertellen dat ik er die ochtend al was geweest. Toch liet ze me een perfect plekje zien waar je kon zwemmen als de zee niet te woest was. Daarna nam ze me mee naar een moestuin die ik nog niet eerder had gezien, op een van de terrassen. Ik denk dat ze verwachtte dat ik haar zou helpen met onkruid wieden, maar gelukkig hoorde ik dat Aurora me riep en kon ik wegglippen.

'Is die oude vrouw je tuinvrouw?' vroeg ik. 'Ze is ongelooflijk fit.'

'O, is zij er weer?' Aurora fronste en keek naar buiten. 'Ze blijft daar maar naartoe gaan, om iets water te geven. En haar man scharrelt er ook rond. Ze hebben altijd voor de tuinen gezorgd.'

'Nu niet meer dan?'

'Nou nee, niet officieel. Maar ze komen elke dag en werken dan minstens een paar uur, waarna ze zonder iets te zeggen weer vertrekken.'

'Dat is gek.'

'Ergens wel.' Aurora kauwde op een sliert haar, op een manier die erg op die van Leila leek. 'Ze zijn waarschijnlijk bang dat ik ze uit hun huis zet. Ze wonen al twintig jaar in het huis hiernaast zonder huur te betalen, maar dat is nu van mij.'

Ik kende Aurora amper, maar ik kon me niet voorstellen dat ze gemeen zou zijn tegen twee oude mensen. 'Ben je van plan hen te laten blijven?' vroeg ik.

'Dat denk ik wel. Hangt ervan af.' Ze pakte de pluk haar weer en begon erop te kauwen. 'Dit huis was eigenlijk te duur voor me. Maar als ik weer ga schilderen komt het wel goed, denk ik. En zelfs als ik hier blijf, kan ik hen toch niet in mijn tuin laten werken? Ik bedoel, kijk zelf maar, ze zijn al zo oud. En volgens mij heeft hij ze niet allemaal meer op een rijtje.'

Ik volgde haar blik en zag de oude man voorbij schuifelen met een mand citroenen tegen zich aan geklemd. Hij droeg een vieze bruine stoffen hoed en zijn mond hing halfopen. Hij zette de citroenen bij de keukendeur en liep door zonder zelfs maar naar ons te knikken.

'Ze zorgen er in elk geval voor dat we geen gebrek hebben aan voedsel,' zei ik tegen Aurora. 'Die oude vrouw heeft vanochtend een enorme mand met zelfgekweekte groenten gebracht. Heb je ook kookboeken? Ik wil graag kijken wat ik ermee kan doen.'

Ik had allerlei manieren bedacht om de boontjes, de tuinbonen en de lente-uitjes samen klaar te maken. Misschien een pasta in een lichte bouillon die de nootachtige smaak zou accentueren. Op een paar van de bladeren zag ik een netwerk van gaatjes, sporen op de peulen en een paar insecten die eraf gewassen moesten worden. Dit was echt eten, niet de veel te hoge stapels slappe groente vol insecticides uit de Londense supermarkten. Ik kon niet wachten hiermee te gaan koken, te spelen met de smaken.

Terwijl ik een stapel kookboeken doorbladerde, hielp Leila Aurora met uitpakken. Er was heel veel te doen: heel veel schilderijen in de woonkamer, dozen vol boeken en dozen vol dingen als penselen en foto's. Ik kon me niet voorstellen dat alles een plek kon krijgen in dit huis dat eigenlijk niet meer was dan een vakantiewoning.

Zoals ik al had verwacht, had Leila algauw genoeg van haar pogingen orde te scheppen in de bezittingen van haar moeder. Een uurtje later kwam ze de keuken binnen in een zwart badpak en een lang crèmekleurig vest met een capuchon.

'Kom mee naar het strand. Ik wil zwemmen.'

'Volgens mij is het te koud om te zwemmen,' zei ik. 'Het is echt nog geen zomer, hoor. En eerlijk gezegd wilde ik net iets gaan klaarmaken voor de lunch.'

Net als de Italiaanse buurvrouw liet Leila zich niet gemakkelijk afschepen. Ze sleepte me mee de keuken uit, waarna we samen over de smalle paadjes liepen die volgens Aurora naar het openbare strand leidden. In de zomer was hier een echt strand, met ligstoelen en huurboten en een bar waar je een eenvoudige lunch kon krijgen, maar het duurde zeker nog een maand voordat die open zou gaan en nu was het strand verlaten.

We namen de trap langs de steile rots naar beneden en liepen daarna voorzichtig over de kiezels. 'Je gaat toch zeker niet echt zwemmen?' vroeg ik Leila toen ik zag hoe de golven op de kust sloegen.

Maar ze had haar vest al uit en stond tot haar enkels in het water. Ze draaide haar hoofd naar de zon, haalde diep adem en liet zich gillend in het water vallen.

'O, mijn god, het is verrukkelijk!' gilde ze. 'IJskoud! Nu weet ik hoe het is om in een glas gin-tonic te zwemmen.'

Ik bleef op het strand, maakte kleine hoopjes kiezels en genoot van het idee dat dit mijn eerste echte vakantiedag was. Het duurde nog weken voordat ik terug zou moeten naar mijn echte leven.

Leila bleef niet lang in het water. Ze rilde en had blauwe lippen en kippenvel. Ik hielp haar afdrogen met een handdoek en proefde het zoute water dat van haar haren spatte. Het zou een leuke foto zijn geweest: twee lachende meisjes op het strand, de ene knapper dan de andere, maar allebei gelukkig omdat dit het begin was van een lange, warme zomer.

'Laten we naar huis gaan. Ik wil verse pasta maken,' zei ik tegen Leila.

Ze lachte. 'Jij kunt je tegenwoordig niet meer ontspannen, hè? Maar goed, als jij zo gek bent om het klaar te maken, wil ik wel zo gek zijn om het op te eten.'

Met haar vest aan, de handdoek om haar middel geslagen en zwarte krullen in haar natte haar liep ze voor me uit de trap op. Boven hoorden we gepiep. Het kwam uit de vuilniscontainer op de hoek van de parkeerplaats.

'Er zit een dier in.' Leila rende ernaartoe om te kijken. Ze stak haar hoofd erin en ze riep: 'Ach, arm kleintje. Wie heeft je hier in gestopt? Ben je in je eentje of zijn er nog meer? Wacht even... Dit heeft geen zin. Je mag me niet bijten hoor, als ik je eruit probeer te halen. Kom maar. Goed zo, jochie... of meisje... wat je maar bent.'

In haar armen had ze een smerig wit met rood pluizenballetje met bange oogjes. Leila wikkelde het in een van haar handdoeken en hield het stevig vast. 'Wie stopt er nu een puppy in een vuilnisbak om dood te gaan?' zei ze met trillende stem. 'Ik durf te wedden dat hier normaal niemand komt in deze tijd van het jaar. Hij mag van geluk spreken dat wij hem hebben gevonden.'

Ik keek even naar het hondje. 'Misschien heeft hij wel vlooien,' waarschuwde ik.

'Nou, dan gaan we straks wel naar de stad om wat antivlooienspul te kopen. En wat puppyvoer. Maar eerst nemen we hem mee naar huis, dan kunnen we hem een beetje melk geven.'

Leila hield de puppy de hele weg naar huis vast. Hij leek het wel fijn te vinden, zo tegen haar warme borst gedrukt. Hij piepte niet meer en zijn oogjes waren dichtgevallen. 'Hij zou daar zijn doodgegaan,' zei Leila weer. 'God, wat kunnen mensen toch wreed zijn.'

Toen we bij Villa Rosa kwamen, zagen we de oude man die in het huis ernaast woonde. Hij keek naar Leila alsof hij probeerde te bedenken wat ze bij zich had.

'Het is een puppy, ziet u?' Ze trok de handdoek weg en liet hem de puppy zien. 'In een vuilniscontainer bij het strand gestopt. Ik ga kijken of ik wat te eten voor hem kan vinden.'

Hij bleef met een uitdrukkingsloos gezicht kijken en ik wist zeker dat hij te ver heen was om iets te begrijpen, zelfs als we Italiaans hadden gepraat.

Gelukkig was er geen kans op dat Aurora boos zou zijn omdat haar dochter een zwerfhondje mee naar huis had genomen, want zij was even gek op honden. Ze maakten wat melk warm voor het hondje, terwijl ik vruchteloos op zoek ging naar meel en eieren om pasta te maken.

'Ik ga even naar de buren om te zien of ik wat dingen van die oude dame kan lenen. Hoe heet ze ook alweer? Babetta?'

'Hm, ja, dat klopt,' zei Aurora afwezig. Ze keek naar de puppy die gulzig de melk opdronk.

De ramen van het huis ernaast waren open en binnen stond de radio aan. De oude man zat in een rieten stoel op zijn terras naar de zee te kijken. Ik vond hem een beetje eng, maar zijn vrouw Babetta vond ik aardig. Ze had zo'n schonkig lichaam als oude vrouwen wel vaker hebben en leek wel een zigeunerin met haar gebloemde hoofddoek.

Ik kon haar met gebaren duidelijk maken dat ik eieren en meel nodig had en ze nam me mee naar haar keuken, heel eenvoudig maar brandschoon, en deed de kasten open. 'Pak alles wat je wilt,' leek ze te zeggen.

Daarna liep ze naar de kippenren en haalde zes verse eieren, kleverig, met veren en vuil eraan. Ik voelde me niet op mijn gemak omdat ik zo veel van haar aannam en toen ze een afgedekt schaaltje in mijn mand stopte, probeerde ik dat te weigeren.

Maar de oude vrouw drong aan. *'Per il cane.'* Ze maakte een grappig blafgeluidje. *'Capisce?'*

'O, vlees voor de puppy.' Eindelijk begreep ik het. 'Uw man heeft u natuurlijk verteld dat we dat hondje hebben gered.'

Ik wilde haar bedanken, maar Babetta leek het fijn te vinden dat ik een mand vol cadeaus meenam. *'La mia casa e sempre aperta,'* zei ze toen ik het pad af liep.

Ik onthield die woorden en toen ik terugkwam zei ik ze tegen Aurora, die vrij goed Italiaans kende. 'Aha, ze zei dat haar huis altijd openstaat voor je,' riep ze uit. 'Wat een aardige vrouw!'

'En dit heeft ze me ook gegeven,' zei ik en ik haalde het schaaltje met vleesrestjes uit de mand. 'Zal ik een beetje rijst koken en dat erdoor roeren om aan de puppy te geven?'

Het arme beestje had zich opgekruld en was in slaap gevallen op een kleedje dat Leila naast het melkkommetje had gelegd.

'Ach, wat lief,' zei Aurora toen ze het vlees zag. 'Wat fijn dat er ook aardige mensen zijn.'

'Ja, heel fijn.' Ik was dankbaar voor de aanwezigheid van deze oude maar vriendelijke vrouw, als een schildwacht even buiten de hekken van Villa Rosa.

Babetta

Babetta kon nog steeds niet geloven dat Nunzio had gepraat. Hij was de keuken binnen gelopen en had met een lage schorre stem gezegd: 'Er is een puppy.' En voordat ze antwoord had kunnen geven, was hij snel weer naar buiten gelopen en zwijgend in zijn stoel gaan zitten.

Ze had zich afgevraagd of ze zou proberen hem nog een paar woorden te ontlokken, maar toen was de jonge vrouw met het bruine haar, Alice, verschenen. Ze had eten willen lenen, een paar dingen, maar Babetta had het vlees erbij gedaan omdat ze er niet tegen kon dat iets doodging, zelfs geen hond. Zelf had ze nooit een huisdier gehad, alleen dieren die je kon eten, maar ze wist dat Nunzio vaak restjes eten neerzette voor de wilde katten die vlakbij in de struiken leefden.

Babetta bezat een paar foto's van haar echtgenoot als jongeman. Daar keek ze tegenwoordig wel eens naar. Op een ervan stond hij samen met de andere wegwerkers, allemaal erg jong en met ontbloot bovenlichaam, een olijfkleurige huid en gespierd. Met zijn ronde gezicht en goedige glimlach was Nunzio er gemakkelijk uit te pikken. Hij was nooit knap geweest, maar als hij blij en gelukkig was, zoals toen Sofia was geboren of op de zondagmiddagen waarop ze samen naar het strand gingen, lag zijn charme dichter onder de oppervlakte.

In de loop der jaren was hij gekrompen en had hij een gerimpeld gezicht gekregen, maar Babetta dacht dat ze die jongeman achter dat oude gerimpelde masker nog steeds kon zien. En nu leek het alsof de komst van de Engelse vrouwen in Nunzio een vonkje had ontstoken. Eerst had hij haar geholpen in de tuinen van Villa Rosa en nu had hij een paar woorden gezegd.

Babetta probeerde er niet al te veel hoop uit te putten, maar ze wilde dolgraag meer horen.

Alice

Leila leek verbaasd toen ze zag hoe snel ik de pasta had gemaakt, dikke kussentjes ravioli gevuld met een puree van verse sperziebonen en tuinbonen en de zachte geitenkaas die ik in de winkel aan de *autostrada* had gekocht. We aten de pasta met eroverheen een beetje gesmolten boter en salieblaadjes die ik heel even had gebakken tot ze knapperig waren.

Met z'n drieën zetten we de keukentafel in de zon en Aurora haalde een fles rosé tevoorschijn. 'Dit is hemels,' zei ze toen ze met haar vork een van de raviolikussentjes openmaakte. 'Leila, hoe blijf je zo slank als je de hele tijd zo zalig eet?'

'Eerlijk gezegd is dit de eerste keer dat Alice pasta voor me heeft gemaakt. Het ingewikkeldste gerecht dat we thuis eten is een tosti met kaas en ui,' zei Leila lachend.

Het was inderdaad zo dat ik al mijn energie in mijn werk stopte. Thuis werd ik al moe bij het idee dat ik een echte maaltijd moest klaarmaken. Ik maakte alleen maar snelle hapjes: *taramasalata* uit de Griekse winkel in onze straat of feta met tomaat. Leila had me nooit echt zien koken.

'Als we straks naar de stad gaan om boodschappen te doen, zal ik het goedmaken,' beloofde ik.

'Maar je hoeft niet altijd te koken, hoor,' zei Aurora snel. 'We kunnen het wel om beurten doen.'

Maar inmiddels had ik het gevoel dat de keuken van Villa Rosa van mij was. Ik had Aurora's armzalige verzameling gebutste pannen en versplinterde houten lepels al bekeken en opgeschreven wat we moesten kopen. Het was niet erg om met een oude deegroller pasta uit te rollen, maar het goede keukengereedschap zou alles wel veel gemakkelijker maken.

'Ik vind het niet erg, hoor. Het lijkt me leuk om met allerlei ingrediënten te spelen,' zei ik. 'Bovendien zei Tonino dat ik dat moest doen. Hij zei dat ik moest leren om van lokale producten eenvoudige en eerlijke gerechten te maken.'

'Lokaler dan groente uit de tuin van je buren kun je niet krijgen,' zei Leila. Ze likte nog een beetje puree van haar mes. 'Zeg, wanneer ga je kennismaken met Tonino's familie? Je zou toch bij hen gaan werken?'

'Binnenkort, denk ik,' zei ik, niet bijster enthousiast. Het idee dat in Londen zo geweldig had geleken, leek nu een armzalig alternatief voor een lange luie zomer.

'Nou, die pasta was verrukkelijk.' Aurora duwde haar lege bord van zich af. 'Alice, ik vind het prima als jij kookt, als je dat tenminste echt wilt.'

Terwijl zij op hun tenen om de slapende puppy heen liepen en de tafel afruimden, bracht ik de overgebleven ravioli naar Babetta. Het leek een beetje overmoedig dat ik mijn eten aan een Italiaanse vrouw aanbood, maar de pasta zou snel bederven en dat had ik jammer gevonden.

Ze keek verbaasd toen ik haar het schaaltje wilde geven. Zelfs de oude man leek nieuwsgierig; hij probeerde te zien wat ik had meegenomen maar bleef in zijn stoel zitten.

Met behulp van mijn nieuwe mimevaardigheden probeerde ik duidelijk te maken dat we naar Triento gingen en haar wel een lift konden geven als ze dat wilde. Ik had nergens op het terrein een auto zien staan, dus ik kon me niet voorstellen hoe ze boodschappen kon doen.

Ze glimlachte toen ze begreep wat ik aanbood en stak een vinger op om aan te geven dat ik een minuutje moest wachten. Toen ze terugkwam had ze haar hoofddoek vervangen door een mooiere die veel minder verbleekt was en hing ze een andere zelfgemaakte mand aan haar arm voor de boodschappen.

'Pronto?' vroeg ze met zo'n brede glimlach dat ik kon zien dat achter in haar mond een paar kiezen ontbraken.

Babetta zweeg tijdens de rit naar Triento en keek alleen maar naar het uitzicht dat ze al duizenden keren eerder had gezien. Het was spectaculair, met vervallen torens op rotsige uitsteeksels, talloze onbedorven baaien en de zee, een schitterend blauw juweel dat zich uitstrekte tot de enorme lucht waar Leila's moeder verliefd op was geworden.

Het stadje lag halverwege de heuvel, een wirwar van smalle straatjes die waren aangelegd lang voordat er auto's waren. Met haar wijzende vinger en heel veel *'Si, si, no, no'*, maakte Babetta ons duidelijk waar we konden parkeren. Daarna liep ze voor ons uit over steile straatjes met ontelbare traptreden tot we bij een prachtige *piazza* kwamen die vol stond met marktkramen.

Babetta bleef dicht bij me toen ik inkopen deed en zorgde ervoor dat ik alleen de meest verse en allerbeste dingen kocht. Ze schudde haar hoofd over een paar tomaten die ik wilde kopen en zorgde ervoor dat ik in plaats daarvan mijn mand vulde met een bos wilde asperges en een paar malse jonge artisjokken. Daarna nam ze me mee naar haar favoriete slager en *salumeria*, en wees me de beste kwaliteit prosciutto, de lekkerste kazen en de verrukkelijkste zelfgemaakte worst. Een enkele keer verhief ze haar stem en volgens mij maakte ze dan ruzie met de winkeliers, maar vrijwel altijd eindigde het in gelach. Babetta moest deze mensen al heel lang hebben gekend en kennelijk waren ze aan haar gewend.

Eten inkopen verveelde Leila algauw en daarom ging ze op zoek naar voer voor de puppy. Even later kwam ze terug met vlooienpoeder, een halsband, een riem en allerlei piepende speeltjes. 'Je wilt hem dus houden?' vroeg ik en het antwoord was een grijns.

Het was onmogelijk het stadje goed te verkennen met onze zware boodschappen, daarom liepen we terug naar de auto en zetten alles in de kofferbak.

'Laten we via de andere kant van Triento terugrijden,' stelde Leila voor. 'Daar schijnt een vissersdorpje te zijn met allemaal kleine eethuisjes en boetiekjes. Misschien kunnen we in de zon even iets drinken.'

En dus namen we een andere weg, die om de heuvel heen slingerde en daarna afdaalde naar de zee. Al snel zagen we zandkleurige huisjes boven een haven, met groene luiken en balkons vol potten felgekleurde bloemen.

Hier beneden bij de haven leek Babetta minder zeker van zichzelf. Ze keek om zich heen alsof ze hier onbekend was en protesteerde niet toen we naar het dichtstbijzijnde café bij de haven liepen.

'Volgens mij is het restaurant van Tonino's ouders hier vlakbij,' zei ik tegen Leila toen we zaten en iets hadden besteld. 'Het is een visrestaurant, Trattoria Ricci.'

De ober bracht onze drankjes en we toostten met elkaar. Het was wel een beetje vreemd om daar te zitten samen met een oude Italiaanse vrouw die niet echt met ons kon communiceren, maar ze leek tevreden. Ze keek naar de voorbijgangers en knikte af en toe als ze iemand herkende.

'Babetta!' hoorden ze roepen. De vrouw die naar ons tafeltje kwam, was de meest aantrekkelijke oude vrouw die ik ooit had gezien. Ze had een fascinerend gezicht, leek wel een beetje op Sophia Loren, had sluik donker haar, een olijfkleurige huid, volle lippen en was perfect gebouwd.

'Raffaella, ciao.' Babetta leek echt blij, ze stond op en zoende haar op beide wangen. Ze kletsten een tijdje in supersnel Italiaans en daarna wendde de mooie vrouw zich tot mij en zei in aarzelend Engels: 'Jij bent Alice, ja? Ik ben Tonino's moeder, Raffaella Ricci. Hij vertelde inderdaad dat je hier al was.'

Ik schaamde me een beetje omdat zij me had gevonden voordat ik naar haar *trattoria* had kunnen gaan om me netjes voor te stellen. 'O, wat fijn u te ontmoeten. Ik was van plan deze week nog langs te komen,' zei ik snel. 'Ik ben heel dankbaar voor de kans die u me geeft.'

Raffaella glimlachte en haalde op die speciale Italiaanse manier haar schouders op. 'Kom maar niet te snel. Mijn zoon Tonino, hij denkt alleen maar aan werken. Maar daar is nog tijd genoeg voor. Verken de omgeving, vermaak je, ontspan je eerst maar een beetje. Als je zover bent, zijn wij daar.' Ze wees naar een klein wit pand aan het einde van de haven. Ervoor stonden een paar tafeltjes met blauwe parasols, die zacht in het briesje bewogen. Ik zag geen uithangbord of zo, zelfs niet boven de deur. Ik had het restaurant zelf misschien niet eens kunnen vinden.

'Het ziet er prachtig uit,' zei ik beleefd.

Raffaella lachte. 'Je zult wel zien dat het heel anders is dan Tonino's restaurant, maar ik denk dat je het wel leuk zult vinden. Geen haast. Kom maar als je er klaar voor bent.'

Toen ze wegliep zag ik dat mannen haar nakeken. Raffaella gedroeg zich alsof ze wel wist dat ze keken, maar zich er niet veel van aantrok. Ze liep door met opgeheven hoofd en lange passen tussen de tafeltjes.

'Wat een stuk, hè?' zei Leila. 'Is haar zoon Tonino ook zo knap? Waarom heb je me nooit aan hem voorgesteld?'

'Jouw type niet,' zei ik.

'O nee? Wat is mijn type dan wel?' vroeg ze uitdagend.

'Verpauperde kunstenaars, armoedige musici, ietwat losbandige mannen met mooie kleren en geen geld… moet ik doorgaan?'

Met een spijtig lachje zei Leila: 'Toch wil ik dat je me zodra we weer in Londen zijn aan Tonino voorstelt. Misschien is hij mijn nieuwe type wel.'

We bestelden nog een drankje en zaten wat te kletsen, terwijl Babetta haar ogen dichtdeed en een beetje zat te soezen. Het was heerlijk hier, zonder verplichtingen en in de warme zon. Opeens realiseerde ik me dat ik sinds we op Villa Rosa waren gearriveerd geen enkele keer zomaar had gehuild. Bijna een hele dag zonder tranen! Ik vroeg me af hoelang dat zou duren.

Babetta

Hoewel ze wist dat de jonge Engelse vrouwen even plotseling zouden vertrekken als ze waren gekomen, genoot Babetta van alle veranderingen die ze veroorzaakten. Elke dag boden ze aan haar ergens anders mee naartoe te nemen; een ritje langs de kust misschien, of een uitstapje verder naar het zuiden in de richting van Calabrië. De meest serieuze van de twee, Alice, maakte van elke gelegenheid gebruik om eten in te slaan en Babetta hielp haar zodat ze het allerbeste kocht, zoals de meest verse mozzarella, het meest malse stuk rundvlees. Vaak liep ze met Alice mee naar de keuken van Villa Rosa om haar te laten zien hoe ze het moest klaarmaken.

Het meisje was snel en slim met bepaalde dingen. Ze had vaardige vingers voor pasta en ze kon sneller een ui snijden dan Babetta ooit had gekund. Maar er was zo veel dat niemand haar ooit had laten zien, gerechten die elke Italiaanse moeder haar dochter zou leren bereiden. Babetta stond te kletsen boven de pannen met pruttelende sauzen en de schalen vlees, en op de een of andere manier leek het meisje haar te begrijpen, ook al sprak ze vrijwel geen woord Italiaans.

Elke dag werd de zon sterker en klom hoger aan de hemel. Babetta verwachtte niet langer dat ze te horen zou krijgen dat zij en Nunzio het huis moesten verlaten. Ze keek niet langer naar hun bezittingen met de vraag in gedachten wat ze zou meenemen en wat ze zou achterlaten. Ze had zich natuurlijk wel zorgen kunnen maken, maar ze negeerde haar zorgen; ze kookte, genoot van haar vreemde, zwijgende vriendschap met het Engelse meisje en verzorgde de moestuin.

Als het 's ochtends nog koel was, werkten ze vaak samen in de tuin. Ze plantten kruiden voor de keuken, zaaiden rijen bonen die langs de bamboestokken zouden klimmen en ruige chilipeperplanten. Later in het seizoen zouden ze heel veel kunnen oogsten. Babetta hoopte dat het meisje er dan nog was zodat ze alles zou kunnen proeven.

Het andere meisje, de donkerharige schoonheid, hielp nooit mee. Zij zat vaak met een boek in de hand te roken of was aan het typen terwijl het hondje dat ze had gered aan haar rok trok en bedelde of ze met hem wilde spelen.

Alleen de moeder, Aurora Gray, leek niets omhanden te hebben. De meeste ochtenden was ze op de rotsen te vinden. Dan zat ze met haar gezicht in de schaduw van haar hoed naar de lucht te kijken. Tegen lunchtijd kwam ze naar boven, maakte een fles wijn open en at wat was klaargemaakt, maar haar aandacht bleef op de lucht gericht. Babetta begreep niet wat er zo interessant aan was, maar het deed haar denken aan Nunzio in zijn rieten stoel, vast gekluisterd en starend, wachtend tot er iets gebeurde.

Alice

Leila sloeg haar hand voor de mond en lachte als een ondeugend kind. 'Die man probeert mijn hond te stelen,' zei ze. 'Kijk maar.'

Ik keek een tijdje naar Nunzio en zag dat ze gelijk had. De puppy liep steeds achter hem aan terwijl hij onkruid wiedde of de paden veegde. Af en toe haalde hij iets uit zijn zak en gaf de puppy een lekkernijtje.

'Vind je het niet vreemd dat die oude man nooit iets zegt?' vroeg ik.

'Misschien vindt hij niets meer belangrijk genoeg om te zeggen.' Leila keek nog steeds door het keukenraam naar haar puppy. Hij rende rondjes om Nunzio heen en ze schoot weer in de lach.

'Hoe ga je hem trouwens noemen?' vroeg ik.

'Misschien noem ik hem wel Sky. Als mijn moeder niet verliefd was geworden op de lucht boven Villa Rosa dan zouden we hier niet zijn gekomen en had niemand hem gered.'

'Goede naam,' beaamde ik. Daarna dwaalden mijn gedachten van de oude man en de hond naar Leila's moeder. De laatste dagen had ik me over haar verbaasd. Ik vond haar geprikkeld en afwezig, ze keek aldoor naar de horizon, soms zelfs met een bozige blik.

'Ze is nog niet begonnen met schilderen, hè?'

'Nee.' Leila fronste. 'Ze zegt dat ze nog niet weet hoe ze moet beginnen.'

Volgens mij kon ze gewoon beginnen met heel veel blauwe verf op een doek te smeren met het gebruikelijke resultaat, maar dat zei ik natuurlijk niet.

'Gaat het altijd zo als ze wil werken?' vroeg ik in plaats daarvan.

'Soms wel. Volgens mij is beginnen heel moeilijk, want als ze eenmaal bezig is neemt het haar helemaal in beslag. Wacht maar, als het zover is kun je amper een woord uit haar krijgen, laat staan haar iets laten eten.'

Het was steeds de bedoeling geweest dat ik de hele zomer op Villa Rosa zou blijven en Leila een tijdje naar een schoolvriendin zou gaan die in Rome woonde, en daarna misschien nog een paar weken terug zou komen. Ik hoopte dat ze zich had bedacht nu ze de puppy had, vooral als haar moeder gek en zwijgzaam zou worden. Maar Leila had behoefte aan opwinding: aan mannen op wie ze verliefd kon worden, aan nachten waarin ze kon drinken tot ze draaierig was, aan discussies en escapades. Hoe langer we in Villa Rosa woonden, hoe trager ons leven verliep, en ik was bang dat ze zich gauw zou gaan vervelen.

'Sky, Sky,' riep Leila. De hond kende zijn nieuwe naam misschien nog niet, maar hij herkende Leila's stem wel en met een grappig scheef koppie kwam hij naar haar toe gedribbeld.

'Wat is het een schatje, hè?' zei ze en drukte een zoen op zijn neus.

'Wat gebeurt er met hem als wij teruggaan naar Engeland?'

'Mijn moeder houdt hem wel. Hij kan haar gezelschap houden. En als ik dan hier kom, zie ik hem weer.'

Die ochtend ontbeten we laat. We aten geroosterd brood met een dikke laag granaatappeljam die Babetta vorig najaar had gemaakt van het fruit van de vele bomen in de tuin. Ik zag dat ze al aan het werk was op het terras beneden, ze was een strook aarde aan het schoffelen waar ze maïs wilde planten. Maar ik had geen tijd haar te helpen, want Leila zou me voor lunchtijd naar het dorpje bij de haven rijden. Ik wilde Tonino's ouders vragen wat ze precies van me verwachtten. We hadden alleen maar afgesproken dat ik in het restaurant zou helpen. Maar ik wist niet of het een echte baan was met vaste werktijden en of ze me eigenlijk wel nodig hadden.

Ik had me in elk geval al drie weken kunnen ontspannen en in de keuken van Villa Rosa had ik geëxperimenteerd met eten. Ik had kleine noedels gemaakt van ricotta in een lichte tomatensaus. Ik had inktvis gefrituurd en gevuld met kruiden en rucola uit de tuin. Ik had een stevige stoofpot gemaakt van vis en verse knoflook. Er was veel te veel eten en vaak moesten we het delen met Babetta en Nunzio, anders kregen we het nooit op. De oude vrouw was fantastisch geweest, ze had me laten zien hoe je allerlei boerengerechten moest klaarmaken, zoals zij het van haar moeder had geleerd. Nu was ik er klaar voor om iets van professionals te leren. Bovendien, hield ik mezelf steeds voor, begon ik de drukte van een restaurantkeuken te missen.

Het was drukker in het vissersdorpje dan de laatste keer dat we er waren geweest. De eerste toeristen zaten al aan de tafeltjes buiten en ik hoorde Amerikaanse stemmen, vertrouwde Engelse accenten en zelfs een paar Australiërs. Ik kon me wel voorstellen hoe druk het hier midden in de zomer zou zijn.

Ik liet Leila achter, die in een boetiekje wilde kijken, en liep langs de haven naar het kleine witte gebouw met de blauwe parasols dat Raffaella me had aangewezen. Zoals ik al dacht, stond nergens dat dit een restaurant was, maar op een schoolbord buiten stonden een paar specialiteiten van de dag geschreven. Ik zag dat ze een visgerecht hadden met scheermes, gefrituurde gevulde sardines, een inktvissalade en mijn favoriet, een *spaghetti alle vongole*.

Binnen leek het op een woonhuis. Er stonden een paar houten tafels en stoelen, nog een schoolbord met dezelfde specialiteiten en een groot antiek dressoir met borden en glazen erop. Raffaella stond achter in de ruimte, ze sneed flinterdunne reepjes prosciutto voor een antipasto.

'Ah, *buongiorno*, Alice.' Ze glimlachte naar me en weer was ik helemaal overdonderd door haar knappe uiterlijk. 'Je komt precies op het goede moment. Het begint druk te worden. We kunnen dus wel een paar extra handen gebruiken.'

'Ik kan vandaag wel beginnen, als u dat wilt,' zei ik. 'Zeg maar wat ik moet doen.'

'Nee, nee.' Raffaella schudde haar hoofd. 'Vandaag moet je met ons mee-eten. Morgen kun je helpen met koken.'

'Maar...'

'Ik heb je toch al verteld dat dit een heel ander restaurant is dan Tonino's? Goed dan, waar is je knappe vriendin? Ben je met haar meegekomen... ja? Haal haar dan maar op en ga buiten aan een tafeltje in de zon zitten.'

Leila gromde een beetje toen ik haar in de boetiek weghaalde bij een rek vol glitterjurkjes. Ze had nog maar net haar ontbijt op en geen zin om alweer iets te eten. Maar zodra ze met een glas koude wijn in haar hand onder een parasol naar de haven zat te kijken, leefde ze weer op.

Eerst bracht Raffaella ons verschillende schalen met antipasto: de prosciutto die ze net had gesneden en wat salami, gegrilde baby-inktvis, geroosterde groenten en een mandje knapperig brood. Daarna kwam ze naar buiten met kommetjes spaghetti en sint-jakobsschelpen besprenkeld met fruitige olijfolie en verse platte peterselie. Ten slotte kregen we sardines die waren opengesneden, gevuld met broodkruim en tomaat, daarna opgerold en snel gebakken. Ze werden geserveerd met een eenvoudige groene salade. We hadden geen menukaart gezien en ik begon me af te vragen of de enige gerechten die je kon bestellen de zes of zeven gerechten waren die op het schoolbord stonden.

Inmiddels was Leila al helemaal verzadigd. 'Zeg alsjeblieft dat ze niet nog meer brengt,' smeekte ze.

Maar zelfs zij kon de in rode wijn geweekte perziken niet weerstaan die we als afronding van onze maaltijd kregen. 'Gewoon een klein hapje om jullie smaakpapillen op te frissen na deze uitgebreide maaltijd,' zei Raffaella.

Het was geen groot restaurant en toen wij vertrokken was elk tafeltje bezet. Naast ons zat een Italiaan met een olijfkleurige huid en een enorme gouden Rolex aan zijn pols. Hij had een paar keer tegen Leila geglimlacht en ze had zich niet kunnen beheersen en zat door haar haar naar hem te kijken.

'Is hij misschien ook je nieuwe type?' fluisterde ik.

'Nee, maar misschien wel mijn moeders type. Ze kan wel enige afleiding gebruiken.'

Raffaella wilde niet dat we onze lunch betaalden. 'We willen je geld niet,' zei ze tegen mij. 'Maar kom morgenochtend op tijd. Dan kun je samen met mijn man Ciro vis kopen en daarna misschien verse pasta voor me maken. Tonino zei dat je daar heel goed in bent.'

Toen we vertrokken zag ik dat de man met de Rolex weer naar Leila keek. Ze leek het wel leuk te vinden en zich nooit bedreigd of ongemakkelijk te voelen door de aandacht van een man zoals bij mij het geval was. Zelfs als een man onaantrekkelijk was en oud, genoot Leila van de aandacht.

We wilden eigenlijk teruggaan naar de boetiek met die leuke jurkjes, maar die was gesloten, net als de andere winkels. Ze zouden pas om vijf uur 's middags weer opengaan. Ik vond het fijn dat men hier genoot van een echte lunch, geen haast had, genoot van de smaken en daarna de tijd nam om het te verteren. Ik was gewend aan het Londense snelle tempo en aan het feit dat elke minuut was vol gepland; het leven in Triento leek hiervoor een tegengif. Het was heerlijk om hier te zijn.

Babetta

Babetta had geprobeerd zich te herinneren hoe zijzelf als jonge vrouw was geweest. Niet zo gespannen en leergierig als Alice en zeker niet zo dramatisch en op uiterlijkheden gericht als de knappe Leila. Volgens Babetta was zijzelf een stil meisje geweest dat wist wat van haar werd verwacht. Als jongste van vier zussen had ze in een ander gezin misschien langer op school mogen blijven omdat ze niet voor een jonger kind hoefde te zorgen. Maar haar vader had haar, net als zijn andere dochters, van school gehaald toen ze dertien was. Toen kon ze redelijk lezen en schrijven, en had ze eenvoudige sommen kunnen maken. Ze zou algauw trouwen en kinderen krijgen; het was dus helemaal niet nodig dat ze nog meer leerde.

Haar vader hield zijn dochters kort. In zijn gezin waren geen problemen, geen onverwachte zwangerschappen. Vrijheid voor Babetta betekende tijd met haar zussen, elkaars lange donkere haar vlechten, lachen en soms kaarten. Ze gingen alleen naar Triento als hun vader of moeder erbij was. Ze reden niet op scooters langs de kust zoals de jongelui van tegenwoordig. Ze stonden niet op de *piazza* sigaretten te roken en te roddelen.

Het hoogtepunt van de week was de zondag. Eerst naar de ochtendmis en dan naar huis voor een goede lunch, meestal vis, of vlees als ze er geld voor hadden. Soms kocht hun moeder een uitgebeende kalfskop die ze heel lang liet sudderen met ui, selderij, wortel en een glas azijn. Het dun gesneden vlees smolt op je tong. In de koudere seizoenen was er een soep waar Babetta dol op was, van varkenspoten en winterwortel uit de tuin. Na het eten rustten ze even en kamden elkaars haar tot het tijd was hun beste kleren aan te trekken en met elkaar naar Triento te wandelen.

De *passeggiata* was elke zondagavond hetzelfde. Dan liepen ze arm in arm met hun moeder heen en weer door de hoofdstraat en over de *piazza*, groetten vrienden en buren, en bleven af en toe staan om te kletsen. Op deze manier werden dochters van huwbare leeftijd getoond en kon een kandidaat-echtgenoot hen vinden. Zo waren haar drie zussen gekoppeld aan de man met wie ze waren getrouwd. Maar bij Babetta was alles anders gegaan.

Nunzio was geen jongen uit de buurt. Hij kwam uit het zuiden en hoorde bij een ploeg wegwerkers waar ze langskwamen als ze naar Triento liepen om hun manden te verkopen. Babetta wist dat hij naar haar keek, maar ze was veel te verlegen om terug te kijken, ondanks het gegiechel en gepor van haar zussen. Na een tijdje kwam hij naar hun huis en vroeg haar vader toestemming om haar het hof te maken.

Daarna mochten ze elkaar een of twee keer per week zien, maar nooit zonder chaperonne. Soms gingen ze wandelen en als een van haar zussen hen begeleidde, wilde die nog wel eens een andere kant op kijken als Nunzio haar hand pakte.

Ze voelde geen liefde voor hem, wel nieuwsgierigheid. Behalve met haar vader had Babetta zelden tijd met een man doorgebracht. Ze was gefascineerd door kleine dingen: de glanzende donkere stoppels op Nunzio's kin, zijn enorme onderarmen, zijn hoekige handen. Ze wilde weten hoe hij rook, wilde naar hem kijken als hij zijn borst ontblootte en in de brandende zon aan het werk was.

Babetta was bang geweest toen hij haar vroeg met hem te trouwen. Hij was onverwacht naar de schuur gekomen waar ze manden aan het vlechten was. Ze had geen tijd gehad haar haar te kammen of het zweet van haar huid te wassen.

Nunzio leek dolblij dat hij haar alleen vond; hij kuste haar en drukte zijn lichaam tegen het hare. Hij had overstuur geleken en ze had geprobeerd zich terug te trekken. 'Het is goed, hoor, het is al goed, ik wil dat je mijn vrouw wordt,' had hij gegromd terwijl hij haar vasthield.

Ze had misschien liever gewacht, had de trage verkering nog een of twee jaar willen laten voortduren. Maar ze kon geen nee tegen Nunzio zeggen. Ze had wel geprobeerd 'nee, nog niet' te zeggen, maar toen was hij naast haar gaan zitten, had een zakdoek tevoorschijn gehaald en was gaan huilen tot ze er niet langer tegen kon en haar armen om hem heen sloeg en zei: 'Ja, ik wil je vrouw wel worden.'

Ze waren getrouwd in een kerk in een uitloper van de berg een paar kilometer naar het zuiden, in Calabrië. Het altaar bevond zich in een schemerig verlichte grot, met druipende stalactieten erboven, en binnen was het vochtig en kil. Ze had gerild in haar mooie jurk en ze had de uitdrukking gezien op de gezichten van haar zussen: het was volgens hen geen goed voorteken dat ze haar huwelijk begon op z'n koude vreemde plek. Maar dit was Nunzio's familiekerk en ze had hem een plezier willen doen.

Een jaar lang woonden ze bij zijn familie in Calabrië waar ze het verschrikkelijk had gevonden.

Zijn moeder kon niet wachten tot er een baby kwam en na een paar maanden begon ze al te bidden en hen op te jutten. Aan het einde van het jaar zei de oude vrouw bijna niets meer tegen Babetta, maar vertelde Nunzio regelmatig wat ze ervan dacht. 'Je hebt een slechte vrouw uitgekozen, deze is onvruchtbaar. Je had een van de andere zussen moeten kiezen,' klaagde ze terwijl Babetta in de buurt was.

Meestal was Nunzio teder, maar hij werd chagrijnig door het gestook van zijn moeder en dan voelde Babetta zich heel eenzaam. Ten slotte kon ze hem ervan overtuigen dat het beter zou zijn als ze bij haar familie in de buurt van Triento zouden wonen. Dan zou ze weer manden kunnen maken, wat geld opzijleggen, en als er dan wel een kindje kwam zouden ze zelfs een huis kunnen zoeken.

Het was een droom geweest die pas jaren later was uitgekomen en zelfs na de geboorte van Sofia was alles moeilijk. Babetta was een bange moeder geweest. Er leken zo veel manieren te zijn waarop ze deze baby kon kwijtraken die haar lichaam haar na zo lange tijd had gegeven. Nunzio was het ermee eens geweest dat ze beter bij haar moeder en zussen in de buurt kon blijven. Daarom sliepen ze samen in het kamertje waarin ze als klein meisje had geslapen, met de baby in een wiegje naast hen.

Toen was de oude Umberto Santoro gestorven en hoorden ze dat de familie Barbieri iemand zocht die de tuinen van Villa Rosa kon verzorgen. Bij de baan hoorde een keurig huisje en toen ze het zagen, wisten ze dat dit hun kans was.

Het was een stille plek waar maar weinig bezoekers kwamen, maar ze hadden jaren een oude Vespa gehad waar ze soms met z'n drieën op zaten, met Sofia tussen hen in. Nu Babetta terugdacht aan deze periode realiseerde ze zich dat het een goede tijd was geweest. Weliswaar een tijd van hard werken en weinig geld, maar ze wist niet hoe ze gelukkiger hadden kunnen zijn.

Alice

Raffaella's echtgenoot Ciro was een donkere, intense man en ik zag meteen dat Tonino op hem leek. Hij had een streng gezicht, tot hij glimlachte als hij bijvoorbeeld een emmer verse scheermessen zag of een krat zilverkleurige sardines. Elke ochtend liep hij naar de haven en kocht rechtstreeks van de vissersboten vis voor de *trattoria*. Het was een luidruchtige handel, de mannen schreeuwden tegen elkaar, hielden een inktvis bij zijn tentakels omhoog of lieten een zwaardvis zien. Ciro sprak geen Engels, maar ook al had hij dat gekund, was hij volgens mij te haastig en te ongeduldig om te vertellen wat hij deed terwijl hij tussen de bemanning van de vissersboten door liep, vis en schelpdieren uitzocht en bankbiljetten van een rol af haalde om ervoor te betalen.

Hij kocht veel minder dan volgens mij nodig was en toen we terug waren in de *trattoria* vertelde Raffaella me de reden. 'Het perfecte moment om een vis te bereiden is binnen een paar uur nadat hij is gevangen,' zei ze. 'Zie je dat het vlees als ik er met mijn vinger op druk meteen terugveert en dat er geen deukje in blijft zitten? Daarom kopen we elke dag verse vis. We serveren nooit oude vis of vis uit de vriezer.'

'Maar als je dan door de vis heen bent?'

'O, maar dat is elke dag zo. Daar gaat het juist om. En als dat zo is, dan sluiten we het restaurant. Daarom eten hier zoveel mensen uit de buurt.'

Raffaella wachtte op ons met sterke koffie en een schaal zelfgebakken *biscotti*. Nu bekeken zij en Ciro wat hij had gekocht en besloten welke gerechten ze ermee gingen maken. Toen ze dat hadden gedaan, hielp ik Raffaella de gerechten op de schoolborden te schrijven. Vandaag een spaghetti met inktvis in tomatensaus, olijfolie, chilipepers en peterselie; een soep van kleine zoete garnalen, mosselen en scheermessen; en een *linguine* met sardines en wilde venkel. Raffaella had van een boer een paar kippen gekocht. Ze wilde het vlees kleinsnijden en er een stoofpot van maken met rozemarijn en citroen. Uit de tuin van dezelfde boer had ze bosjes kruiden en brandnetelscheuten gehaald en gisteren had ze puree gemaakt waar we ricotta doorheen zouden roeren om bij de ravioli te doen.

De keuken was klein, maar het leek wel alsof Raffaella en Ciro een zesde zintuig hadden; ze liepen nooit tegen elkaar aan. Ze kookten zwijgend, wisten wie wat moest doen: Ciro hakte de kippen in stukken, Raffaella maakte de sauzen. Terwijl ik het pastadeeg kneedde, dacht ik aan hen. Hoe het mogelijk was dat ze na hun jarenlange huwelijk elke dag samen konden werken. En wat ze vonden van Tonino met zijn chique restaurant met alle franje die erbij hoort.

Toen de keuken bezwangerd was met de geuren van het pruttelende eten en de meeste voorbereidingen klaar waren, pauzeerden we even. Raffaella haalde een pizzabrood uit de oven en strooide er zout en verse kruiden over. Dit aten we met flinterdunne plakjes prosciutto en een bol mozzarella die zo vers was dat hij nog droop van de buffelmelk.

'Goed dan, Alice,' zei Raffaella. 'Vertel eens wat over jezelf?'

Ik wist niet goed wat ik moest zeggen. Het leek verkeerd om te bekennen dat ik per ongeluk was gaan koken, daarom vertelde ik maar dat ik de kans om in het Teatro te gaan werken met beide handen had aangegrepen, maar dat ik het veel zwaarder had gevonden dan ik had verwacht.

Raffaella trok haar neus op. 'Ik noem dat geen koken. In een grote keuken werken, opdrachten uitvoeren, het eten voor iemand anders koken... Dat zou ik nooit willen.'

'Waar komen jullie recepten vandaan?' vroeg ik haar.

Ze glimlachte, liep naar het buffet en pakte een haveloos, oud, handgeschreven kookboekje. De bladzijden waren rafelig en zaten half los, de inkt was verbleekt en op sommige plekken gevlekt, maar ze hield het vast alsof het iets heel kostbaars was.

'Dit was van mijn moeder,' vertelde ze en ze sloeg de bladzijden om zodat ik het boekje niet hoefde aan te raken. 'Ze was een fantastische kok en ze heeft haar hele leven recepten verzameld. Veel van de gerechten die wij klaarmaken komen hieruit, andere hebben we in de afgelopen jaren zelf gevonden of bedacht. Elke dag leer ik wel iets nieuws over eten. Daarom hou ik er ook zo van.'

'Ik weet niet of ik van eten hou of niet,' hoorde ik mezelf bekennen.

'Echt niet?' vroeg Raffaella geschokt. 'Maar eten is ontzettend belangrijk. In mijn familie is dat de manier om met elkaar te praten, dankbaarheid uit te drukken, laten zien dat we om elkaar geven, soms zelfs om onze excuses aan te bieden. Goed eten moet met liefde zijn bereid. Je proeft het als dat niet is gebeurd.'

'Zelfs bij restaurant-eten?'

'O, maar juist dan!'

Koken met liefde was iets wat ik niet kende, maar het werk in de keuken van de *trattoria* was niet gestrest. Zodra de gasten kwamen, ging Raffaella naar voren, bracht hen naar hun tafeltjes en nam bestellingen op. Ik bracht de gerechten naar de tafeltjes, haalde lege borden weg en schepte grote dessertglazen vol met ijs of tiramisu. In de keuken leek Ciro alles onder controle te hebben. Hij werkte met stille concentratie, vroeg me een enkele keer een gerecht op een bord te scheppen en maakte me met gebaren duidelijk wat de bedoeling was.

De gasten zaten in de kleine eetzaal of op het terras te eten. Hier werd niet netjes met mes en vork en met kleine hapjes gegeten zoals in het Teatro. Hier kwam niemand om te zien of gezien te worden. Ze kwamen hier alleen voor het eten en ze genoten ervan; ze zaten met gebogen hoofd boven hun bord, slurpten hongerig en depten het laatste beetje olieachtig sap van hun bord met een stukje knapperig brood.

Zodra iedereen had gegeten en was vertrokken, stapelden we de vuile borden op en schepte Ciro onze borden vol. De vis was op, precies zoals ze hadden gezegd. Daarom aten we mijn kruidenravioli in een saus van gehakte walnoten met geschaafde pecorino erop. Er was nog over: een beetje inktvis, een beetje kippenstoofpot, een kom gestoomde groente met citroen en olijfolie en wat knapperig brood.

We zaten op het terras te eten met een glas witte wijn die naar appel smaakte, terwijl Raffaella me over hun leven vertelde. Ze vertelde dat

Ciro een pizzeria in het centrum van Triento had geërfd en dat ze daar een tijdje allebei hadden gewerkt.

'Toen hier toeristen naartoe kwamen, leerde ik een beetje Engels en daarna kon ik hun bestellingen opnemen,' vertelde ze.

'Je spreekt het nu heel goed,' zei ik.

'Ik vond het leuk om te leren en dus ging ik ermee door. En toen werd Tonino zo ambitieus en verhuisde naar Londen. Hij was nog jong en ik ben een tijdje bij hem gebleven om te zorgen dat het goed met hem ging. Mijn andere zoon, Lucio, spreekt ook Engels. Alleen Ciro kan het niet.'

'Wat is er met de pizzeria gebeurd? Hebben jullie die verkocht?'

'Nee, daar heeft Lucio nu de leiding. Ik had gedacht dat we al vroeg met pensioen zouden gaan.' Ze lachte en wees naar het restaurant. 'Maar dit lijkt mijn mans idee van pensioen.'

'O, wat erg voor u dat u nog steeds zo hard moet werken.'

'Zo erg is het niet, hoor.' Raffaella keek met genegenheid naar haar man die de laatste inktvis van zijn bord schepte. 'Zoals Ciro altijd zegt: als je met pensioen gaat, ga je dood. En ach, we zijn alleen open voor de lunch en zondags zijn we altijd gesloten, omdat de vissers dan niet uitvaren.'

Toen we klaar waren met eten, namen ze me mee naar hun huis. Het was nog geen minuut lopen en het huis was tegen de rots gebouwd. De kamers waren volgepakt maar schoon en Raffaella liet ze me vol trots zien, en ze wees me op het schitterende uitzicht vanuit elk raam. Daarna nam ze me mee naar de kleine garage waar een haveloze, antiek uitziende scooter stond.

'Mijn oude Vespa... Hij doet het beter dan hij eruitziet, hoor,' beloofde ze. 'Hiermee kun je de dagelijkse rit tussen hier en Villa Rosa prima maken.'

Ik aarzelde even, want ik had nog nooit op zoiets gereden en er hoorde zo te zien geen helm bij. Maar toen ik de heuvel op reed en de wind door mijn haren blies, vond ik het heerlijk. Ik voelde me een echt Italiaans meisje toen ik voor elke bocht in de weg op de toeter drukte om eventuele tegenliggers te laten weten dat ik daar reed. Boven op de heuvel stopte ik en keek naar de haven beneden. Ik ontdekte het terracotta dak van Raffaella's huis en de *trattoria*; de parasols stonden nu allemaal binnen. Daarachter was de haven, de boten dansten op de golfjes, en daar weer achter zag ik de open zee die zich uitstrekte in een grote blauwe leegte.

Ik kon me niet voorstellen dat je in deze prachtige omgeving ooit ongelukkig kon zijn.

Babetta

Babetta's dochter had jarenlang weinig belangstelling getoond voor de tuinen van Villa Rosa. Als kind speelde ze er terwijl haar ouders aan het werk waren, maar hun liefde voor de aarde en de dingen die erin groeiden had ze niet geërfd. Ze wilde niet dezelfde handen hebben als haar moeder, ruw van het werk, vies van de aarde. Sofia's vingernagels waren keurig gevijld en gelakt. Ze droeg altijd een hoed met een brede rand om haar gezicht tegen de zon te beschermen. De tuin trok haar niet.

Maar sinds de komst van de Engelse vrouwen kwam Sofia vaker langs. Ze hielp Babetta in de tuin, maar dan wel met katoenen handschoenen aan. Niet dat ze veel wiedde of plantte, maar ze was gefascineerd door de Engelse vrouwen en vroeg Babetta van alles over hen. Ze gaf commentaar op hun schoenen en hun kapsel, wilde weten wat ze de hele dag deden en keek naar hen zo vaak ze maar kon.

Babetta antwoordde zo oppervlakkig mogelijk. Ze vertelde niet dat ze urenlang samen met Alice inkopen deed of kookte. Eigenlijk negeerde ze het meisje met het bruine haar zo veel mogelijk als haar dochter in de buurt was. En Nunzio vertelde natuurlijk niets. Als hij al iets merkte van de ontluikende vriendschap van zijn vrouw, dan vond hij die niet belangrijk genoeg om er iets over te zeggen.

Sofia liep achter Babetta aan en deed alsof ze zich nuttig maakte door een kruiwagen te duwen of een mand te dragen. Ze joeg de puppy weg als die te dichtbij kwam en klaagde over de mieren en vliegende insecten. Babetta vroeg zich af wanneer ze eindelijk eens zou ophouden met vragen stellen.

'Waar is die kleinste vandaag met de scooter naartoe gegaan? Wanneer komt ze weer terug? Wat doet die oudere vrouw beneden op de rotsen? Waarom zit die knappe vrouw te typen?'

‘Dat weet ik niet. Ik spreek geen Engels. Hoe zou ik met hen moeten praten?’ zei Babetta dan. ‘En trouwens, wat kan mij dat schelen? Ik werk hier alleen maar.’ En dan liep ze weg om varkensmest door de compost te scheppen, waardoor er een wolk insecten opvloog zodat Sofia uit de buurt bleef.

Meestal kwam Nunzio haar ’s ochtends helpen. Hij werkte naast Babetta, deed het zwaarste werk en nam zwijgend de hark of spade van haar over. Hij leek Sofia’s vragen niet te horen en het kon hem kennelijk niets schelen dat ze er was. Als een van de Engelse vrouwen in de buurt kwam, merkte hij het amper. Maar het hondje vond hij leuk. Babetta had gezien dat hij vaak iets lekkers uit zijn zak haalde voor de puppy en ze dacht dat ze een vage glimlach op zijn gezicht zag als het beestje achter zijn eigen staart aan rende. Elke dag bracht hij minder tijd door in zijn stoel en meer op Villa Rosa.

Af en toe keek Babetta omhoog naar het beeld van Christus dat zuiver wit tegen de felblauwe lucht afstak en bedankte hem zwijgend.

Alice

De dagen regen zich in een prettige routine aaneen. Elke ochtend werd ik uren voor de anderen wakker en zorgde ervoor dat ik op tijd in de haven was om naar Ciro te kijken als hij vis kocht. Daarna dronken we koffie en stelden het menu van die dag samen. Het duurde niet lang tot ik zelf suggesties durfde te doen en trots schreef ik ze dan op de schoolborden.

Soms, na de lunch, als de *trattoria* voor die dag gesloten was, ging ik samen met Raffaella inkopen doen. Dan reden we langs de kust en de bergen in, bezochten mensen en kochten de producten die zij hadden geteeld. Iedereen leek blij ons te zien. Ze boden ons koele drankjes en schaaltjes olijven aan, en brachten manden vol wilde asperges die ze hadden geplukt, of malse artisjokken uit hun tuin. Soms hadden ze een stuk prosciutto of een paar gevilde konijnen. Een andere keer vertrokken we met bossen kruiden, venkelknollen en zakken vol bloedsinaasappels.

Als laatste gingen we altijd even in Triento naar de bakkerij die Raffaella's zus runde. Dan ging ze naar de bar ernaast en kwam terug met klein kopjes zoete espresso of ze sneed een stukje brood af dat we moesten proeven. Altijd als we daar waren, besteedde Raffaella veel aandacht aan de gerimpelde oude dame die op zonnige dagen buiten op het bankje zat.

'Silvana is een goede vriendin,' vertelde ze. 'Mijn zus heeft de bakkerij jaren geleden al van haar gekocht, maar ze is vergeten dat hij niet meer van haar is. Ze is hier elke dag. Hier krijgt ze de beste roddels te horen.'

'Hoe oud is ze?'

'Dat weten we niet zeker. Maar ze is al twee keer weduwe geworden en haar kleinkinderen bemoeien zich amper met haar. Daarom zijn wij nu haar familie.'

Raffaella's zus was een paar jaar jonger dan zij, maar niet meer zo knap. Ze had diepe groeven in haar voorhoofd en de huid onder haar ogen zag er gekneusd en vermoeid uit. Het leek alsof ze het even druk had met kletsen als met het bedienen van de klanten. Er stond zelfs een kruk bij de toonbank zodat mensen konden uitrusten terwijl ze met haar praatten.

'In Triento gebeurt altijd wel iets,' zei Raffaella. 'Een schandaal om je over op te winden, een sterfgeval, een geboorte of overspel.'

'Iedereen kent elkaar hier zeker?' vroeg ik.

'Ja, we zijn allemaal samen opgegroeid en we hebben een goed geheugen. Ja toch, Silvana? In de stad wonen ook mensen die me al haten sinds ik jong was. En anderen die al even lang mijn vrienden zijn.'

'Dan hebt u Babetta dus heel goed gekend,' zei ik nieuwsgierig; ik wilde heel graag meer over haar te weten komen.

'Niet heel erg goed, maar volgens mij is ze een goede vrouw.'

'Wat is haar verhaal?'

'O, het gebruikelijke. Ze trouwde, kreeg een kind en werkte hard. Dat doen de vrouwen in stadjes als Triento.'

'Maar ze kunnen toch ook andere keuzes maken? Hebt u nooit willen verhuizen? Ergens anders willen wonen?' vroeg ik.

Raffaella haalde haar schouders op. 'Ik moest voor mijn ouders zorgen. En toen zij stierven, was Silvana er nog. En we hadden onze pizzeria natuurlijk. Ciro zou dat alles nooit achterlaten.'

Pizzeria Ricci lag in een smalle steeg, een zijstraatje van de grote *piazza*. Het was een kleine ruimte met witte wanden en lange banken en het rook er naar gebakken basilicum en pruttelende mozzarella. Raffaella's jongste zoon Lucio kookte daar in feite in zijn eentje, en de eerste keer dat ik hem zag bleef als een favoriet kiekje in mijn herinnering hangen: hij rekte het deeg uit tussen zijn lange vingers en stond zachtjes te neuriën.

Ik had een jongere versie van zijn broer Tonino verwacht, met scherpe trekken en iets arrogants over zich. Maar Lucio leek niet op Tonino. Toen we binnenkwamen keek hij op en ik zag dat hij een prachtig gezicht had als hij glimlachte. Hij had een scheve neus doordat hij als kind zijn neus had gebroken, volle lippen, een hoog voorhoofd en hoge jukbeenderen. Maar toen Lucio opkeek en glimlachte, was hij prachtig.

Binnen vijf seconden was ik verschrikkelijk verliefd op hem. Ik was verloren, helemaal verloren, en dat kwam totaal onverwacht. Door Charlie had ik me nooit zo duizelig en dom gevoeld, ook niet door de andere jongens met wie ik als tiener verkering had gehad. Ik had gewild dat ze me aardig vonden, maar ik heb nooit de behoefte gehad alleen maar naar hen te kijken terwijl ze olijven op een pizza legden of olie en azijn over een kom verse rucola sprenkelden.

'Je moet wat van Lucio's eten proeven,' zei Raffaella. 'Hij maakt de beste pizza, zelfs beter dan zijn vader, ook al zou ik dat nooit tegen Ciro zeggen.'

'Wat is je geheim?' vroeg ik Lucio en ik kon mijn ogen niet van hem afhouden.

'Het wordt natuurlijk met liefde gemaakt.' Hij keek naar zijn moeder en grijnsde alsof ze samen een geheimpje hadden.

Lucio maakte een pizza voor me met een ongelooflijk dunne bodem, geschroeid en rokerig van de houtvuuroven, besmeerd met tomatensaus en afgemaakt met vers basilicum en rucola.

'En?' vroeg hij en keek naar me toen ik mijn eerste hap nam.

'O, zo'n lekkere pizza heb ik nog nooit gehad,' beaamde ik. 'Eenvoudig maar perfect. Zeer zeker met liefde klaargemaakt.'

'Bijt erin, scheur hem kapot met je handen,' zei hij. 'Eet alsof je honger hebt. Dat wordt hier in Italië beschouwd als goede manieren.'

Maar dat kon ik natuurlijk niet. Ik moest die pizza langzaam opeten. Niet alleen omdat ik van elke hap wilde genieten, maar ook omdat ik dan langer in Lucio's gezelschap zou zijn.

Net toen we wilden vertrekken, zei Raffaella: 'Waarom ga je niet een paar dagen bij Lucio werken? Je bent hier immers om iets te leren? In een chic Londens restaurant ga je natuurlijk geen pizza's maken, maar toch is het volgens mij perfect eten.'

'Dat zou ik heerlijk vinden,' zei ik snel.

Raffaella knikte alsof ze wel had verwacht dat ik het goed zou vinden. 'Ze moet morgen maar komen, hè, Lucio? Je kunt haar laten zien hoe we de bodem maken en de saus klaarmaken. Vertel haar al je geheimen.'

'Wil je dat wel doen?' vroeg ik.

'Nou... misschien wel.' Lucio glimlachte niet toen hij ons uitliet, maar toch bleef ik tot de volgende ochtend aan die blik op zijn gezicht denken.

Babetta

Hoewel ze het nooit zou toegeven, miste Babetta het Engelse meisje. Ze vertrok elke ochtend vroeg en was bijna nooit meer op Villa Rosa. Ondertussen leek het andere meisje zich te vervelen. Ze tikte zoals altijd op haar typemachine en speelde op het gras met het hondje, maar Babetta merkte wel dat ze liever ander gezelschap had gehad.

Ze had wel vaker meisjes als Leila meegemaakt: knap en charmant, maar erg ondeugend. Ze dacht aan haar oudste zus die net zo was geweest zodat haar vader een opgeluchte zucht had geslaakt toen ze veilig was getrouwd en zwanger. Maar Leila zou zich niet zo gemakkelijk laten temmen. Tegenwoordig verwachtten meisjes meer van het leven, ze wilden opwinding en leuke dingen, en ze werden vaak ongelukkig... tenminste, dat dacht Babetta.

Nu zag ze dat Leila op het gras zat; ze draaide een stok boven haar hoofd zodat de puppy ernaar moest springen. Daar zou ze zich even mee vermaken, maar algauw zou ze meer willen. Dat soort meisjes gedijt alleen als ze aandacht krijgen.

Toen ze klaar was met haar werk in de tuin liep Babetta terug naar haar eigen huis. Daar moest ze de vloeren nog dweilen en de paden vegen.

Maar eerst wilde ze iets lekkers klaarmaken voor Nunzio. Ze liep al dagen rond met dat idee. Ze had een paar oude hennen geslacht die allang geen eieren meer legden en hun botten pruttelden al uren in een kookpot op het fornuis. Toen ze met een houten lepel een beetje bouillon opschepte en die proefde, vroeg ze zich af of mensen net zo waren als bouillon: na verloop van tijd kwam de smaak van hun karakter vrij en werd sterker; sommigen werden bitterder, anderen trotser en mensen zoals Nunzio kregen iets melancholieks dat zich concentreerde in een dieper soort verdriet.

Babetta had besloten haar man gerechten voor te zetten waar hij troost uit kon putten of die hem in elk geval plezier zouden doen. Ze wist dat ze de laatste jaren eenvoudige en praktische gerechten had klaargemaakt. Ze leefden op soep van kikkererwten op smaak gebracht met een beetje pancetta en tomaat. Ze deed zo lang mogelijk over vlees of zeevruchten, warmde restjes op en voegde nieuwe smaken toe met bosjes kruiden uit de tuin of een beetje gedroogde chilipeper. Het was altijd lekker, maar totaal anders dan de dingen die ze klaarmaakte toen ze jonger was. Toen maakte ze altijd plannen voor de volgende maaltijd. Als ze aan het lunchen waren, dacht ze al aan het avondeten. Babetta was trots geweest op het feit dat ze even gemakkelijk een maaltijd voor twintig mensen als voor twee kon klaarmaken. En het belangrijkste moment van de dag was de maaltijd met de familie: haar zussen, hun echtgenoten en kinderen, haar ouders en grootouders.

Toen ze het Engelse meisje een paar eenvoudige gerechten van de streek leerde klaarmaken, realiseerde Babetta zich dat ze veel meer was kwijtgeraakt dan ze dacht sinds haar familieleden waren overleden of verhuisd. Uitgebreid koken leek overdreven als ze maar met zijn tweeën waren. En Nunzio leek het niet uit te maken wat ze hem voorzette.

Maar nu wilde Babetta iets bijzonders bereiden, een maaltijd om van te genieten en aan terug te denken... Ze wilde haar man met smaken uit zijn verleden proberen te herinneren aan de man die hij was geweest.

Alice

Af en toe had ik Charlie wel gemist. Als ik alleen in bed lag dacht ik vaak aan hem. Hij zou een zomer in Italië heerlijk hebben gevonden; ik zag hem in gedachten van het ene café naar het andere dwalen en urenlang in oude kerken rondlopen. Natuurlijk had hij alle reisgidsen gelezen en me de geschiedenis van alles wat we bekeken kunnen vertellen. In zijn notitieboekje dat hij altijd in zijn plunjezak bewaarde, zou een waslijst staan van alle dingen die we moesten bekijken. En 's avonds zou hij graag onder de granaatappelboom zitten om een shagje te draaien en naar de zonsondergang te kijken. Charlie zou het hier heerlijk hebben gevonden.

Maar deze zomer was hij in Londen en maakte lange dagen. Zelfs als hij tijd voor een korte vakantie had gehad, zou Leila hem hier niet willen ontvangen. Een tijdlang stuurde ik hem ansichtkaarten met een kort krabbeltje erop en wachtte dan vol spanning op zijn antwoord. Maar ja, toen leerde ik Lucio kennen.

Toen ik die eerste dag vertrok om de basisbeginselen van het pizzamaken te leren, was ik ontzettend opgewonden. Ik was mezelf niet. Maar toen ik in Triento arriveerde, was Lucio's glimlach verdwenen en gedroeg hij zich vreemd prikkelbaar. Hij bood me beleefd koffie en kleine in rum geweekte cakejes aan, maar begon zelf banken recht te schuiven en tafeltjes schoon te vegen.

'Het meisje dat voor me werkt, heeft er gisteravond een puinhoop van gemaakt,' mopperde hij. 'Kijk toch eens, wat een troep.'

'Kan ik iets voor je doen?'

'Nee, nee, ik doe het zelf wel, dan kunnen we daarna aan de slag.'

Ik vroeg me af of Lucio zich had bedacht en toch liever niet had dat ik bij hem kwam werken. Een tijdje keek ik naar hem en zag dat hij fronste toen hij de wijnglazen controleerde en vlekjes wegwreef met de doek die hij over zijn schouder had geslagen.

'Weet je zeker dat je het goedvindt dat ik hier ben?' vroeg ik even later. 'Ik loop je echt niet voor de voeten, hoor. Ik kan ook gewoon kijken, als je dat liever hebt.'

Hij stopte even met poleren en keek me aan. 'Hè? Nee hoor, het is prima.'

'Je bent eraan gewend om in je eentje te koken, nietwaar?' drong ik aan.

Met een halve glimlach zei hij: 'Alleen of met mijn familie.'

Het was wel duidelijk dat er een bepaalde rivaliteit heerste tussen Lucio en zijn broer. Beroemd zijn omdat je de beste pizza's van de stad maakte, was nauwelijks vergelijkbaar met een Michelinster hebben en in heel Londen in de schijnwerpers te staan. Ik kon het Lucio dus niet kwalijk nemen als hij het maar niks vond dat ik hier was. Misschien ging hij ervan uit dat ik Tonino's lievelingetje was en dat ik daarom was gekomen.

'Volgens je broer moet ik nog heel veel leren,' zei ik daarom. 'Het is niet gemakkelijk voor me om in zijn restaurant te werken.'

'Ja, ja, dat zei mama al. Ze zei ook dat je koken veel te serieus opvat, en dat je het jezelf veel te moeilijk maakt.'

'Echt waar?'

'Mijn moeder vindt het fijn andere mensen te helpen. Daarom wil ze dat ik je laat zien dat je plezier kunt hebben aan koken, er enthousiast over kunt worden.'

'En jij ziet dat niet zitten?'

'Ik heb beloofd je te leren hoe je een goede pizza kunt maken en dat ga ik dus doen.' Lucio dacht eraan te glimlachen. 'Misschien kunnen we zelfs wat plezier maken, hè, precies zoals mama zegt?'

Het ging hem allemaal zo gemakkelijk af. Al sinds hij klein was werkte hij met deeg en hij was er zo handig mee dat hij er een show van kon maken: hij gooide het deeg in de lucht en draaide het rond tussen zijn vingers. Vergeleken daarmee was ik wanhopig klunzig. Ik prikte gaten in het deeg als ik het uitrekte, maakte de gekste vormen en liet het zelfs een paar keer op de grond vallen. Binnen de kortste keren haatte ik de lucht van gist en de flinters deeg die als dode huid aan mijn handen bleven plakken. Maar ik was vooral woedend omdat ik me door zo'n eenvoudig gerecht belachelijk maakte in de ogen van Lucio, terwijl ik hem het liefst had geïmponeerd.

Zijn pizza kwam verrukkelijk knapperig en licht geschroeid uit de houtoven, maar de mijne peervormig en bultig. Steeds weer mislukte het. Uiteindelijk realiseerde ik me dat Lucio me niet langer probeerde te helpen, maar probeerde niet te lachen.

'Het is helemaal niet grappig,' snauwde ik. 'Ik kán het gewoon niet. Ik kan helemaal níéts. Misschien moet ik er maar mee ophouden.'

'Nee, nee. Je leert het echt wel. Ik lach omdat mijn moeder gelijk heeft. Je vat het allemaal veel te ernstig op. Het is helemaal niet erg een beetje deeg te verspillen, Alice. En het is helemaal geen probleem als jouw pizza een beetje dik is of niet perfect rond. Daar leer je juist van.'

'Maar ik vind het verschrikkelijk als ik iets niet kan,' bekende ik.

'Dat vinden we allemaal.' Lucio legde zijn hand op mijn schouder. 'Laten we tien minuutjes pauzeren. Straks gaan we wel verder.'

Hij nam me mee naar de bakkerij. We gingen naast Silvana op het bankje zitten en we dronken alle drie een verrukkelijk kopje koffie dat hij in de bar ernaast had gekocht. Mensen die voorbijkwamen knikten en glimlachten, sommigen riepen een groet, anderen bleven staan om te kletsen. Een paar mensen herkende ik al, de man met de grote gouden Rolex die tijdens de lunch naar ons had zitten kijken en een paar goed geklede oudere vrouwen die vaak in de *trattoria* kwamen eten. Als ze wegliepen begon Silvana fluisterend roddels over hen te vertellen die Lucio voor me vertaalde.

Even later zei hij dat we maar weer aan het werk moesten. 'Ben je al sterk genoeg om weer met het deeg aan de slag te gaan?' vroeg hij grijnzend.

Ondanks mezelf schoot ik in de lach. 'Ik kan er helemaal niks van, hè?'

Lucio haalde zijn schouders op. 'Mensen denken altijd dat pizza's maken gemakkelijk is. Je kunt ze overal kopen. Volgens mij worden ze in Londen zelfs thuisbezorgd in een doos. Maar er worden heel veel slechte pizza's gemaakt en veel, heel veel mensen kunnen er helemaal niets van. En daar ga jij niet een van worden, dat beloof ik je.'

Toen we tussen de marktkraampjes door over de *piazza* terugliepen, zonk de moed me al in de schoenen bij het vooruitzicht dat ik nog meer vernederingen moest ondergaan. Maar in plaats van me weer met het deeg te laten worstelen, liet Lucio me zijn *mise-en-place* zien die hij 'zijn pizzaspullen' noemde: de verschillende olie- en azijnsoorten, sauzen, kruiden en andere ingrediënten die hij bij de hand moest hebben zodra de pizzeria openging.

Lucio hield van eenvoud. Zijn pizza's zaten niet boordevol beleg. Bij hem zag je geen brokken roze ham en smakeloze ontpitte olijven, en al helemaal geen stukken ananas. De klanten konden kiezen tussen een pizza belegd met geschaafde prosciutto en verse rucola, of eentje met baby-inktvis en knoflook. Of een eenvoudige pizza met ansjovis, kappertjes en verse tomaat, of een andere met jonge artisjok en gesmolten mozzarella. Lucio paste het beleg aan het seizoen aan en serveerde ze alleen met een eenvoudige salade met een dressing van olie en citroen.

Elke dag ging hij om vijf uur 's middags open en algauw zat het er vol toeristen en mensen uit Triento. De jonge serveerster moest bijna rennen om alle bestellingen te kunnen bijbenen. Lucio was in zijn element. Hij was een veel luidruchtiger kok dan zijn broer. Vaak hield hij even op met werken om een vaste klant te begroeten of de arme serveerster een standje te geven als ze te traag werkte, en soms maakte hij er een grote show van door zelf een pizza naar een tafeltje te brengen.

Ik probeerde hem niet voor de voeten te lopen, hielp hem door de zoveelste kom te vullen met slablaadjes of door de *mise-en-place* aan te vullen als ik zag dat iets bijna op was. Maar meestal keek ik alleen toe.

Het bleef altijd druk tot een uur of halfelf. Zodra de laatste gast vertrokken was, moest er nog wel worden schoongemaakt. Lucio stelde dan een lijst op van alle dingen die hij de volgende dag moest kopen, zodat we pas ver na middernacht klaar waren. Als ik in Londen had gewerkt, zou dit het moment zijn geweest om te ontspannen en samen met het andere keukenpersoneel ergens een paar glazen wodka te gaan drinken. We dronken behoorlijk veel, in verschillende pubs en op rare tijden. Maar in Triento was zo laat niets meer open en ik had geen idee hoe Lucio zich elke avond ontspande na alle hectiek.

'Wat een prachtige avond,' zei hij toen hij de deur van de pizzeria achter ons op slot deed. 'Ga je mee een eindje rijden?'

'Ja, graag,' zei ik even nonchalant. 'Waar gaan we naartoe?'

Lucio had een kleine Fiat en hij slaagde erin hiermee door het smalle steegje naar de *piazza* te rijden. We reden de berg op door een reeks haarspeldbochten, langs een gehucht met een openluchtkapel en daarna naar de top. Mijn gordel was kapot en er was geen handgreep, daarom hield ik me vast aan de stoel en probeerde niet te gillen als Lucio slippend de bochten nam.

'Ik neem je mee naar Jezus,' riep hij boven het geluid van de mishandelde motor uit. Ik hoopte maar dat hij dat niet letterlijk bedoelde.

De steile, kronkelende weg eindigde bij een lege parkeerplaats. Lucio kon het niet laten om met behulp van de handrem te stoppen. 'We zijn er,' zei hij en haalde de sleutel uit het contact. 'Kom mee, dan kun je onze Jezus zien.'

Hij leidde me langs een paar souvenirwinkels, 's nachts natuurlijk gesloten en met de luiken dicht, en daarna een stenen trap op naar het verlichte beeld van Christus dat fel afstak tegen de nachtelijke hemel. Toen pas zag ik hoe verbazingwekkend het beeld eigenlijk was: het leek op het beeld in Rio de Janeiro, maar het was moderner en misschien minder hoog. Tot mijn verbazing keek het niet uit naar de zee, zoals ik had gedacht, maar naar de bergen.

'Dat is vreemd. Waarom staat hij met zijn rug naar de kust?' vroeg ik Lucio.

'Dit beeld is er in de jaren zestig neergezet,' zei hij. 'Mama zegt dat er een enorme ruzie was over wie het moest betalen. De vissers weigerden meer geld te geven, dus ging Jezus met Zijn rug naar hen toe staan. Toch trok Hij uiteindelijk aan het kortste eind, want Hij kreeg het saaie uitzicht.'

Lucio stond nu zo dicht bij me dat ik de zoete geur van verse pizza aan zijn kleren rook en een bijzonder mannelijke muskusgeur doordat hij de hele avond naast de houtoven had staan zweten.

'Ik heb het uitzicht vanaf hier altijd geweldig gevonden,' zei hij. 'Overdag is het nog spectaculairder, maar ik vind het 't mooist als de zee zwart is en je alleen plukjes licht van de dorpen langs de kust ziet.'

'Het is prachtig,' beaamde ik.

'En hiervandaan lijken de sterren zo helder,' zei hij. 'Na al die uren in de pizzeria kom ik hier graag naartoe om mezelf eraan te herinneren hoe weids de lucht is.'

'In Londen kun je de sterren nooit zo zien,' zei ik.

Hij knikte. 'De hemel wordt verpest door het licht in de stad. Hoe kún je daar wonen, Alice? Pizza in een doos, geen hemel... wat een verschrikkelijke plek.'

'Er zijn ook positieve dingen in Londen,' zei ik, hoewel ik op dat moment geen enkel voorbeeld kon verzinnen.

'En je werkt voor mijn broer,' zei hij. 'Dat zal niet gemakkelijk zijn.'

Ik wist niet hoeveel ik kon zeggen. 'Niet echt...'

'Toen we nog jong waren, kookten we samen, weet je. We hebben tegelijk pizza leren maken.'

'Wat was hij toen voor iemand?'

'Net als nu, denk ik... hij droomde altijd over iets groters, was altijd ambitieus en wist altijd heel zeker dat zijn manier de enige manier was,' zei Lucio met een droog lachje. 'Geen wonder dat je koken zo'n stressige bezigheid vindt.'

'O, maar ik vind het heerlijk,' zei ik. 'Ik hou van koken. Ik weet alleen niet zeker hoeveel ik van het leven van een kok hou.'

Hij knikte. 'Dat kan ik begrijpen.'

'En jij?' waagde ik te vragen. 'Hou jij van koken?'

Hij keek me aan, hield mijn blik vast en deed me heel even aan Tonino denken. 'Volgens mij is koken het meest intieme dat je voor iemand kunt doen,' zei hij zacht. 'Ik maak iets voor je met mijn handen en dan stop jij het in je lichaam. Wat kan er nu intiemer zijn?'

Ik slikte moeizaam. 'Niets,' zei ik.

'Maar er wordt ook een heel circus rondom eten opgevoerd,' zei hij, zich niet bewust van het effect dat hij op me had. 'Mensen willen erover praten, ze willen erover schrijven en ze maken er heel veel drukte over. Ze deponeren een heel klein beetje midden op een heel groot bord en maken er patronen omheen met verschillende kleuren sauzen. Wat heeft dat nu voor zin? Het is geen kunst, het is alleen maar eten. Je moet het dus koken, opeten en ervan genieten, *e basta.*'

Ik wilde hem van alles vragen. Ik was nieuwsgierig naar zijn verleden, zijn familie, wat hij had gedaan en wat hij wilde gaan doen. Maar in plaats daarvan stond ik zwijgend naast hem van het uitzicht te genieten, ademde dezelfde koele nachtlucht in en prentte mezelf in dat ik een hele zomer had om hem te leren kennen.

Het had helemaal geen haast.

Babetta

Babetta zag de verwarring op Nunzio's gezicht. Hij was op zijn gebruikelijke plaats aan tafel gaan zitten en verwachtte dat ze hem de opgewarmde rijst van gisteren zou voorzetten, of een eenvoudig bord spaghetti met olijfolie en knoflook. In plaats daarvan zette Babetta een dampende kom *tortellini in brodo* voor hem neer. Ze had de kleine pastakussentjes zelf gemaakt, gevuld met een mengsel van pancetta en Parmezaanse kaas en opgediend in haar verrukkelijke kippenbouillon. Nunzio snoof de geuren even op voordat hij zijn lepel pakte om het te proeven.

Hij at de kom leeg en keek haar aan, vroeg met zijn blik om meer. Maar Babetta schudde haar hoofd en bracht hem in plaats daarvan de tweede gang, een ossobuco die ze uren in uien, rode wijn en tomaten had gestoofd tot het vlees zo mals was geworden dat het uit elkaar viel en de saus was ingedikt. Nunzio keek naar zijn bord alsof hij het gerecht niet herkende.

'Eet, eet,' zei Babetta. Hij nam een hap, toen nog een en algauw had hij het bot in zijn handen en zoog het merg eruit, grommend van inspanning en genot.

Toen ze klaar waren met eten gingen ze even liggen, om het eten te laten verteren en de hitte van de dag te laten verdwijnen. Babetta zette elke gedachte aan haar werk uit haar hoofd en lag te luisteren naar de ademhaling van haar man. Ondertussen verzon ze gerechten waarmee ze hem de volgende dag een plezier kon doen. Misschien een paar rode uien gevuld met pecorino, een stuk zwaardvisbuik gekookt in een rijke tomatensaus of misschien wel een lamsfricassee op smaak gebracht met gehakte salie en opgediend met artisjokken.

Zo doezelde ze weg, haar hoofd rolde van het kussen en rustte zachtjes tegen Nunzio's schouder.

Alice

Uiteindelijk werden mijn pizza's beter, hoewel ik het deeg nooit met evenveel zelfvertrouwen als Lucio kon ronddraaien en ze nooit even lekker werden. In het drukke weekend werkte ik 's avonds bij hem en door de week overdag in het visrestaurant waar ik vis leerde klaarmaken bij Raffaella en haar man.

Zodoende bleef er niet veel tijd over om op Villa Rosa door te brengen. Hoewel het warmer was en het *lido* nu open was, was ik nog maar een keer of twee met Leila gaan zwemmen. Ik beloofde haar steeds dat we de volgende dag zouden gaan, maar dan had ik het alweer te druk met mijn werk in een van de restaurants of moest ik Babetta helpen in de moestuin die inmiddels drie keer zo groot was geworden en ons kruiden en groente verschafte. Ik genoot ervan alles zelf te plukken en meteen daarna klaar te maken; ik had dus helemaal geen behoefte aan een luie dag op het strand.

Ik merkte wel dat Leila zich begon te vervelen, ondanks dat het hondje Sky de hele dag om haar heen drentelde. Ze was nog steeds bezig met het typen van het boek dat ze beweerde te schrijven, maar het leek haar aandacht nooit lang te kunnen vasthouden. Ik neem aan dat ik had moeten zien aankomen dat ze me zou opzoeken. En toen ze ontdekte dat ik niet in de *trattoria* was, liep ze de heuvel op en zag dat ik naast Lucio deeg stond te kneden.

Ze zag er die dag prachtig uit. Haar huid had door alle uren in de zon een goudbruine kleur gekregen en ze was een beetje aangekomen, zodat haar gezicht minder scherp was geworden. Lucio floot laag en zacht toen ze binnenkwam.

'Hier zit je dus de hele tijd, Alice.' Leila slenterde achter de bar en keek in de potten met dikke zwarte olijven en gezouten kappertjes die Lucio daar bewaarde. 'Nu ben je dus pizzabakker?'

Ik wilde dat ze er niet zo perfect uitzag, dat haar haar ongewassen was of haar zomerkleren niet om haar perfecte welvingen spanden.

'Ik help gewoon een beetje,' zei ik en stelde hen nonchalant aan elkaar voor. 'Leila, dit is Lucio.'

'Hi.' Ze glimlachte naar hem. 'Leuk je te ontmoeten.'

'Dat vind ik ook.' Lucio klonk alsof hij het meende.

'Hé, Alice. Ik ben hier naartoe gekomen om je te vertellen dat ik morgenochtend naar Rome vertrek.' Leila ging aan de bar zitten. 'Mijn vriendin Caroline heeft me overgehaald daar naartoe te gaan.'

'O, oké,' zei ik. 'Maar je komt toch wel terug?'

'Misschien... Maar misschien ga ik ook wel op zoek naar een baantje als serveerster in een toeristische tent waar het niet zo erg is dat mijn Italiaans niet goed is.' Ze lachte weer naar Lucio. 'Tenzij je hier een serveerster nodig hebt.'

'Dat is niet zo,' zei ik.

'Jammer.' Zelfs haar teleurstelling klonk flirterig. 'Hoe dan ook, Alice, ik hoopte dat je vanmiddag vrij zou willen nemen om samen met mij iets te gaan doen.'

Ik keek naar Lucio. 'Tja, ik...'

'Waarom zou ik niet ook een uurtje vrij nemen?' zei hij tot mijn afschuw. 'Alles is toch al bijna klaar. We hebben wel tijd om naar het beeld te rijden en je vriendin het uitzicht te laten zien.'

Meestal vond ik het geen probleem als mannen de voorkeur gaven aan Leila. Ik vond het niet erg dat ze hun aandacht naar zich toe trok, en eigenlijk vond ik het wel prettig dat ze me niet zagen staan. In Londen was Charlie altijd in de buurt geweest en had ik genoeg aan hem gehad. Maar nu baalde ik van Leila's inhalige schoonheid en van de manier waarop ze daar zo nonchalant gebruik van maakte. Ik *wílde* haar kleine bruine schaduw niet zijn. Niet als dat betekende dat Lucio mij niet meer zag staan.

Toch perste ik mezelf op de achterbank van zijn Fiat, zodat Leila voorin kon zitten. En ik probeerde het niet erg te vinden dat ze uitbundig lachte om zijn idiote rijgedrag en dat hij dit daardoor nog eens aandikte.

Dit was de eerste keer dat ik het uitzicht bij daglicht zag en het was echt heel bijzonder. De bergen achter ons hadden een bruine kleur door de hete zomerzon. De zee beneden ons fonkelde en het leek wel alsof de oude vissershuisjes van de helling in zee rolden. Ik zag de torens van heel veel kerken, het patroon van de smalle steegjes van Triento en dat het stadje zich leek te verstoppen in de vouwen van het landschap.

Toen we er genoeg van hadden allerlei plaatsen aan te wijzen, liepen we met zijn drieën om de voet van het beeld heen naar een overwoekerd pad dat naar de ruïnes van een oud dorpje leidde.

'Dit is het oude Triento,' vertelde Lucio. 'Vroeger stikte het in dit deel van Italië van de bandieten; daarom hadden ze dit stadje hoog in de bergen gebouwd zodat ze zichzelf konden verdedigen.'

Ik zag dat hij en Leila zo veel mogelijk samen opliepen. Op het smalle pad kon je hooguit met z'n tweeën naast elkaar lopen en ik liep aldoor een paar passen voor Lucio of net achter hem. Leila liep steeds naast hem.

Zelfs toen we bij het barretje naast de souvenirwinkels stopten, ging ze tussen ons in staan. Ze praatte te hard en leek een show op te voeren die Lucio wel kon waarderen.

'Wat jammer dat je morgen naar Rome vertrekt,' zei hij een paar keer. 'Het wordt heel heet in de stad, weet je. Je kunt beter hier bij de zee blijven, hier is het fris en koeler.'

Terug in de pizzeria was ik het die de lunch klaarmaakte terwijl Lucio buiten zat, Leila vuur gaf als ze een sigaret wilde roken en haar glas vulde met *prosecco*.

Ik baalde van haar toen ik de muis van mijn handen in het pizzadeeg drukte. Moest ze elke man pakken? Kon ze deze ene niet aan mij overlaten?

Leila had het zo druk dat ze niet eens merkte dat ik een beetje chagrijnig was. Ze drukte haar sigaret uit en daarna deelden zij en Lucio de pizza en aten zelfs met dezelfde vork.

Later die avond in Villa Rosa keek ik toe terwijl ze kleurige zijden jurkjes, geborduurde tasjes en glanzende lingerie in haar koffer gooide en ik luisterde terwijl zij over Lucio praatte.

'Had ik hem maar een paar weken geleden leren kennen, toen we hier pas waren. Hij is wel een beetje jong voor me, maar hij geniet er zo van om plezier te maken… Wat jammer, het had zo leuk kunnen zijn.’

‘Ach, nou ja, in Rome zul je wel meer van dat soort mannen tegenkomen,’ zei ik opgewekt.

‘Nog meer pizzabakkers met lange, heerlijke vingers? Misschien wel.’ Leila glimlachte en knipte de sloten van haar koffer dicht. ‘En als ze er niet zijn, kan ik natuurlijk altijd terugkomen.’

Ik voelde me wel een beetje schuldig, maar ik hoopte van harte dat ze in Rome iets zou vinden waardoor ze er wilde blijven.

Babetta

Op een ochtend vertrok de opzichtige jonge vrouw en kwam niet terug. Babetta vond dat helemaal niet erg. Ze zou het geratel van de typemachine die de stilte van een perfecte ochtend verstoorde niet missen, noch de manier waarop ze op de terrasmuur ging liggen om een sigaret te roken of haar donkere haar uitspreidde als ze zich op het gras neervlijde.

Zonder haar was het vrediger op Villa Rosa. Elke ochtend, als het nog koel was, begonnen Babetta en Nunzio met hun werk in de tuin. Als Aurora wakker werd, bracht ze hen vaak koffie, soms zelfs een mandje brood met granaatappeljam. Ze droeg een strooien hoed met een brede rand en een lichte overall die onder de felblauwe verfvlekken zat. Als het mooi weer was, bracht Nunzio haar schilderspullen naar beneden naar de rotsen, waar ze urenlang bleef schilderen.

Als de zon te heet werd, verdween Babetta in haar keuken. Dan bakte ze uien goudbruin in hete olijfolie, bracht ze kippenbouillon aan de kook voor een risotto van asperges of *radicchio*. Nunzio leek te weten wanneer hij moest binnenkomen. Dan ging hij aan tafel zitten, verlangend naar het eten dat ze had klaargemaakt en depte het laatste restje van elk gerecht van zijn bord met een stukje knapperig brood.

Elke dag maakte ze iets anders: spaghetti met veldkers en ansjovis; kasserol van gezouten kabeljauw en gegrilde pepers; *scaloppine* van rundvlees met mozzarella en prosciutto. En ook al vond Babetta het niet prettig dat ze hierdoor vaker naar de slager en de visman moest, maakte de aanblik van Nunzio met zijn hoofd gebogen boven zijn bord en de andere uitdrukking op zijn gezicht als hij klaar was met eten, het geld dat ze ervoor moest uitgeven weer goed.

Ondanks alle moeite die ze deed, zweeg hij nog steeds en zat hij nog altijd uren in zijn oude rieten stoel. Babetta miste het geluid van de stem van haar man. Even had ze op zijn zwijgen gereageerd door zelf ook koppig te zwijgen, maar algauw begreep ze dat dit niets uithaalde. Hij had misschien niets meer te zeggen, maar zij wel. Daarom praatte ze tegen hem als ze onkruid wiedden, meestal over onbelangrijke onderwerpen; ze vertelde hem dat ze dacht dat de oogst dit jaar goed zou zijn omdat het weer er perfect voor was, of ze wees hem erop hoe snel de tomaten omhoogschoten na een warme regendag. Aan Nunzio's gezicht was niet te zien wat hij vond van haar gepraat. Misschien hoorde hij liever niets, alleen het gesjirp van krekels en het gezang van vogels.

Als hun dochter Sofia op bezoek kwam, werd hij iets levendiger, liet toe dat ze hem op de wang zoende en tilde zijn hand op om haar uit te zwaaien. Maar zelfs voor Sofia had hij geen woorden.

Maar op een ochtend werd Babetta iets later dan anders wakker. Toen ze beneden in de keuken kwam, zag ze dat haar man er al was. Hij maalde bonen voor de koffie.

'*Buongiorno*, Nunzio,' zei ze zoals altijd en wreef de slaap uit haar ogen.

Verrast zag ze dat hij opkeek en even naar haar knikte.

'*Buongiorno*, Babetta,' zei hij met een schorre ongeoefende stem. Daarna verviel hij weer in stilte en ging door met het malen van de koffiebonen.

Alice

Ik heb nooit aan iemand verteld wat ik voor Lucio voelde. Misschien voelde ik me niet op mijn gemak of zelfs een beetje dom omdat ik als een blok voor hem was gevallen. Maar ik hield het geheim. Leila ging ervan uit dat ik zodra ik terug was in Londen weer met Charlie zou omgaan. Mijn relatie met Charlie was al eeuwen hetzelfde en daar leken we geen van beiden iets aan te willen veranderen: we brachten elke zondag samen door en gingen daarna weer aan het werk zonder de behoefte elkaar weer te zien voor de volgende zondag.

Die gang van zaken dreef Leila tot waanzin. Volgens haar koos ik voor Charlie omdat andere mannen me angst aanjoegen om wat me was overkomen.

Het was waar dat ik mensen niet zomaar vertrouwde. Dat was misschien ook wel een reden dat ik Lucio zo aantrekkelijk vond. Toen we elkaar leerden kennen, was ik al heel vertrouwd met zijn familie: zijn moeder was mijn vriendin, zijn broer was mijn baas en zelfs zijn vader leek me aardig te vinden. Het was goed om bij Lucio te zijn.

Zodra hij over zijn irritatie heen was omdat er een onbekende in zijn keuken rondliep, hadden Lucio en ik plezier samen. Als we niet aan het werk waren, joeg hij me doodsangsten aan door de manier waarop hij over de kustweg racete, of we gingen naar de haven om gezouten friet te eten en een koud biertje te drinken. Ik ging ervan uit dat onze relatie zich gedurende de zomer zou verdiepen. Op sommige dagen kneep hij ter begroeting even in mijn wang en op andere gaf hij me een arm als we over de *piazza* wandelden. Maar die ongedwongenheid werd nooit intenser.

Andere vrouwen zouden misschien duidelijker zijn geweest, zouden hun gevoelens misschien hebben getoond. Maar zo was ik nooit geweest, niet voordat die onbekende mijn leven binnen stapte en daarna al helemaal niet.

Daarom werkte ik en wachtte. Ik leerde hoe ik de meest verse vis moest vinden en hoe ik moest onderhandelen met de mannen die ze hadden gevangen. Ik wist hoe ik de fles olijfolie moest hanteren en welke boer de beste sperziebonen teelde en welke de lekkerste tomaten. Als ik door Triento liep, bleven de mensen staan en zeiden *buongiorno* alsof ik er thuishoorde. Ik begon zelfs naar Aurora's schilderijen van de lucht te kijken en ontdekte de verschillen ertussen. Maar ik kwam geen stapje vooruit met Lucio.

'Vertel eens over je jeugd,' zei ik een keer tegen hem toen ik prosciutto schaafde voor de pizza's van die avond. 'Heb je altijd geweten dat je kok wilde worden?'

'In ons gezin had je geen andere keus. Dat was wat we deden,' zei hij bijna spijtig. 'Andere kinderen mochten na schooltijd buiten spelen, maar wij gingen hiernaartoe om papa te helpen.'

'Vond je dat erg?'

'Tonino niet, maar ik probeerde van alles om ertussenuit te knijpen. Mijn vader werd gek van me.'

'En je moeder?'

'Volgens mij wist ze dat er tijd genoeg was om pizza te leren maken. Ze kneep meestal een oogje dicht als ik ervandoor ging. En Tonino werkte altijd voor twee. Zelfs toen was hij al geobsedeerd door eten. Mijn ouders verwachtten toen al grote dingen van hem.'

'Maar je moeder zegt altijd dat ze hoopt dat hij trouwt en kinderen krijgt,' zei ik. Raffaella zei dat vaak als we de boeren bezochten om verse groente in te slaan. 'Volgens mij zou ze liever zien dat hij minder ambitieus was.'

Lucio lachte. 'Elke Italiaanse *mamma* wil kleinkinderen. De mijne ook.'

De niet-gestelde vraag hing even tussen ons in, maar toen zei Lucio: 'Mama is even gefrustreerd door mij. Ze vraagt bijna elke dag of ik al een vriendin heb gevonden en ze zegt steeds weer dat ik nu eindelijk eens moet opschieten.'

'En doe je dat ook?' vroeg ik koket.

'De meisjes in dit stadje ken ik mijn hele leven al.' Lucio drukte zijn knokkels in het deeg dat hij kneedde. 'Ik vind ze geen van allen bijzonder. Maar ik heb geen haast, net als Tonino. Alleen mama heeft haast.'

'Denk je dat jij Triento gaat verlaten, net als Tonino heeft gedaan? Naar Rome of Londen om er te werken?' Het was iets wat ik me al afvroeg sinds we elkaar hadden leren kennen.

'Waarom zou ik?' Lucio klonk geïrriteerd.

'Ach, dat weet ik niet... om het meegemaakt te hebben? En om nieuwe mensen te leren kennen, neem ik aan.'

'Jij bent nieuw en ik heb jou leren kennen toen ik hier bij mijn pizzaoven stond,' zei hij.

'Je bent hier dus gelukkig?'

'Vraag je me of ik net als Tonino zou willen zijn?'

'Nou...'

'Vind je dat ik dezelfde dingen zou moeten willen als hij?'

'Nee...' Ik zag wel dat hij baalde.

'Maar ik bén Tonino immers niet? Ik heb het hier prima naar mijn zin.'

Lucio ging door met het kneden van het deeg; het gesprek was afgelopen. Die avond werkten we in een ongemakkelijke stilte. En nadat iedereen was vertrokken en hij de pizzeria had gesloten, vroeg hij me niet of ik wilde meerijden in zijn Fiat naar de top van de berg of naar een van de verlaten rotsstrandjes waar we naar de donkere zee konden staren en ons konden ontspannen na de drukte van de avond.

In plaats daarvan vertrok Lucio in zijn eentje en ging ik met een teleurgesteld gevoel terug naar Villa Rosa. Ik vroeg me af of ik hem ooit echt zou leren kennen.

Babetta

Haar leven was anders verlopen dan Babetta had verwacht. Als meisje had ze nooit gedacht dat ze ooit niet zou zijn omringd door haar luidruchtige familieleden. In haar ouderlijk huis leefden ze dicht op elkaar en er was altijd wel iemand die ruziemaakte, iets tegen een kind schreeuwde, neuriede of kletste. Zelfs toen zij en Nunzio hier pas woonden, liepen haar familieleden in en uit, alsof zij hier ook woonden.

Langzaam was dat veranderd. Eerst waren haar grootouders overleden, daarna haar ouders. Vervolgens verhuisden haar zussen, de een na de ander. De oudste ging naar Rome, de andere ging met haar man mee naar Amerika en de jongste verhuisde naar Londen – allemaal op zoek naar een beter leven. Alleen zij en Nunzio waren in Triento gebleven, samen met hun kleine meisje, en leefden zoals ze altijd hadden geleefd.

Babetta miste het geluid van mensen. De radio in de keuken stond bijna altijd aan, maar het gepraat van onbekenden kon de stilte niet helemaal vullen. Het was gemakkelijk om geen reden meer te zien om iets te zeggen, zelfs toen ze jonger waren. Vaak bewaarde ze onbelangrijke gedachten om aan Nunzio te vertellen of praatte ze te lang door over kleine dingen die gedurende de dag waren gebeurd. Ze wist dat hij alleen maar luisterde als hij haar een plezier wilde doen.

Zodra Sofia uit huis was gegaan, was de stilte over hen heen gedaald. Op sommige dagen zeiden ze alleen iets tegen elkaar tijdens het avondeten of in de tuin. Toen Nunzio met pensioen was gegaan en geen wegwerker meer was, waren ze dag in dag uit bij elkaar. Hoe meer tijd ze hadden, hoe minder er te zeggen viel.

Babetta was er nooit aan gewend geraakt. Ze merkte dat ze tegen het beeld op de berg praatte, tegen de rotshagedissen die op de rotsen zaten te zonnen, zelfs tegen de zaailingen die ze in kuiltjes in de aarde plantte. Het geluid van haar eigen stem troostte haar, vooral toen Nunzio helemaal niets meer zei.

Hij was altijd onbuigzaam geweest. '*Buongiorno* is dood,' had hij die ochtend tegen haar gezegd en toen had ze geweten dat hij het meende. Nunzio had er domweg het nut niet meer van ingezien om te praten. Hij was opgehouden te doen alsof hij nog belangstelling had.

Babetta lette goed op hem tijdens zijn zwijgen en ze ontdekte dat hij bepaalde dingen prettig vond – het hondje, de smaak van bepaalde gerechten – en ze vroeg zich af wat hem nog meer kon verleiden niet langer te zwijgen. Elke ochtend was ze blij als hij haar *buongiorno* beantwoordde. Ze wachtte op meer woorden, maar die kwamen niet. Toch bleef Babetta hopen.

Alice

Ik leek in tijdnood te komen. Leila had een ansicht gestuurd en die vol gekrabbeld met haar priegelige handschrift en vol koffievlekken. Ze had genoeg van de stad en zou de trein naar Triento nemen.

De dagen daarna verzon ik elk mogelijk smoesje om naar Lucio's pizzeria te gaan, maar er was nog steeds niets veranderd. We waren niet meer dan vrienden.

Er waren momenten waarop ik hoop voelde. Tijdens de lunchpauze nam hij me een keer mee naar een restaurant een paar kilometer verderop aan de kust dat bekendstond om zijn pasta. We bestelden onze maaltijd, gaven de menukaarten terug en daarna zaten we tegenover elkaar en moesten we wel met elkaar praten.

Lucio stelde me vragen die hij nooit eerder had gesteld. Waar ik was opgegroeid. Of ik een vriend had. Daarom vertelde ik hem alles over het saaie stadje waar ik zo snel aan had willen ontsnappen en ik vertelde zelfs over Charlie.

'Eigenlijk hebben we geen relatie meer, het is alleen nog een gewoonte,' vertelde ik. 'Meestal zien we elkaar op zondag, als we niets anders te doen hebben.'

'Kook je voor hem?' vroeg Lucio.

Daar moest ik even over nadenken en ik kwam tot de conclusie dat we eigenlijk alleen maar afhaalmaaltijden aten of een goedkope curry in een Indiaas restaurantje in de buurt. 'Nee, nooit,' bekende ik.

'Dan hebben jullie echt geen toekomst samen,' zei Lucio zelfverzekerd. 'Als je niet de moeite neemt eten voor elkaar klaar te maken, vinden jullie elkaar niet de moeite waard.'

'Denk je?'

'Kijk maar naar mijn ouders. Ze nemen niet zomaar iets mee uit de *trattoria* voor het avondeten. Elke avond kookt de een voor de ander en daarna gaan ze aan tafel zitten en eten het samen op. Ik heb altijd gedacht dat ze daarom nog altijd van elkaar houden.'

'Ze zijn nog altijd gek op elkaar, hè?' Ik keek wel eens naar Raffaella en Ciro in de *trattoria* en ook al waren ze geen stel dat elkaar vaak kuste of aanraakte en ze zelden iets liefs tegen elkaar zeiden, was dat toch heel duidelijk.

'Ja, ze zijn echt gek op elkaar, zelfs na zo veel jaar,' beaamde hij.

Toen verscheen de ober met ons eten en was het gemakkelijker te eten dan te praten. De pasta was goed, een *rotolo* van spinazie en ricotta voor mij en een spaghetti met sardines, venkelscheuten en citroenrasp voor Lucio.

'Hm, dit is verrukkelijk,' zei ik. 'Een genot om te eten.'

'Ze maken het op bestelling,' zei Lucio. 'Ze maken het niet van tevoren klaar en verdelen het dan in porties. Dat doe jij zeker wel in Londen.'

'Een andere manier van werken is onmogelijk in het Teatro. Het is ongelooflijk druk. Toch is de pasta daar heel goed, vind ik. Al het eten trouwens. Daarom loopt het ook zo goed.'

'Kookt mijn broer Tonino zelf nog wel eens?' vroeg Lucio minachtend.

'Nee, niet echt,' bekende ik. 'Hij kookt wel als hij een nieuw gerecht creëert, maar verder lijkt hij meer op een generaal die zijn leger commandeert.'

Lucio draaide zijn spaghetti rond op zijn bord, maar at er niet van. 'Ik neem dus aan dat zijn witte kokskleding de hele avond schoon blijft?'

'Ja, dat is inderdaad zo.'

'Wat is daar dan het nut van? Dat is toch geen koken?'

Ik probeerde een ander onderwerp aan te snijden. 'Deze pasta is echt heel goed,' herhaalde ik. En ik voegde eraan toe: 'Ik weet nog dat we thuis vaak ravioli uit blik aten... en het ergste is dat ik het nog lekker vond ook!'

Lucio liet zich niet afleiden. Hij dacht nog steeds aan Tonino. 'Sommige mensen vinden de prijs het belangrijkst,' zei hij bitter. 'Ze streven naar succes en als dat is gelukt, gaan ze op zoek naar een nieuwe uitdaging. Mijn broer interesseert zich niet langer voor eten, het enige waar hij zich voor interesseert is succes.'

Ik wist niet goed wat ik moest zeggen, maar dat gaf niet, want Lucio was helemaal niet van plan om te luisteren.

'Ik dacht altijd dat hij de pizzeria zou overnemen en dat ik andere dingen zou gaan doen,' zei hij. 'Maar Tonino ging weg zodra het kon. Hij verhuisde naar Rome, daarna naar Parijs en toen naar Londen. Hij is nergens lang gebleven, omdat hij zichzelf steeds zo snel mogelijk wilde verbeteren. Daarom moest ik hier blijven en de pizzeria overnemen.'

Inmiddels was ik gestopt met eten en ik zag dat de ober bezorgd naar ons keek. 'Welke andere dingen had je dan willen doen?' vroeg ik Lucio.

'O, ik had allerlei ideeën en plannen, maar toen Tonino vertrok zette ik ze uit mijn hoofd. Dat maakt nu allemaal niets meer uit; ik heb hier een goed leven. Ik ben heel tevreden.' Lucio prikte in zijn pasta en begon weer te eten, maar fanatiek, alsof hij er niet echt van kon genieten.

Zijn stemming kon altijd zomaar omslaan. Toen we klaar waren met lunchen en op het strand een ijsje aten, was zijn heftige bui verdwenen. We rolden onze broekspijpen op en lieten de golven over onze voeten spoelen. We lachten toen het ijs in onze hoorntjes smolt en over onze vingers druppelde. Lucio gaf me zelfs een arm toen we over de promenade langs het strand wandelden.

Het weekend daarop kwam Leila terug in Villa Rosa. Ze droeg nieuwe kleren en had haar haar kort laten knippen. Als eerste pakte ze de puppy en sleepte hem met zich mee de tuin door. Daarna stelde ze voor om naar de pizzeria te gaan.

'In Rome heb ik nergens zo'n lekkere pizza gegeten als jij daar voor me hebt gemaakt,' zei ze. 'Mijn vriendin Caroline heeft me allerlei lokale specialiteiten als pens en gegrild speenvarken laten eten. God, walgelijk was dat! Waar ik zin in heb is een eenvoudige pizza met tomaat en basilicum erop. En een heel klein beetje olijfolie...'

'Maar ik heb Lucio gezegd dat ik vanavond niet kwam werken,' wierp ik tegen. 'Laten we lekker thuisblijven, dan maak ik hier wel iets klaar. De tomaten in de tuin zijn heerlijk rijp en er is een heleboel vers basilicum. Ik kan hier wel een pizza voor je maken.'

Ze fronste. 'Nee, ik ga liever uit eten. Ik vraag wel of mijn moeder zin heeft om mee te gaan. Volgens mij zou het niet verkeerd zijn als ze even stopt met schilderen.'

Lucio leek dolblij toen hij ons zag. Ook al was het erg druk en was hij in zijn eentje aan het werk, hij kwam uit de keuken en kuste ons alle drie op beide wangen. Hij bleef niet om Leila heen hangen, maar keek wel vaak onze kant op. En hij stuurde ons lekkere hapjes. Baby-inktvis die hij snel in de houtoven had gegrild, dun gesneden courgette met een dressing van citroen en olie.

Leila was zo gaan zitten dat ze hem kon zien werken. Ze at meer dan anders; ze at haar pizza helemaal op. Aurora at ook met smaak. Maar ik had niet veel zin in eten. Ik deed mijn best, omdat Lucio het had klaargemaakt en ik niet wilde dat hij dacht dat ik het niet lekker vond, maar het kostte me moeite alles door te slikken.

Terwijl ik mijn eten moeizaam opat, realiseerde ik me hoe knap moeder en dochter waren. In Aurora's gezicht kon je zien hoe Leila later zou worden. Ze bezat een soort smachtende, nerveuze schoonheid, met een grote bos koperkleurig haar en een kast vol soepel vallende kleding. Ik dacht aan mijn eigen moeder; zij deed geen enkele moeite haar grijze haren te camoufleren omdat ze immers nergens naartoe ging, ze liep altijd in stretchbroeken zodat haar lichaam probleemloos kon uitdijen en ze deed vrijwel nooit lippenstift op.

Ik voelde me een buitenstaander. Ik leek helemaal niet op deze mensen. Ik hoorde helemaal niet bij hen.

Toen we weg wilden gaan, kwam Lucio weer naar ons toe. Hij pakte Leila's hand en gaf haar een afscheidskus. 'De stad was dus te heet, precies zoals ik had voorspeld, hè? Je bent teruggekomen.'

'Ja, je had helemaal gelijk,' zei ze glimlachend. 'Het was smoorheet en verschrikkelijk in Rome. Morgen ga ik allereerst naar het strand om te zwemmen.'

'Zwemmen in de ochtend klinkt goed,' zei Lucio. 'Misschien ga ik wel met je mee. Kom je ook mee, Alice?'

Ik schudde mijn hoofd. 'Ik heb je ouders beloofd dat ik morgenochtend in de *trattoria* zou werken. Ik wil hen niet laten stikken.'

'We zijn dus met z'n tweetjes?' zei hij tegen Leila.

Ik kon wel janken, maar ik zei niets tegen Leila en liet op geen enkele manier blijken hoe ik me voelde. Dat sloeg immers nergens op? Lucio interesseerde zich niet voor me. Er was niets tussen ons.

De week daarna bleef ik een beetje uit de buurt om Leila alle ruimte te geven. Het had geen enkele zin te proberen er iets tegen te doen, maar ik hoefde er natuurlijk niet naar te kijken. Daarom werkte ik meer uren in de *trattoria*, ging er vroeg naartoe en vertrok zo laat mogelijk. De rest van de tijd hielp ik Babetta in de tuin of zocht ik afkoeling in het rotszwembad onder het huis.

En toen Leila een paar avonden later niet thuiskwam, wist ik precies bij wie ze was.

Babetta

Babetta was eraan gewend geraakt naar andere mensen te kijken. Daar was ze goed in geworden. De laatste jaren met Nunzio hadden haar geleerd de kleinste verandering in iemands gezichtsuitdrukking te signaleren en aan te voelen hoe een ander zich voelde. Dus ook al konden zij en Alice niet met elkaar praten en kon zij zich geen voorstelling maken van Alice' leven buiten Villa Rosa, wist Babetta toch dat Alice ongelukkig was. Het was haar meteen opgevallen. Het meisje had iets broos, als iets wat was gebroken en niet goed geheeld. Ze vroeg zich af waar dit door kwam.

Een tijdlang had Babetta gedacht een nieuwe lichtheid bij haar te zien, vooral nadat die andere jonge vrouw was vertrokken. Alice glimlachte vaker en zelfs haar manier van lopen leek vrijer. Maar nu was haar opzichtige vriendin terug en leek Alice verkrampt. Babetta had gemerkt dat ze tuinklusjes verzon om maar weg te kunnen zijn; Alice was zelfs een paar keer naar hun tuintje gekomen om Nunzio te helpen. Die twee waren een interessant stel. Haar man bewoog amper, terwijl Alice nooit ophield met bewegen. Toch had Babetta het gevoel dat ze iets met elkaar gemeen hadden. Een bepaald verdriet. Een soort hopeloosheid.

Ze keek vaak naar Alice als ze in de tuin werkte. Soms nam ze haar mee naar de keuken voor een glas versgeperst vruchtensap en een hapje van iets wat ze aan het koken was. Maar Alice leek lusteloos. Ze glimlachte en knikte wel, maar nam nooit een tweede hapje van een lekkere saus en vroeg niet wat erin zat.

Babetta wilde haar helpen. Ze probeerde een manier te verzinnen om het meisje gelukkig te maken. Er moest toch wel iets zijn wat ze kon doen? Toen ze een keer samen aan het werk waren, wist ze het. Ze dacht aan een plek die zelfs nóg verdrietiger was dan Alice. Misschien hielp het als ze haar daar mee naartoe nam. Het was een sombere en grimmige plek, zodat Alice zou kunnen zien waar het pad dat ze nu volgde eindigde.

Het kostte enige moeite haar op de scooter te krijgen. Alice was enigszins verbaasd over dit plotselinge aandringen op een uitstapje, en ze had niet veel zin haar tuin te verlaten. Maar uiteindelijk gaf ze toe, waarna Babetta achter haar ging zitten en haar de weg wees. Het was een langere rit naar het zuiden dan ze zich herinnerde en ze vond het een beetje griezelig als er vrachtwagens voorbij denderden op de kronkelige kustweg. Maar ze vond de plek toch, de voorgevel van een kerk in de rotsen, de lage kapel in de vochtige grot. Je kwam binnen via een steile helling en een trap, maar Babetta was sterk en haar oude benen droegen haar wel naar boven.

'Wauw, wat bijzonder.' Alice keek vol verbazing naar de grote ruimte met de druipende stalactieten en het sierlijke altaar. Er was niet veel veranderd sinds Babetta hier lang geleden was getrouwd en het leek nog altijd de meest desolate plek die God maar uit kon kiezen. Maar Alice vond het prachtig. Ze raakte de muren aan, die vochtig waren en koel als de huid van een slang, en keek verbaasd naar de beelden.

Babetta doopte haar vingers in het heilige water, sloeg een kruisje en knielde voor het altaar. Ze vond het fijn dat er vandaag geen priester was, niemand om haar gebed te verstoren of haar de biecht af te nemen. Ze sloot haar ogen en vroeg God of Hij het meisje wilde helpen. Haar gebeden waren al eerder verhoord en ze hoopte dat dit deze keer ook zou gebeuren, maar Babetta wist ook dat je geduldig moest zijn. Ze had jarenlang gebeden om een kind, dat was alles wat ze wilde. Toen was Sofia eindelijk gekomen. Maar Babetta's God was een God die een wens alleen liet uitkomen als Hij dat wilde. Hij was net als Nunzio, stil en broedend en af en toe verraste Hij je.

Alice knielde naast haar, maar onhandig, alsof ze dat al jaren niet had gedaan. Ze keek naar het plafond in plaats van haar ogen te sluiten en ze vouwde haar handen niet in gebed. Toch wist Babetta zeker dat ze wel aan het bidden was. En ze was blij. Twee stemmen in plaats van één zouden God misschien een beetje opjutten.

Alice

Ik wilde niet dat Leila wist hoe overstuur ik was, want in feite was het haar schuld niet. Mannen waren nu eenmaal gek op haar en zij genoot van hun gezelschap; daar was dus niets mis mee. Wat ik wel erg vond, was dat zij Lucio alleen maar als afleiding beschouwde, als een leuke vent met wie ze de laatste weken van de zomer wilde doorbrengen. Zodra we terug waren in Londen zou ze hem vergeten zijn.

Ik probeerde haar te ontlopen. In de tuin was altijd wel iets te doen en Babetta leek het prettig te vinden als ik haar hielp. Ze nam me vaak mee naar haar huis, gaf me kleine lekkernijen, koude drankjes en hapjes. Soms liep ze zelfs met me mee naar de rotsen als ik in het diepe, natuurlijke zwembad ging zwemmen.

De zaak bereikte een kritiek punt op de dag dat Babetta me had meegenomen naar die vreemde kerk in de grot. Leila zag ons samen terugkomen en was gekwetst omdat we niet hadden gevraagd of ze mee wilde.

'Dat had ik ook graag willen zien,' zei ze toen ik vertelde waar we waren geweest en hoe fantastisch ik het had gevonden. 'We hadden mijn moeders auto kunnen lenen en met z'n allen kunnen gaan.'

'Sorry, maar ik had geen idee waar ze me mee naartoe nam,' zei ik. 'Maar het is niet moeilijk te vinden. Ik teken wel een kaart en dan gaan jij en je moeder samen.'

'Waarom breng jij me niet?' vroeg Leila.

'Omdat ik er al ben geweest. Als je moeder niet wil, kan Lucio je wel meenemen.'

'Alice, wat is er aan de hand?' vroeg Leila bezorgd.

'Niets. Hoezo?'

'Sinds ik terug ben uit Rome doe je al raar. Het is net alsof je het niet fijn vindt dat ik hier ben. En sinds Lucio en ik…' Opeens begreep ze het. 'Lieve help! Jij bent gek op hem, hè?'

Ik zei helemaal niets.

'Verdorie, wel verdorie! Hij is de eerste nieuwe man die je echt leuk vindt sinds je bent verkracht en nu heb ik dat allemaal verpest!'

'Nee hoor, dat heb je niet,' zei ik snel. 'Er was niets om te verpesten.'

'Maar je was gek op hem?'

'Ja,' bekende ik.

'Het spijt me heel erg.' Leila sloeg haar hand voor haar mond. 'God, wat ben ik toch dom. Ik heb nooit gedacht…'

'Waarom zou je ook? Ik heb toch niets gezegd! En buiten dat, Lucio interesseerde zich toch al niet voor me. Het is jouw schuld niet, Leila.'

'Maar hij mag je heel graag. Hij heeft het steeds over je… hij mist je in de pizzeria… hij vindt het heel erg dat je de laatste tijd nooit meer langskomt. Hij vindt je echt heel aardig.'

'Maar niet op de manier zoals ik hem aardig vind.'

'Nee, misschien niet.' Leila probeerde een sliert haar te pakken om op te kauwen, maar het was nu te kort. Daarom streek ze er zenuwachtig met haar vingers doorheen. 'Ik maak het meteen uit. Hij hoeft niet te weten waarom. Ik zeg gewoon dat het leuk was, maar dat het nu voorbij is.'

'Dat hoef je niet te doen,' zei ik moeizaam. 'Waarom zou je?'

Leila voelde zich zichtbaar ellendig.

'Maar je hebt hem nooit echt belangrijk gevonden, hè?' vroeg ik. 'Gewoon iemand met wie je een leuke tijd kunt hebben.'

Ze knikte. 'Maar weet je, Alice, hij is misschien heel anders dan je denkt. Hij is humeurig, een beetje onvolwassen, en hij leeft in een heel klein wereldje…'

'Ja, dat weet ik allemaal.'

'En toch ben je gek op hem?'

Ik knikte. 'Maar het heeft geen zin.'

'Heb je hem ooit verteld wat je voor hem voelde?' vroeg ze.

'Denk je dat dat iets zou hebben uitgemaakt?'

Weer probeerde ze op haar haar te kauwen. 'Dat weet ik niet, eerlijk gezegd.'

'Ach, het maakt niets uit. Het is nu toch te laat. Laten we het maar vergeten, oké?'

Daarna wilde Leila dat ik haar een knuffel gaf en haar vertelde dat we nog steeds vriendinnen waren. Die avond zaten we nog heel lang rode wijn te drinken en te kletsen. Ze praatte maar door over de dingen die we op de universiteit hadden gedaan en over de wilde nachten tijdens onze eerste jaren in Londen. Ze lachte te hard en dronk te veel.

Terwijl Leila doorpraatte, keek ik naar de binnenplaats: de weelderige bougainville op het terras, de oude keramische tegels met gekke afbeeldingen erop en het blad van de granaatappelboom met het lage muurtje eromheen. Ik herinnerde me dat ik had gedacht dat het moeilijk was om ongelukkig te zijn op zo'n mooi plekje.

Sinds die tijd had ik veel geleerd, over voeding, over hoe je het moest verbouwen en hoe je het moest klaarmaken. Maar ik had vooral geleerd dat je vrijwel overal ongelukkig kon zijn, zelfs op een bijna perfecte plek als Villa Rosa.

DEEL TWEE

Als je hard werkt,
heb je geen tijd om na te denken over
dingen die zijn gebeurd of gaan gebeuren.
Het dwingt je in het nu te leven.

— Dave Hughes, Australische komiek

Alice

Wat ik nooit prettig had gevonden waren de regels en de hiërarchie in de keuken van het Teatro, de witte kokskleding en het 'Ja, chef!' roepen als er een bestelling doorkwam. Maar nu verlangde ik ernaar terug, ik hoopte dat de strakke discipline van die manier van koken mijn gevoelens zou onderdrukken. Als ik hard werkte was er misschien geen tijd om na te denken.

Ondanks alles had ik het erg verdrietig gevonden om Triento te moeten verlaten. Ik had ervan genoten om zo dicht bij de zee en de aarde te leven, de zon op mijn huid te voelen en op rustige warme dagen in het zeewater te zwemmen. Ik wist dat ik de blauwe lagen van Aurora's weidse lucht zou missen, maar wat ik het ergste vond was afscheid nemen van de mensen van wie ik was gaan houden.

Vooral Lucio was verbaasd geweest toen ik op een middag afscheid kwam nemen. 'Je leek het hier zo fijn te vinden,' zei hij. 'Ik dacht dat je misschien wel wilde blijven.'

'Ik vind het hier ook heel fijn, maar nu moet ik terug naar mijn eigen leven.'

'We hebben elkaar de afgelopen weken amper gezien. En nu ga je weg.' Lucio klonk oprecht spijtig. 'Wanneer kom je terug?'

Ik haalde mijn schouders op. 'Ik zie wel.'

'Je komt snel terug,' zei hij, zeker van zichzelf. 'Als je een maand of twee in Londen bent, wil je de zee weer zien en een goede *spaghetti alle vongole* eten.'

'Ik krijg het heel druk, dus dan heb ik geen tijd om veel aan dit stadje te denken. En als ik *spaghetti alle vongole* wil eten, dan kan dat in het Teatro. Tonino laat uit een plaats in de buurt van Venetië venusschelpen overvliegen. Daar is het net zo lekker als hier, echt waar.'

Lucio zei fronsend: 'Doe mijn broer de groeten. Zeg maar dat het goed met ons gaat. Onze telefoons doen het en de post wordt ook bezorgd. Hij kan dus probleemloos een keer contact met ons opnemen.'

Ik wilde niet bij deze discussie betrokken worden en mijn afscheid niet nog langer rekken. Daarom kuste ik hem snel op beide wangen en ging weg voordat hij zou merken hoe erg ik het vond om te vertrekken.

Toen ik naar de *trattoria* was gegaan om afscheid van Raffaella en Ciro te nemen, ging het net zo. Ze maakten een hoop drukte, bedankten me voor mijn harde werk, maakten een fles *prosecco* open en proostten op mijn toekomst.

'Terug naar een echte restaurantkeuken, niet zo'n eenvoudige familiekeuken als de onze,' zei Raffaella. 'Zeg maar tegen onze zoon dat we weten hoe druk hij het heeft, maar dat het toch fijn zou zijn als hij een keertje belt.'

We omhelsden elkaar en daarna stonden ze me in de deuropening van de *trattoria* uit te zwaaien tot ik uit het zicht was.

Pas toen ik afscheid van Babetta nam, begon ik te huilen. Ze was zo oud en al zo dicht bij haar levenseinde, ik wist dat de kans klein was dat ik haar weer zou zien.

Toen ze begreep dat ik vertrok, gaf ze me een jutezak met versgeplukte groenten en tikte me op de wang met haar ruwe vingers. *'Arrivederci e buona fortuna,'* zei ze en opeens liepen de tranen me over de wangen. Ik veegde ze onbeholpen weg met de rug van mijn hand.

'Jij ook *buona fortuna*. En *grazie... grazie* voor alles.' Tot mijn eigen verbazing sloeg ik mijn armen om Babetta's dikke lichaam en gaf haar een stevige knuffel.

En nu was ik terug in Londen met alle drukte en lawaai, ademde ik uitlaatgassen in en probeerde ik Villa Rosa niet te erg te missen. Dit was mijn leven en daar moest ik mee doorgaan.

Mijn eerste dag in het restaurant was een schok voor me. Ik was bang geweest dat het wel even zou duren voordat ik weer gewend was aan het tempo, dat er nieuwe gerechten zouden zijn en dat ik ze snel moest leren omdat anders een ander mijn pasta-afdeling zou overnemen en ik zou worden gedegradeerd. Maar de veranderingen bleken veel groter dan deze.

Toen ik mijn koksklеren aantrok, hoorde ik een nieuwe stem. Een ruwe, luide stem die door de anders zo rustige gesprekken heen sneed.

'Kom op, jongens, jullie zijn hier nu al twee minuten. Willen jullie voor je hele dienst betaald worden? Aan het werk dan!'

'Wie is dat?' siste ik tegen Mario, de saladejongen.

'Nieuwe chef-kok,' siste hij terug.

'Waar is Tonino?'

'Opent een ander restaurant in de City. Heeft het druk met de inrichting. Daarom noemt hij zichzelf nu de hoofdkok en deze Raoul heeft de leiding over de dagelijkse gang van zaken in het Teatro.'

'Hoe is hij?' Snel knoopte ik mijn kokskleding dicht en zette mijn koksmuts op.

Mario stapte achteruit zodat ik als eerste naar binnen kon. 'Dat merk je snel genoeg,' zei hij.

Het was verbijsterend hoeveel één persoon aan de sfeer in de keuken had veranderd. Het was een bijzonder kalme werkplek geweest, bijna fabrieksmatig, en de hardste geluiden waren het gekletter van pannen en het dichtslaan van ovendeuren geweest. We waren ons allemaal bewust van de aanwezigheid van de gasten en van het feit dat ze ons door het grote raam goed konden zien. We gedroegen ons altijd zo netjes mogelijk.

Maar Raoul trok zich niets aan van wie er keek. Of misschien ook wel en voerde hij daarom een show op. Hij was een kleine man, miezerig zoals iemand die jarenlang aan de drugs is geweest en in een intense hitte heeft gewerkt. Hiervoor had hij in een restaurant in New York gewerkt, een dure Franse tent, en hij was ervan overtuigd dat het Teatro wel wat verandering kon gebruiken. De hele avond praatte hij luidkeels met de andere mannen in de keuken. De vloeken, beledigingen en ruwe grappen vlogen je om de oren, slang dat ik nooit eerder had gehoord maar wat iedereen geweldig leuk leek te vinden. De keuken stond bol van de testosteron en het viel me op dat alle vrouwen die ik had gekend waren vertrokken en vervangen door mannen die ik niet kende.

Raoul schreeuwde niet alleen, hij smeet ook met dingen, vooral met messen, en hij had de pest aan de obers, die allemaal in shock leken. Hij had niet eens de moeite genomen hun naam te leren. In plaats daarvan moesten ze luisteren naar de naam die hij voor hen had verzonnen: Varkenskop, McStront, dat soort namen. Bovendien had Raoul zijn eigen New Yorkse keukenjargon dat we allemaal geacht werden te gebruiken.

'Hé, Alice, zorg dat je *meez* in orde is,' schreeuwde hij halverwege de eerste avond tegen me. Iemand moest me uitleggen dat hij mijn *mise-en-place* bedoelde, mijn voorraad ingrediënten.

Het was vervreemdend; alsof je thuiskomt en ziet dat je huis in beslag is genomen door onbekenden. Veel mannen leken Raouls voorbeeld te volgen, ze praatten luider, ruwer. Sommigen smeten zelfs met hun messen als goedkope Hollywood-cowboys. Raoul moedigde hen aan en floot waarderend als iemand een bijzonder goede worp had laten zien.

'Shit,' fluisterde ik tegen Mario zodra ik de kans kreeg. 'Hij is een psychopaat.'

'Yep,' antwoordde hij alleen maar.

De opluchting die ik had gevoeld toen ik weer op mijn pastaplek stond, verdween al snel. Vanaf het eerste moment dat ik een voet in de keuken had gezet, begreep ik dat Raoul de pik op me had.

'Jij bent dus Alice, hè?' teemde hij. 'Ik heb zó veel over je gehoord. Laat maar eens zien wat je kunt!'

In het begin zat hij me niet openlijk dwars. Maar zodra hij de kans kreeg, botste hij tegen me op en bracht me uit balans als ik iets zwaars droeg. Dan gaf hij me een duw tegen mijn elleboog en riep dat ik onhandig was als ik mijn pastavork liet vallen. Soms merkte ik dat hij naar me keek op een manier waaruit ik kon opmaken dat hij iets grofs over me had gezegd, of in elk geval had gedacht. Het was echt griezelig.

Ik probeerde erover te praten met Nico, de souschef, maar die wilde er niets van weten. 'Wat had je dan gedacht, Alice? Je komt terug uit Italië waar je bij Tonino's familie hebt gewoond en nu denk je dat je ieders lievelingetje bent? Natuurlijk wordt het je in het begin moeilijk gemaakt. Volhouden of vertrekken. Moet je helemaal zelf weten.'

'Ik woonde niet bij zijn familie...' probeerde ik hem duidelijk te maken, maar dat kon Nico geen bal schelen.

We kookten nog altijd Tonino's menu, dus ik wist dat hij vroeg of laat terug zou komen. Hij kon het zich niet permitteren het Teatro uit het oog te verliezen, te laten afglijden. En zodra hij merkte hoe deze Raoul zich gedroeg, zou hij hem wel op zijn kop geven.

Ondertussen probeerde ik Nico's raad op te volgen en het vol te houden. Ik riep gehoorzaam 'Ja, chef' en probeerde het gevloek en de grove opmerkingen te negeren. Dat leek de enige manier om dit te overleven.

Babetta

Nunzio had maar één woord gezegd. 'Vertrokken?' vroeg hij toen hij Aurora zag wegrijden met haar auto vol tassen, haar dochter naast zich en Alice achterin.

'Vertrokken,' had Babetta gezegd. Ze dacht aan de moestuin vol groenten en dat er nu niemand meer was om ze te plukken en op te eten.

'Het hondje?' had Nunzio gevraagd, weer tot haar verbazing.

'Volgens mij hebben ze het meegenomen.'

Nunzio haalde zijn schouders op en stak zijn onderlip naar voren alsof het hem niets kon schelen, maar Babetta zag dat hij het verschrikkelijk vond.

Toen hij later Aurora terug zag komen met een lege auto en een spijtige blik op haar gezicht, dacht Babetta dat ze een glimlach op het gezicht van haar man zag.

'Ik denk dat ze hen naar het station heeft gebracht,' zei ze tegen hem. 'Misschien blijven zij en het hondje wel hier.'

Daarna stopte Nunzio zijn zakken vol met iets uit de keuken, pakte zijn spade en liep naar Villa Rosa. Tien minuten later zag Babetta hem door de tuin lopen. Het hondje snuffelde aan zijn hand. Nunzio leek vredig, zorgeloos. Babetta was blij voor hem.

Zij was niet zo rustig. Ze had een onrustig gevoel sinds ze iedereen die ochtend had zien vertrekken. Alle zorgen die ze had weggedrukt in de tijd dat de jonge vrouwen hier waren, kwamen weer naar boven. Er was nog altijd niet gezegd of zij en Nunzio in hun huisje mochten blijven. Aurora had het er nooit over gehad.

Ze liet hen in haar tuin werken, at wat ze teelden, liet Nunzio dingen voor haar halen en dragen, en deed altijd heel aardig als ze elkaar tegenkwamen. Maar ze bood nooit aan hun te betalen en Babetta had geen idee wat ze van plan was.

Ze pakte haar bezem en begon de paden van Villa Rosa te vegen. Ze kon nu niet lui zijn. Algauw zouden de bladeren van de bomen vallen, zou het fruit rijpen, zouden de planten in het zaad schieten. In de herfst, meer dan in de andere seizoenen, konden zij en Nunzio bewijzen wat ze waard waren.

Alice

Ik ontweek Leila zo veel mogelijk. Dat was niet eens zo moeilijk, omdat we allebei lange dagen maakten. Ze wilde veel geld verdienen zodat ze vrij kon nemen om haar boek af te maken. Haar moeder had haar onregelmatige toelage gestopt en daarom was ze wel gedwongen dubbele diensten te draaien in de brasserie en daarna kwam ze dan uitgeput thuis.

Als we bij elkaar waren, leek het wel alsof Leila alleen maar over Villa Rosa wilde praten.

'Ik mis mijn hondje,' zei ze vaak. 'Wat denk je, zullen we met de kerst teruggaan? Mijn moeder zou het heerlijk vinden als we kwamen.'

'Ga jij maar… ik moet werken,' zei ik altijd.

Leila was niet onder de indruk. 'Ach, we hoeven nu nog niets te beslissen. We zien wel wat je ervan vindt als het zover is.'

We praatten geen van beiden over Lucio. Dat leek zinloos. Maar op de een of andere manier hing hij altijd tussen ons in.

De eerste zondag dat we terug waren in Londen had ik met Charlie afgesproken. Het had iets geruststellends hem weer te zien, met zijn *Guardian* onder de arm en zijn oude Penguin-paperbacks. Hij was niet veranderd door de zomer waardoor ik zo ontzettend was veranderd.

'Ik heb je gemist,' zei hij toen we samen op bed lagen, onder zijn enigszins vergeelde lakens en tussen stoffige stapels oude *Rolling Stones*.

'Hm, ja, ik jou ook, denk ik.'

Ik probeerde Villa Rosa te beschrijven, hem te vertellen over Babetta's tuin en de kapel in de grot, maar het voelde al als iets uit het verleden wat ik maar beter kon vergeten.

'Ik wilde dat ik een paar weken bij je had kunnen zijn,' zei Charlie spijtig. 'Misschien de volgende keer.'

'Ik weet niet of er wel een volgende keer komt,' zei ik. 'In Triento heb ik alles geleerd wat ik kon leren. Misschien ga ik volgende zomer wel ergens anders naartoe.'

'Misschien moeten we Spanje proberen?' Het leek alsof Charlie behoefte had aan plannen voor de lange termijn. 'Of Portugal? Het moet daar prachtig zijn.'

Toen we die avond naar het goedkope Indiase restaurantje liepen, dacht ik aan Lucio. Hij had gezegd dat je als je om elkaar gaf voor elkaar kookte; hij had zoiets levendigs over zich, was luidruchtig en straalde. Daarbij vergeleken was Charlie nogal saai. Daarom probeerde ik niet meer aan Lucio te denken, maar aan de man met wie ik was.

Charlie had zijn plannen om samen te wonen nog niet opgegeven. Af en toe bracht hij het onderwerp weer ter sprake en dan begon ik ergens anders over. Maar toen ik die avond mijn gekruide *balti* zat te eten en genoot van de afwisseling van het Italiaanse eten, liet ik hem doorpraten.

'Mijn vriend Dave heeft een appartement op de begane grond in Highbury met een kleine achtertuin. Hij vertrekt aan het einde van de maand en daarna is het te huur. Dat zou je wel leuk vinden, toch? Het is niet ver van de ondergrondse en je zou er groenten en zo kunnen verbouwen, net als in Italië.'

'Misschien...' Het leek me wel wat.

'Je hebt er toch genoeg van om met die aanstellerige Leila samen te wonen? Het is natuurlijk fijn dat je geen huur hoeft te betalen, maar dat blijft natuurlijk niet zo.'

'Dat weet ik.'

'Ga je dan een keer mee om Dave's huis te bekijken? Misschien kunnen we het al huren voor ze een advertentie plaatsen.'

Het was niet zo dat ik zin had om met Charlie samen te wonen, maar wel dat ik weg wilde bij Leila. En in mijn eentje wonen leek nog altijd geen optie. Ik was er nog niet klaar voor om een hele nacht alleen te zijn; ik durfde er niet op te vertrouwen dat er niet weer een man met een mes zou binnendringen, hoeveel sloten ik ook op de ramen en deuren zou laten aanbrengen.

Daarom ging ik mee naar het appartement en ik was blij verrast. De tuin was best groot, in elk geval groot genoeg voor een moestuin in de zomer. Er was zelfs een afdak waar ik een soort kas van kon maken zodat ik tomaten in potten kon kweken. Het stond niet ver van het Highbury-zwembad en hoewel dat natuurlijk niet te vergelijken was met het natuurlijke zwembad van Villa Rosa, was het beter dan niets. En als ik daar woonde, zou ik Leila niet hoeven te zien en elke dag weer aan Lucio worden herinnerd.

'Het is fantastisch,' zei ik tegen Charlie. 'Volgens mij moeten we het doen.'

'Meen je dat?' vroeg hij opgewonden.

'Ja, maar wel onder bepaalde voorwaarden.'

'O. Ja.' Nu klonk hij twijfelachtig. 'Welke dan?'

'Nou, om te beginnen wil ik dat doosje met die verlovingsring erin niet zien,' zei ik streng, zoals ik alleen tegen Charlie kon praten. 'Ik ga wel met je samenwonen, maar dat betekent niet dat het een aanloop is voor een huwelijk.'

Het lukte hem niet helemaal zijn teleurstelling te verbergen. 'Afgesproken,' zei hij.

'En het andere is dat ik niet weer zoals vroeger mee wil naar jouw familie. Geen kerst of weekends met hen. Ze hebben me nooit echt aardig gevonden en dat vind ik prima.'

'Oké, wat nog meer?' Hij leek gekwetst, zodat ik me een beetje schuldig voelde.

'Dat was het, denk ik.' Ik keek om me heen in de keuken met zijn geschuurde grenen tafel en openslaande tuindeuren. 'Dit is een prima huis voor ons, zolang we allebei blijven werken en de huur kunnen betalen.'

Ik dacht niet echt aan wat samenwonen met Charlie eigenlijk betekende: hem elke dag zien, elke nacht naast hem in bed liggen, de troep achter hem opruimen. Ik dacht er vooral aan hoe fijn het zou zijn om een eigen stukje grond midden in de stad te hebben. Daar zou ik rustig kunnen zitten, met een koud biertje in de hand nadat ik een avond had gewerkt in de steeds dreigender wordende sfeer in de keuken van het Teatro.

Toen ik Leila vertelde dat ik wegging, leek ze verdrietig maar niet verbaasd. Ze lag in bad, omringd door schuim. Ik bracht haar een glas wijn en ging op de rand van de badkuip zitten om met haar te praten.

'Maar Charlie is niet de juiste man voor je,' zei ze terwijl ze shampoo in haar haar masseerde. 'Ik begrijp niet waarom je voor hem kiest.'

'Hij geeft om me.'

'Ik geef ook om je, Alice,' zei Leila met een klein stemmetje.

'Ja, dat weet ik. Maar ik moet verder.'

'Maar we blijven elkaar toch nog wel zien?' vroeg ze en gleed onder water om de shampoo uit haar haar te spoelen en bespaarde me zo een antwoord.

Niet lang daarna betrokken Charlie en ik ons nieuwe huis. Het was opwindend om een nieuw begin te maken, om de kleine flat in te richten met dingen die ik had uitgekozen in plaats van altijd tussen de spullen van een ander te wonen. Ik kocht van alles voor de keuken: een keukenmachine, een pannenset en een grote, diepe Le Creuset-casserole. Toen ik alles op de planken en in de kasten zette, besloot ik dat de tijd rijp was om voor Charlie te gaan koken.

Babetta

De herfst was altijd al Babetta's favoriete seizoen geweest. Sommige mensen hielden van de lente vanwege de verrukkelijke groenten en bessen. Anderen verlangden naar de warmte van de zomer en de zachte zoetheid van steenvruchten. Babetta vond dat ook allemaal heerlijk, maar ze hield toch vooral van de herfst. Dat was het seizoen waarin alles rijpte, waarin je oogstte en conserveerde wat niet kon worden opgegeten. Van de nootachtige smaak van *cime de rapa*, de zachte blaadjes van de raapstelen. In haar tuin lagen gigantische pompoenen en op Villa Rosa hingen de appelbomen vol granaatappels. De herfst was Babetta's beloning voor al haar harde werk in de tuin.

Ze had de inmaakpotten al tevoorschijn gehaald; ze wachtten tot ze werden gevuld met saus, siroop en jam. Een deel zou naar Sofia gaan, veel zou worden verkocht en met een klein deel zou ze haar eigen voorraad aanvullen. Babetta vond het een prettig idee dat ze hierdoor geen honger hoefde te lijden.

Dit jaar wilde ze een deel van haar conserven aan Aurora geven, omdat het meeste uit haar tuin kwam. Ze probeerde net te bedenken wat een redelijke hoeveelheid was, toen ze de Engelse dame in haar voortuin zag.

'Babetta? Babetta? Ben je thuis?' riep ze.

'Signora?' Babetta liep haar terras op en beschermde haar ogen met haar hand tegen de zon. 'Kom binnen. Ik wilde net koffiezetten. Wilt u ook een kopje?'

'Dat zou heerlijk zijn.' Aurora liep het pad op met het hondje vlak achter haar aan. 'Eerlijk gezegd wilde ik vragen of je iets voor me wilt doen.'

'Natuurlijk. Wat kan ik doen?'

'Ik moet een paar weken naar Londen om een expositie van mijn werk voor te bereiden. Ik vroeg me af of jullie in die tijd voor Sky willen zorgen. Hij is heel lief. Ik weet zeker dat jullie geen last van hem zullen hebben.'

Babetta keek naar het hondje dat kwispelde en tegen haar op sprong. 'Ja hoor, hij kan wel bij ons komen,' zei ze en ze probeerde niet te laten merken hoe opgelucht ze was dat de Engelse dame vanwege het hondje langskwam en niet vanwege hun huisje.

'O, maar dat is fantastisch, dankjewel! Hopelijk mist hij me niet zo erg als hij bij jou en je man is.' Aurora zweeg even. 'O ja, er is nog iets...'

'Ja,' vroeg Babetta gespannen.

'Over het werk dat jullie hebben gedaan, in de tuin. Als alles goed gaat in Londen kunnen we misschien een echte afspraak maken. Een regelmatige betaling, zoals jullie gewend waren bij de vorige eigenaren. Jullie hebben het echt geweldig gedaan!'

Babetta probeerde haar opluchting niet te laten blijken. 'Dank u wel.'

'Jullie mogen de oogst van Villa Rosa natuurlijk zelf gebruiken. Misschien kunnen jullie die verkopen? Alice vertelde me dat de vrouw van de *trattoria* altijd bij mensen langsgaat en verse groenten koopt.'

'Raffaella Ricci, ja, ik ken haar.'

'Zal ik haar dan bellen en zeggen dat ze langs kan komen? O, en dan zal ik zondag Sky brengen met zijn mandje en zijn etensbak. Heel erg bedankt, hoor! Ik vind dit echt fijn.'

Zodra ze vertrokken was, ging Babetta op zoek naar Nunzio. Hij was beneden bij het kippenhok en keerde de compost met een mestvork.

'De Engelse dame gaat naar huis en haar hondje blijft een paar weken bij ons,' vertelde ze.

Daar dacht hij even over na, knikte toen en ging door met het keren van de compost.

'Ik heb hier al genoeg te doen, vooral in deze tijd van het jaar,' zei ze. 'Daarom dacht ik dat jij het hondje misschien wilt voeren en uitlaten.'

Hij keek haar aan. '*Va bene*, ik voer hem wel. En ik laat hem uit,' zei hij kortaf.

Dit was de langste zin die hij in lange tijd had gezegd en Babetta voelde dat ze tranen in haar ogen kreeg. Ze veegde ze snel weg en liep terug naar haar keuken, naar de pannen vol kleverige zoetigheden.

Alice

Ik had nooit gedacht dat ik ooit nog eens blij zou zijn als ik een slechte recensie over het Teatro zou lezen, vooral niet als die geschreven was door de geduchte Fay Maschler van de *London Evening Standard*. Gelukkig was ze niet ontevreden over het eten, maar over de bediening. Het bedienend personeel was die avond kribbig geweest, dankzij hun kwelgeest Raoul. Dat zou niet zo'n probleem zijn als het Teatro geen toprestaurant was, maar gezien de prijzen die de gasten moesten betalen verwachtten ze een perfecte bediening en geen chagrijn. In de keuken was geschreeuwd en met messen gegooid, er waren een paar pannen gevallen en Raoul had zijn beroemde truc met de theedoek gedemonstreerd: daarmee sloeg hij de obers zo hard dat het klonk alsof hij een zweep gebruikte. Fay Maschler had het allemaal meegekregen.

'Tonino wordt laaiend,' zei ik tegen Charlie. 'Hij zal wel meteen terugkomen naar het Teatro. Die achterlijke Raoul heeft een groot probleem.'

'Maar ze vond het eten heerlijk...'

'Ja, maar het gaat niet alleen om het eten. Tonino vindt dat alles perfect moet zijn. Het feit dat niemand in de eetzaal haar heeft herkend, zal hem woedend hebben gemaakt. Nee, hij komt terug en dan wil ik wel eens zien hoelang Raoul nog blijft.'

Wat ik niet had verwacht, was dat Tonino's komst alles voor mij nog erger zou maken. De volgende dag was hij er al, precies zoals ik had verwacht. Tegen de tijd dat ik binnenkwam, was hij al uren bezig met het doorspreken van de situatie met de leidinggevenden. Iedereen in de keuken was timide, vooral Raoul, en ik kon niet wachten om te zien wat er zou gebeuren.

Ik probeerde vlak bij de koelruimte een gefluisterd gesprek af te luisteren terwijl ik mijn *mise-en-place* klaarmaakte. Een paar reserveringen voor die avond waren geannuleerd en volgens Tonino kwam dat door die recensie. Toen ik even naar hem keek, zag ik dat de lijnen in zijn voorhoofd te diep waren voor een man van zijn leeftijd. Hij leek eerder moe dan boos. Het gerucht ging dat het restaurant in de City het budget had overschreden, waar de financiers niet blij mee waren. Tonino had heel veel problemen.

Toen hij zag dat ik keek, veranderde zijn gezichtsuitdrukking. Hij glimlachte even en kwam na afloop van het gesprek naar me toe.

'Hallo, Alice, hoe was je zomer in Italië?'

Het leek wel alsof de hele keuken op me lette. 'Geweldig, dank u wel, chef,' zei ik, me er goed van bewust dat iedereen meeluisterde.

'En hoe is het met mijn ouders?'

'Goed. Ik vond het fantastisch om bij hen in het restaurant te werken. En ik heb uw broer in de pizzeria ook geholpen.' Nu stond iedereen openlijk naar ons te kijken.

Tonino zei fronsend: 'Maar ik heb je daar niet naartoe gestuurd om pizza's te leren maken, Alice... Ik hoop dat je je tijd niet hebt verspild.'

'Nee, hoor, ik heb ontzettend veel geleerd. Bedankt dat u dat alles voor me hebt geregeld. Dat stel ik echt op prijs, chef.' Zelfs de gekastijde Raoul keek nu naar ons en ik wilde dat Tonino opschoot en doorliep.

'Graag gedaan.' Hij gaf me een schouderklopje zodat iedereen kon zien dat ik zijn lievelingetje was. 'We moeten maar eens rustig bespreken wat je daar allemaal hebt leren koken. Dat wil ik heel graag horen.'

De twee avonden daarop ijsbeerde Tonino door de keuken en lette op elk detail. Hij liep af en toe naar de eetzaal, ging alle tafeltjes langs, schudde handen. Dat had hij altijd vermeden, maar kennelijk vond hij het nu belangrijk om zijn gezicht te laten zien.

De derde avond kwam hij niet. Het was stil in de keuken, maar toch slaagde Raoul er een paar keer in me een duw te geven. Volgens mij fluisterde hij ook een paar keer een belediging, het woord *puta* misschien, maar zo zacht dat ik het niet zeker wist.

De weken daarna kwam Tonino af en toe onaangekondigd langs. Voor Raoul en zijn handlangers werd dat een kat-en-muisspel. Hoever konden ze gaan als hij er niet was? Hoe snel konden ze zich beheersen als hij wel kwam?

Hun onbeschofte gedrag escaleerde en het viel me op dat er heel veel onnodig eten de koelcel in en uit ging. Eerst dacht ik dat ze daar wat drank hadden verstopt, maar toen begon ik te vermoeden dat het iets meer was dan dat… misschien wel cocaïne. Raoul leek af en toe extra opgefokt en liep altijd te snuiven.

Ik zei er niets over tegen Tonino. Zijn onderonsje met mij was voor Raoul aanleiding geweest zijn oorlog met mij te verhevigen. Hij duwde en beledigde me nu veel openlijker, en soms werd er zelfs om gelachen.

Toen Tonino weer langskwam, kromp ik in elkaar. 'Hé, Alice. Niet vergeten, hoor, dat je me nog eens alles over je reis naar Italië moet vertellen.'

'Tuurlijk, chef,' zei ik en ik knikte zonder hem aan te kijken.

'O, ik wilde je nog iets vertellen. Je vriend Guyon is weer in de stad. Hij heeft een baan en het gaat goed met hem, heb ik gehoord. Ik dacht dat je hem misschien wel wilde opzoeken.'

Deze keer keek ik wel op. 'Echt waar? Bedankt!' zei ik dankbaar. 'Dat zal ik zeker doen.'

Ik was ontzettend opgelucht. Op dat moment had ik behoefte aan Guyons gezelschap. Het zou niet eerlijk zijn hem met mijn problemen te belasten nu hij net uit de afkickkliniek was, maar toch kon ik niet wachten hem over Raoul te vertellen. Hij had vast wel eens met chefs als Raoul gewerkt. Ik zou hem aan het lachen kunnen maken met mijn verhalen en dan merkte ik vanzelf of hij nog goede tips had.

Ik kon niet wachten hem weer te zien.

Babetta

De luiken van Villa Rosa waren weer gesloten om de zon buiten te houden. Het huis leek nietszeggend en onvriendelijk zoals het bijna altijd was geweest in de jaren dat Babetta ernaast woonde. Maar nu had deze leegte iets verdrietigs; het huis was verlaten.

Als Babetta in de tuin werkte, miste ze het geluid van andere mensen, het gekletter van de borden vanuit de keuken, het crescendo van hun stemmen, zelfs het getik op de typemachine dat de monotonie van het gezang van de krekels doorbrak. Ze deed haar best er niet terneergeslagen door te worden, en hield zich voor dat ze nog altijd het meeste had van wat ze wenste, maar ze leek te zijn gegrepen door een soort lethargie. Alles kostte meer tijd en was zwaarder, ze moest langer rusten, voelde nieuwe pijnen, deed dingen onhandiger. Ze maakte zich zorgen over de komende herfst en voor het eerst vroeg ze zich af of haar dochter misschien gelijk had. Misschien was ze wel te oud geworden voor dit leven.

Hoewel de ouderdom Babetta in zijn greep leek te krijgen, werd zijn greep op Nunzio iets losser. Hij werkte langer en later, plukte granaatappels, verbrandde plantenresten na het oogsten en veegde zelfs de paden, ook al liepen alleen zij en Sky eroverheen.

Het hondje had zich helemaal in zijn leven gedrongen. Als Nunzio zat te eten, stond hij onder de tafel met zijn kopje tegen zijn been te wachten op een hapje. Hij sliep op een stapel oude dekens aan het voeteneinde van Nunzio's bed en werd wakker als Nunzio wakker werd. Overal waar Nunzio naartoe ging, volgde hij hem op de voet.

Babetta zag hoe hij met het hondje omging: vaak bukte hij zich even om hem over de kop te aaien of hem iets toe te stoppen, of hij mompelde iets tegen hem als hij aan het werk was. Soms glimlachte hij als Sky achter een blaadje aan rende of een vogel wegjoeg. En als hij in zijn rieten stoel zat uit te rusten, lag het hondje tevreden naast hem.

Op een middag was haar man in de schaduw van een boom gaan zitten om te ontsnappen aan de hitte van de dag. Het hondje liet zich hijgend naast hem vallen. Babetta zag dat Nunzio zijn hand uitstak om die te laten likken en daarna zijn arm op de rug van de hond liet rusten.

Even bleef ze naar de twee vrienden kijken, zo intiem, zo vredig samen. En ondanks zichzelf was Babetta jaloers.

Alice

Guyon werkte in een vegetarisch restaurant in Covent Garden, waar vooral veel kantoorpersoneel kwam lunchen. Het eten was vrij eenvoudig: grote salades vol verse kruiden en bonen, een paar verschillende soepen, een paar soorten sandwiches en cakes. Dat waren gerechten die hij probleemloos zou moeten kunnen maken, maar zodra ik hem zag werken realiseerde ik me dat hij het niet gemakkelijk had.

Guyon zag er kwetsbaar uit, geslagen door het leven. Het was een schok hem zo te zien, alsof iemand een gordijn opentrok en de kamer erachter er totaal anders uitzag dan je had verwacht. Maar toen hij me ontdekte, slaagde hij erin zijn oude ik ergens vandaan te halen. Heel even was hij weer de Guyon die ik kende.

'Dag, kleine Alice, probeer je nog steeds een topkok te worden?' vroeg hij.

'Dat is een wankele, gevaarlijke weg vol kuilen,' zei ik.

Ik kon duidelijk zien dat Guyon hulp nodig had. Er lagen stapels groenten die nog gesneden moesten worden, grote witte kommen die nog moesten worden gevuld en het was al bijna lunchtijd. Bijna zonder nadenken waste ik mijn handen en ging hem helpen; ik sneed uien, wortels en selderij klein als basis voor de soep. Guyon keek verbaasd maar zei niets.

'Ik heb je toch gezegd dat werken in het Teatro zwaar zou zijn?' vroeg Guyon toen we samen stonden te koken. 'Als je carrière wilt maken in een topkeuken, moet je van eten houden. Anders wordt je leven ondraaglijk.'

'Ja, maar het is niet het eten dat het ondraaglijk maakt.'

Terwijl ik blokjes muskaatpompoen sneed voor de soep, onthaalde ik Guyon op verhalen over Raoul. Alleen al door elke amper verhulde belediging en stiekeme duw te vertellen, voelde ik me beter. Toen ik ophield met praten stond de soep te pruttelen en raspte ik rode biet voor een rauwe energiesalade.

Tot dan toe had Guyon niet veel gezegd, alleen geknikt alsof hij dat allemaal al eens eerder had gehoord.

'Wat vind jij dat ik moet doen?' vroeg ik.

'Weggaan natuurlijk. Er zijn heel veel andere restaurants in de stad. Er is geen enkele reden om daar te blijven.'

'Maar dan heeft Raoul gewonnen.'

'Het is geen wedstrijd, Alice. Hij wint immers al doordat je nu zo ongelukkig bent? Je moet echt weggaan. Ik begrijp niet waarom je daar zo lang bent gebleven. Je bent een koppige meid, hè?'

Het probleem was dat het Teatro mijn enige link met Tonino's familie was en ik er nog niet aan toe was die los te laten. Maar dat wilde ik niet toegeven en dus zweeg ik. Ik mengde de geraspte rode biet met geplette pinda's en gesnipperde rode ui, geweekt in citroensap tot hij opgezwollen en roze was geworden. Ik was trots op mijn creatie, strooide er verse koriander overheen en maakte een dressing met chilipeper.

'Raoul moet er toch een keer genoeg van hebben me te pesten?' zei ik ten slotte. 'Als ik het volhoud, als ik mezelf bewijs, zal hij me toch met rust moeten laten?'

'Misschien... maar ik betwijfel het. Eens een bullebak altijd een bullebak.' Guyon pakte mijn rodebietensalade en zette hem op de balie naast de gerechten die hij had gemaakt. 'Waarom probeer je geen baan te krijgen in de keuken van Tonino's nieuwe restaurant?'

'Nee, hij heeft al gezegd dat hij niet van plan is personeel van het ene naar het andere restaurant over te plaatsen. Het Teatro is zijn vlaggenschip. Dat wil hij niet verzwakken door te veel veranderingen door te voeren. Dat heeft hij een keer gezegd.'

'Dat geloof ik graag. Die recensie in de *Standard* heeft hem de stuipen op het lijf gejaagd. Slechte timing. Dat nieuwe restaurant is heel belangrijk voor hem. En hij heeft de reputatie van het Teatro nodig om daar mensen naartoe te krijgen.'

'Eerlijk gezegd ziet Tonino er verschrikkelijk uit, helemaal stuk,' vertrouwde ik hem toe. 'Ik vraag me af of het hem spijt dat hij een tweede restaurant heeft geopend.'

Guyon roerde even in de soep. 'Zo ambitieus als hij is? Hij kan zich niet inhouden. Ik heb dit al heel vaak gezien. Als hun eerste restaurant een groot succes is, denken ze dat ze weten wat ze moeten doen en openen een tweede en dan nog een tot ze een imperium hebben.'

'Maar als ze niet oppassen, stort de heleboel in elkaar.'

'Inderdaad.'

'God... ik hoop maar dat dit Tonino niet overkomt.'

'Dat hoop ik ook. Hij kan een arrogante klootzak zijn, maar hij is goed voor me geweest toen ik er helemaal doorheen zat.' Dit was de eerste keer dat Guyon iets suggereerde over zijn tijd in de afkickkliniek.

'Dat weet ik,' zei ik zacht en toen vroeg ik: 'En nu? Hoe is het nu met je?'

'Gaat wel.' Guyon leek er nog niet over te willen praten.

'Voel je je beter? Sterker?' drong ik aan.

'Niet echt, Alice.' Het leek hem moeite te kosten om toe te geven. 'Helemaal niet veel sterker.'

Ik wilde niet dat Guyon weer ging drinken en ik kon maar één manier verzinnen om hem te helpen. Daarom ging ik elke ochtend, voordat het bedienend personeel arriveerde, naar het vegetarische restaurant. Ik zei niet waarom ik het deed en Guyon vroeg het niet. We werkten zij aan zij, net als vroeger in de keuken van het Teatro. Soms maakte hij een opmerking over de manier waarop ik iets sneed of stelde hij voor een bepaald ingrediënt aan een van mijn gerechten toe te voegen. Ik vond dat geen probleem. Dat was voor mij een teken dat hij zijn zelfvertrouwen terugkreeg.

Ik vond het geen enkel probleem om zo veel uren per dag te werken. Als mijn handen niet bezig waren met het bereiden van eten en mijn hersens zich niet bezighielden met de volgende klus, was ik gespannen. Ik had het gevoel dat ik alleen door keihard te werken de boel bij elkaar kon houden, want dan hield ik geen energie over om me zorgen te maken en geen tijd om vooruit te denken. Werken vulde mijn hele wereld en dat vond ik prima.

Beter dat, dacht ik, dan een wereld die hol was, en leeg.

Babetta

In Babetta's keuken stonden manden vol granaatappels; Nunzio had ongelooflijke hoeveelheden geplukt. Ze werd al moe als ze ernaar keek en wenste bijna dat ze op de grond waren blijven liggen rotten.

De vorige herfst hadden ze zeker zo veel granaatappels gehad. Ze was uren bezig geweest ze open te snijden en het sap eruit te persen. Hiermee had ze potten vol dieprode jam en siroop gemaakt, maar toen was het haar niet zo zwaar gevallen.

Dat was nog maar een jaar geleden, maar Babetta had het gevoel dat ze in die tijd tien jaar ouder was geworden. De gedachte aan al het werk dat ze moest doen, dreef haar naar Nunzio's lege stoel op het terras. Ze ging erin zitten en keek een tijdje naar haar man. Hij stapelde hout op voor de winter en het hondje was zoals altijd vlak bij hem.

Babetta probeerde niet te denken aan de granaatappels en aan de moeite die het zou kosten om met een scherp mes de leerachtige schil open te snijden, de vlezige zaadjes eruit te halen en ze in een doek te persen. Ze wilde dat ze die klus al had geklaard, dat ze het sap al samen met suiker en citroen had gekookt tot het was ingedikt en dat ze de siroop al in de schone potten had geschonken en de potten al in haar voorraadkast had gezet.

Het geluid van een auto die de heuvel af kwam, was een welkome afleiding. Even vroeg Babetta zich af of de Engelse dame al zo snel uit Londen was teruggekeerd en ze was bang voor wat Nunzio zou kunnen zeggen als ze haar hondje terugvroeg. Maar dit was een andere auto, donkerder en kleiner, en de vrouw die uitstapte was iets ouder en veel knapper.

'*Ciao*, Raffaella!' riep Babetta en stond op.

'Ciao!' riep Raffaella terug. Ze bleef even staan om het hondje te aaien en liep toen het pad op. 'Je Engelse buurvrouw belde me. Ze dacht dat je me misschien wat groenten wilde verkopen. Ze vertelde dat je de hele zomer groenten had verbouwd en dat er nu niemand is om alles op te eten.'

'Ja, er is meer dan genoeg. Kom maar mee.'

Ze deed de hekken van Villa Rosa van het slot en liep voor Raffaella uit naar de terrastuinen met de keurige rijen groente en kruiden.

'O, maar je hebt *cime di rapa* geteeld, daar wil ik heel graag wat van!' riep Raffaella uit. 'En witlof, peterselie en radijs! Hoeveel mag ik hebben?'

'Zoveel je maar wilt, *cara*. Anders bederft het meeste toch maar.'

Babetta haalde een paar manden uit het huis en hielp Raffaella om ze te vullen met de kruiden en de groenten die ze had uitgezocht. 'Het lijkt wel een schatkamer,' mompelde ze waarderend. 'Ciro zal hier heel blij mee zijn. Hij stuurt me vast nog een keer terug.'

Toen ze terugliepen zag Raffaella dat de granaatappels waren geplukt. 'Zo, maar dát is een klus,' zei ze. 'Ik weet nog dat ik dat deed. Wat doe je met al die vruchten?'

Babetta zuchtte. 'Ze liggen nu in mijn keuken op me te wachten. Anders maak ik altijd potten met granaatappelsiroop en jam. Maar dit jaar lijk ik er de kracht niet voor te hebben.'

'Granaatappelsiroop,' mompelde Raffaella. 'Verrukkelijk om een stuk varkensvlees of gegrilde kip mee te bedruipen.'

'Ja, je kunt er van alles mee doen,' beaamde Babetta.

'Dat heb ik uit mijn moeders kookboek,' vertelde Raffaella. 'Dat boekje dat ze me heeft nagelaten. Maar het is al heel lang geleden dat ik granaatappelsiroop had om mee te koken.'

'Als ik het kan opbrengen het te maken, zal ik wat voor je bewaren,' beloofde Babetta.

Raffaella zei: 'Ik help je wel! In ruil voor een deel van de siroop.'

'Echt waar?' De loden last op Babetta's schouders leek opeens veel minder zwaar. 'Zou je dat echt willen?'

'Ja, heel graag. Dan kunnen we om beurten de vruchten doorsnijden en persen.'

'Het is wel een vies klusje hoor,' waarschuwde Babetta. 'Zorg dat je oude kleren aantrekt.'

'Ja, ja, dat weet ik nog! Vlekken van vers granaatappelsap krijg je er nooit meer uit!'

Babetta had verwacht dat Raffaella haar belofte zou vergeten. Maar een paar dagen later was ze er, gekleed in een oude overall, klaar om aan de slag te gaan. Ze liet zich niet uit het veld slaan door de vele manden en woog de eerste vrucht in haar hand voordat ze hem doorsneed met het scherpe mes dat Babetta haar had gegeven.

'Wat mooi,' zei ze. 'De schil glimt alsof hij met de hand is opgewreven. Maar het sap heb ik nooit lekker gevonden. Ik vond het te bitter om puur te drinken.'

'Daarom maak ik er siroop van,' beaamde Babetta. 'Ook al is dat meer werk.'

Ze waren een goed team, Raffaella sneed de vruchten terwijl Babetta het sap perste. Het viel haar op dat Nunzio uit de buurt bleef zolang er een vreemde in huis was. Nu en dan dacht ze dat hij de hond floot, maar ze had het veel te druk met het uitpersen van het rode vruchtvlees en dat in potten te schenken om zich met hem bezig te houden.

Ze praatten met elkaar tijdens het werk. Raffaella vertelde over haar zoons, over haar wens dat ten minste één van hen zou trouwen en kinderen zou krijgen en over haar hoop dat de restaurants waar ze zo hard in werkten in de familie zouden blijven. Babetta vertelde over het verleden, over de kostbare brieven die ze zo zelden ontving van haar zus in Amerika, over de dingen in Triento die waren veranderd en over de dingen die hetzelfde waren gebleven. Nadat ze de hele middag hadden gekletst en gewerkt, waren alle manden leeg en waren er alleen nog heel veel schillen over, en droge zaden en grote potten vol rood sap dat Babetta kon sudderen en laten inkoken.

'Daar blijft niet veel siroop van over,' zei Raffaella.

'Dat denk ik ook elk jaar, maar toch is er altijd genoeg tot de volgende herfst en daar gaat het om.'

'Ik zal vanavond eens met Ciro bespreken wat we er in de *trattoria* mee kunnen doen,' zei Raffaella glimlachend. 'Jaren geleden heb ik eens eend klaargemaakt met granaatappelsiroop, bloedsinaasappels en zoete uien. Misschien ga ik dat nog een keer proberen.'

'Dat klinkt verrukkelijk.' Babetta wist niet wanneer ze voor het laatst iets had gegeten dat door iemand anders was klaargemaakt. 'Zoiets zou ik best eens willen proeven.'

'Kom dan een keer bij ons eten!' zei Raffaella. 'Kom dan maar op die oude Vespa die ik aan Alice heb geleend. Die staat nog ergens op Villa Rosa. Dat kost jullie dan niets. Je kunt ons betalen met groenten.'

'Nunzio wil toch niet mee,' zei Babetta spijtig.

'Vraag het hem maar. Misschien zegt hij wel ja.'

Babetta dacht aan Nunzio met zijn broek die werd opgehouden met een oud stuk touw, met het vuil dat in zijn handen was getrokken en met zijn verfrommelde oude hoed die hij zelden afdeed. Het was alweer jaren geleden dat hij meer dan een paar meter van huis was geweest. Hij zou heus niet willen eten op het terras van een restaurant waar toeristen langskwamen. Dat zou écht niet gebeuren!

Alice

Tonino bleef me maar speciale aandacht schenken en Raoul bleef me maar kwellen. Het begon tot me door te dringen dat het inderdaad stom was dat ik dit pikte, vooral omdat ik de uren in het vegetarische restaurant het leukste vond, als ik de salades en soepen klaarmaakte. Ik vond het geweldig dat ik zelf mocht bepalen welke ingrediënten ik gebruikte en dat ik mijn eigen smaak mocht volgen in plaats van een recept.

Maar het leek een nederlaag om een vaste baan in een klein restaurant aan te nemen. Ik werkte voor de hottest chef in Londen en was onderweg naar de top. Het zou stom zijn om weg te lopen, zei ik steeds als Charlie me aan mijn hoofd zeurde over mijn lange werkdagen en als hij die enkele keer dat ik wel thuis was zag hoe uitgeput en emotioneel ik was.

'Je wilt dus echt een topchef worden?' vroeg hij me op een zondagavond. 'Is dat je ambitie? En een gezin dan, en kinderen? Dat kan waarschijnlijk niet allebei.'

'Ik ben nog geen dertig,' zei ik, liet me op de bank vallen en begon te zappen. 'Ik kan echt niet zo ver vooruit denken, hoor.'

Verdrietig zei Charlie: 'Maar ík denk wel aan de toekomst. Ik wil trouwen en ooit kinderen krijgen. Het liefst met jou, maar...'

'Ik heb je toch gezegd dat je niet over trouwen moest beginnen? Daar ben ik heel duidelijk over geweest toen we gingen samenwonen.'

'Ja, dat weet ik.'

'Dus?'

Charlie pakte de afstandsbediening en zette het geluid zacht. 'Hoelang ben je van plan me te blijven straffen voor die ene fout die ik heb gemaakt... die ene stomme keer dat ik je ontrouw ben geweest?' vroeg hij.

'Ik straf je helemaal niet.'

'Dat voelt wel zo. Waarom kun je het me niet vergeven, Alice? Wat weerhoudt je? Dat zou ik graag willen weten.'

'Jij hebt het uitgemaakt en daarna ben ik verkracht.' Ik moest mezelf dwingen dat woord uit te spreken. 'Dat kun je amper ontrouw noemen, het was echt niet één keer.'

'Dan moeten we misschien maar in relatietherapie, of wat mensen ook maar doen om over dat soort dingen heen te komen.' Hij zei het heel lief. 'Weet je, Alice, we worden allebei ouder en we zijn al heel lang bij elkaar. Het is tijd dat we doorgaan met ons leven.'

'Wat bedoel je dáár nou mee?' vroeg ik met een schrille stem. 'Doorgaan? Wat een achterlijke opmerking!'

'Daarmee bedoel ik dat ik wil dat we eens over de toekomst gaan nadenken. Niet alleen over trouwen en kinderen, maar wie we zijn en wat we willen. Ik heb er behoefte aan om plannen te maken voor ons leven samen.'

Dit was nu precies het gesprek dat ik niet met Charlie had willen voeren. Ik kon bijna niet geloven dat we het nu wel voerden.

'En als ik je nu vertel dat ik tevreden ben met de gang van zaken en helemaal geen behoefte heb om plannen te maken?'

'Dan moet er iets veranderen,' zei Charlie spijtig.

'Wat dan?'

Met een ongemakkelijke blik keek hij naar de stille tv.

'Charlie?'

'Goed dan... Als blijkt dat we niet dezelfde verwachtingen hebben van het leven en dat je niet bereid bent daar iets aan te veranderen... dan zou het verstandig zijn om...' Hij zweeg en begon opnieuw. 'Dit is niet wat ik wil, maar...'

Opeens drong het tot me door wat er gebeurde. 'Charlie, je zet me aan de kant...'

'Nee hoor.'

'Maar je stelt me een ultimatum?'

'Ik vraag je om eens na te denken over wat je wilt met je leven, meer niet. En als blijkt dat we verschillende dingen willen, dan... ja, dan moeten we misschien maar uit elkaar. Dat is dan misschien het beste, voor ons allebei.'

Mijn eerste reactie was woede. 'Lieve god, zonder dit gedoe heb ik al meer dan genoeg aan mijn hoofd.' Ik pakte de afstandsbediening en zette het geluid weer aan.

Charlie haalde zijn schouders op en verdween naar de slaapkamer om te lezen of naar muziek te luisteren. Toen hij weg was maakte mijn boosheid plaats voor verdriet. Ik vertrouwde al jaren op deze relatie en nu leek het erop dat ik die kwijtraakte, tenzij ik wilde trouwen. Maar dat kón toch niet? Ik wist immers dat ik als een blok was gevallen voor het uiterlijk en de charme van een man als Lucio? Er was een comedy op tv, maar toch huilde ik.

De volgende avond leek Raoul aan te voelen dat ik van slag was en begon me meteen aan het begin van mijn dienst al te jennen.

'Beetje gedeprimeerd, Alice? Ongesteld zeker!'

Zoals altijd ging ik er niet op in.

'Zie je, daarom worden vrouwen geen topkok,' zei hij tegen de anderen. 'Ze hebben altijd last van hun hormonen. Ze zijn inconsistent.'

Hij keek naar me om te zien of ik ook reageerde. Met een nietszeggende blik concentreerde ik me op het klaarzetten van mijn *mise-en-place*.

'Kijk maar eens naar alle topkoks in de wereld. Allemaal mannen immers?' zei hij. 'Vrouwen zullen dat nooit bereiken en ik snap niet waarom ze het blijven proberen. Ze kunnen het gewoon niet.'

Niemand durfde iets te zeggen, zeker Sarah niet, de *pastry*-chef. Ze liep altijd met een grote boog om Raoul heen en leek opgelucht omdat ik de volle laag kreeg. Op de een of andere manier slaagde ik erin mijn mond te houden. Maar ik had er zo langzamerhand genoeg van dat ik dit allemaal moest pikken.

Aan het einde van de avond maakte ik zo snel mogelijk alles schoon en vertrok. Ik had het allang opgegeven om met de rest van het personeel nog iets te drinken, daarom ging ik meteen naar huis om me te ontspannen met een flesje bier en de krant van gisteren die Charlie op de keukentafel had laten liggen.

Hij had een groot artikel omcirkeld over de opening van een galerie. Er stonden foto's bij van een stuk of vier schilderijen die me allemaal bekend voorkwamen. Gelaagde blauwe banen boven hoekige eilanden en de altijd bewegende zee. Dit was het werk dat Aurora die zomer had gemaakt. Enkele herkende ik, andere had ze waarschijnlijk na mijn vertrek geschilderd. Het was interessant om te zien wat ze van het uitzicht had gemaakt en ik wenste dat ze ook andere dingen had geschilderd: Babetta boven de groentebedden, Nunzio achter de kruiwagen, het bosje granaatappelbomen en het roze huis erachter. Misschien dacht de kunstrecensent precies hetzelfde toen hij ernaar keek. Het werk was in technisch opzicht briljant, schreef hij, maar het werd tijd dat Aurora verderging, zichzelf opnieuw uitvond.

Er was geen foto van Leila, maar ik wist dat ze bij de opening aanwezig was geweest, om haar moeder te steunen. En ook al was het mijn eigen keuze geweest om geen deel meer uit te maken van hun leven, vond ik dat toch wel spijtig.

Terwijl ik mijn bier opdronk, keek ik naar de schilderijen van de blauwe lucht en luisterde naar het zachte gesnurk van Charlie in de slaapkamer. Ik had Leila uit mijn leven laten verdwijnen en nu leek het erop dat ik hem ook zou kwijtraken. Ik had wel een puinhoop gemaakt van mijn leven!

Babetta

Babetta keek tevreden naar de groeiende hoeveelheid potten in haar kast; ze wist zeker dat ze straks te weinig ruimte zou hebben. Elke keer als ze de potten zag, dacht ze aan Raffaella's uitnodiging om te komen eten in hun kleine *trattoria* bij de haven.

Ze wist dat ze haar dochter kon vragen haar te brengen. Sofia zou het geweldig vinden om uit eten te gaan, om iedereen te laten merken dat haar moeder de eigenaren kende en een reden te hebben haar mooiste kleren en haar ongemakkelijkste schoenen aan te trekken. Maar Babetta had een bepaalde voorstelling: Nunzio die tegenover haar zat aan een tafeltje vlak bij de haven. En een wit tafelkleed en linnen servetten, een karaf rode wijn en bestek dat gepoleerd was tot het glansde. Ze kon de eend met granaatappel al proeven en dacht aan het genietende gezicht van haar man. Drie of vier keer per dag hield ze even op met werken en keek omhoog naar het beeld van Christus op de berg. Dan vroeg ze zich af hoe ze dat voor elkaar kon krijgen.

Op een ochtend ging ze zelfs op zoek naar de oude Vespa die Alice tijdens haar verblijf had gebruikt. Ze vond hem inderdaad en reed hem naar de voorkant van het huis zodat Nunzio hem zou zien.

'Kijk eens,' zei ze tegen hem. 'Wat vind je hiervan?'

Hij keek naar het hondje en toen naar de scooter.

Babetta knikte alsof hij iets had gezegd. 'Ja, je hebt gelijk. Dat is misschien wel een probleem. Ik zal zien wat ik kan doen.'

Het was alweer jaren geleden dat Babetta een mand had gevlochten, maar haar vingers waren het nog niet vergeten. Elke avond nadat Nunzio het hondje mee naar boven had genomen en ze allebei in slaap waren gevallen, ging ze aan de keukentafel zitten vlechten. De eerste paar manden die ze maakte leken niet stevig genoeg, de schouderbanden waren te lang of te smal, de mand zelf had net niet de juiste maat. Maar Babetta at stukken knapperig brood met granaatappeljam erop en bleef vlechten tot ze helemaal tevreden was over haar werk.

Toen Babetta Nunzio liet zien wat ze had gemaakt, keek hij onzeker. Toch hing hij de gevlochten mand op zijn rug en protesteerde niet toen Babetta het hondje erin tilde.

Sky vond het ook prima. Hij was vlak bij Nunzio en dat was het enige wat hij belangrijk leek te vinden.

Babetta stelde niet voor om ergens naartoe te gaan met de Vespa, de eerste tijd in elk geval niet. Nunzio scharrelde tevreden door de tuin, met het hondje aan zijn voeten, en zij keek tevreden toe.

Raffaella kwam twee keer per week langs, tot alle groente was geoogst. Ze trok haar wenkbrauwen op toen ze de Vespa nog steeds onder de granaatappelboom midden op de binnenplaats zag staan.

'Heb je er al op gereden?'

Babetta schudde haar hoofd.

'Zeg maar tegen je man dat hij daarmee de heuvel op en af moet rijden. Dat ding is antiek. Als hij te lang niet wordt gebruikt, doet hij het straks helemaal niet meer.'

Nunzio knikte alleen maar toen Babetta hem vertelde wat Raffaella had gezegd. Later die dag zag ze hem aan de scooter prutsen en daarna de heuvel op en af rijden, terwijl het hondje achter hem aan rende. Daarna deed hij dat steeds vaker en als hij dacht dat het beestje te warm of te moe was, tilde hij het hondje in de mand op zijn rug.

Toen Raffaella de laatste groenten kwam halen, zag ze dat de Vespa niet meer op dezelfde plek stond. 'Aha, het begin is er,' riep ze uit. 'Perfecte timing. Ik heb laatst dat eendengerecht klaargemaakt en het smaakte verrukkelijk, dus zetten we hem morgen op het menu. Ik zal een tafeltje voor jullie reserveren, oké?'

'O, maar ik denk niet...' begon Babetta.

'De eenden heb ik van oude Angelo Sesto. Hij heeft ze voor me vetgemest. Ze worden perfect. Dat mag je niet missen.'

Ongemakkelijk schudde Babetta haar hoofd. 'Nunzio wil toch niet.'

Maar Raffaella negeerde die opmerking. 'Ik reserveer een tafeltje voor jullie, Babetta,' herhaalde ze. 'We verwachten jullie.'

Alice

Totaal onverwacht draaide ik op een avond helemaal door. Raoul had zich die avond vrij rustig gehouden, niet meer dan één of twee klappen met zijn theedoek in mijn richting, maar toen kwam hij opeens naar me toe, legde zijn handen om mijn billen en kneep er keihard in.

'Je wordt een beetje dik, hè, Alice?' zei hij.

Toevallig had ik een vork met een lang handvat in de hand. Zonder nadenken draaide ik me om en haalde naar hem uit. Hij was snel en sprong opzij, want anders had ik hem zeker geraakt.

Heel even bleven we roerloos staan terwijl we tot ons lieten doordringen wat er zojuist was gebeurd. Toen zei Raoul glunderend: 'Je bent heel erg ontslagen. Denk maar niet dat het nu iets uitmaakt dat je Tonino's vriendinnetje bent. Zelfs hij kan dit niet door de vingers zien.'

'Je kunt me niet ontslaan, want ik neem zelf ontslag,' zei ik.

'Echt waar? Nou, ga dan maar. En je hoeft niet terug te komen.'

Zo snel mogelijk kleedde ik me om. Toen ik mijn koksklеren opvouwde en in mijn kastje stopte, kwamen de tranen. Nu had ik echt niets meer over.

Niemand keek me echt aan toen ik de laatste keer de keuken verliet. Ik hield een taxi aan en liet me meteen naar Guyons kleine appartement in Maida Vale brengen. Hij was al thuis van zijn werk en had een fles rode wijn opengemaakt. Ik zei er niets over dat hij dronk, maar liet hem een glas voor me inschenken.

'Misschien moet ik eens iets heel anders proberen. Volgens mij ben ik niet hard genoeg om te koken,' zei ik en ik nam een grote slok.

Hij klakte met zijn tong. 'Vanavond mag je dronken worden, maar morgen koop je een krant en ga je een andere baan zoeken. Niet alle chef-koks zijn zoals Raoul. Je vindt heus wel een goede keuken om in te werken.'

'Maar vind je dat ik naar Tonino moet gaan? Uitleggen wat er is gebeurd? Ik heb het gevoel dat ik hem in de steek heb gelaten.'

'Dat zou ik niet doen. Begin gewoon opnieuw. Vergeet hem maar.'

'Maar stel dat Raoul me in de hele stad zwartmaakt? Zodat ik geen andere baan kan vinden?'

'Ik heb ook een baan gevonden na alles wat mij is overkomen. Jij hebt alleen maar geprobeerd de chef-kok te steken.' Guyon begon te lachen. 'God, wat had ik dat graag willen zien.'

'Ergens wilde ik dat ik hem echt had geraakt,' bekende ik. 'Echt, ik weet niet hoe het kwam. Zoiets heb ik nog nooit gedaan.'

Guyon was een goede vriend. Hij vertelde een paar mensen die hij kende dat ik werk zocht en algauw had ik een baan in een Frans restaurant in Covent Garden. Het was gespecialiseerd in pre-theatermenu's en 's avonds laat zat het er vaak vol acteurs. Ze dronken heel veel, aten weinig en betaalden zelden hun rekening. Het was dan ook geen grote verrassing toen het restaurant een paar weken later dichtging en ik weer zonder baan zat.

Ik was het liefst in bed gekropen met de dekens over mijn hoofd, maar ik was bang dat mijn relatie met Charlie een kritiek punt zou bereiken en dat ik dan geen baan én geen huis meer zou hebben. Daar moest ik niet aan denken. Mijn moeder was erg bezorgd en zei dat ik maar weer thuis moest komen wonen, maar dat was echt het laatste wat ik wilde. Zij leefde haar eigen leven in veel te warme kamers, was tv-verslaafd en nam klakkeloos de mening over van de roddelpers. Zelfs na een weekend samen maakten we al ruzie.

Daarom greep ik de kans om tijdelijk in een Italiaans eethuisje vlak bij Holborn te werken met beide handen aan. De kok zou een paar maanden bij zijn zieke vader in Italië blijven en ik nam zijn werk over. Het was een goedkoop maar gezellig restaurantje, en het koken daar vond ik geweldig. Ja, ik kookte gedroogde pasta in plaats van versgemaakte en die verdronk ik vervolgens in de rode saus in plaats van zijn eigen karakter erdoorheen te laten schemeren. Ja, de risotto was kant-en-klaar en werd 'afgemaakt' als er een bestelling kwam. Het brood en de nagerechten werden ingekocht in plaats van ter plekke gemaakt, en de vis die we serveerden kwam uit de diepvries. Maar het was leuk.

Door het harde werk had ik weer grip op mijn leven en het gevoel dat ik alles onder controle had. Ik maakte me geen zorgen over wat er zou gebeuren als de vaste kok terugkwam, ik ontweek Charlie en deed net alsof ons gesprek over de toekomst nooit had plaatsgevonden.

Maar toen ik op een avond laat thuiskwam, lag hij op de bank te slapen en stonden er een paar koffers naast de bank.

'Charlie!' Ik schudde hem wakker. 'Wat ben je van plan?'

'Morgenochtend ga ik weg, Alice. Het spijt me echt.'

'Doe dit alsjeblieft niet! Ik heb je nodig!'

'Ja, ik weet dat je me nodig hebt. Maar hou je ook van me?' Daarna draaide hij zich om en deed zijn ogen weer dicht.

Hij zei nog iets toen ik al bijna de kamer uit was. 'O ja, je vriend Guyon belde. Hij zei dat ik je moest vertellen dat hij weer naar die afkickkliniek gaat. Hij wil je morgen eerst nog zien om over een baan te praten. Misschien zit je carrière dus toch nog in de lift, Alice.'

Babetta

Babetta had het gevoel dat ze een wonder beleefde. Hoewel Nunzio even zwijgzaam was als altijd en hij zijn aandacht verdeelde tussen het hondje en het eten op zijn bord, was al het andere precies zoals ze het zich had voorgesteld. Het was een rustige dag, de winter hing al in de lucht. Er waren veel minder toeristen en zij en Nunzio waren de enigen die dapper genoeg waren om buiten te eten. Raffaella had hun een tafeltje vlak bij het water gegeven. Er waren geen menukaarten, ze hoefden dus geen beslissingen te nemen. Raffaella zette eten en wijn voor hen neer en glipte daarna weer weg zonder iets te zeggen.

Het was gemakkelijker geweest dan Babetta had gedacht om haar man hier mee naartoe te krijgen. Ze had hem oude kleren laten aantrekken die al jaren in hun kledingkast hingen en hoewel hij eerst een beetje verbaasd reageerde, was hij heel meegaand geweest. Daarna had ze hem de gevlochten 'rugzak' laten omdoen, het hondje erin getild en hem meegenomen naar de Vespa.

Babetta voelde zich vrij toen ze over de kustweg reden, Nunzio voorop en het hondje tussen hen in. Hij leek zich niet af te vragen waar ze naartoe gingen. Zwijgend volgde hij haar aanwijzingen tot ze bij de haven waren. Daar begon hij zich zorgen te maken, hield zich zenuwachtig bezig met de halsband en de riem van Sky, maar liet zich gewillig naar de *trattoria* leiden.

Als Raffaella zich anders had gedragen, was alles misschien niet zo probleemloos verlopen. Maar ze begroette hen niet en maakte geen onnodige drukte. Nadat ze hen naar een tafeltje had gebracht, liet ze hen alleen.

En nu zat Nunzio de eend te eten, genietend van de zoetzure smaak, en liet zijn hand af en toe onder het tafeltje zakken zodat het hondje het ook kon proeven.

Steeds als de deur van het restaurant openging, kon Babetta de mensen binnen horen praten. In de hele haven genoten groepjes mensen van de warme herfstavond; ze liepen naast elkaar of bleven even staan om met een kennis te praten. Aan haar tafeltje voor de *trattoria* had Babetta het gevoel dat ze daar deel van uitmaakte, maar ook weer niet.

De smaak van het eten dat Raffaella hen bracht leek bijzonder intens en de paar slokjes wijn die ze nam leken haar meteen naar het hoofd te stijgen. Babetta at zo langzaam mogelijk, want ze wist dat elke verrukkelijke hap haar iets dichter naar het einde van deze zeldzaam perfecte dag zou brengen.

Alice

Op een bepaalde manier was de timing perfect. Guyon had zichzelf aangemeld bij de afkickkliniek voordat het weer uit de hand zou lopen. Hij leek bijzonder positief over zijn beslissing, vrolijk zelfs. Maar hij had een kok nodig die hem wel een paar weken in het vegetarische restaurant zou vervangen, maar die niet zou proberen om tijdens zijn afwezigheid zijn baan in te pikken. Ik was dus de voor de hand liggende keus. Overdag kon ik daar werken en 's avonds in het Italiaanse restaurantje tot de Italiaanse kok terugkwam. Ik zou het zo druk hebben dat ik amper kon merken dat Charlie was vertrokken. Dat was precies waar ik behoefte aan had.

Toch was het veel moeilijker dan ik had gedacht, het inkopen van eten en het berekenen van de prijzen. Zoiets had ik nooit eerder gedaan en ik maakte dus fouten, maar ik hoopte dat het na een tijdje goed zou gaan zolang ik maar goedkope seizoensproducten gebruikte en geen eten verspilde. Ik dacht vaak aan Tonino, de planning die nodig was voor zijn menu, het zorgvuldig budgetteren en vaststellen van de prijzen. Dit zou ik immers maar een paar weken doen en het kon dus niet veel kwaad? Zolang het eten maar goed was en de gasten tevreden vertrokken, deed ik mijn werk prima.

In veel opzichten was het een eenzame periode. Ik had heel veel mensen om me heen, maar niemand die mijn gedachten wilde horen, niemand om mijn zorgen mee te delen of die naar mijn ideeën wilde luisteren. Leila, Charlie, Guyon… ze waren net familie geweest en nu moest ik het zonder hen doen.

Maandag tot en met vrijdag verliepen in hetzelfde vernietigende, meedogenloze tempo. Vroeg opstaan om in het restaurant alles voor te bereiden, een drukke lunch en dan schoonmaken en alles voor de volgende dag plannen. Zodra ik klaar was sprong ik in een taxi en reed snel naar het Italiaanse restaurant in Holborn om hetzelfde nog een keer te doen. Als ik 's avonds heel laat thuiskwam, was ik kapot en verlangde naar mijn bed om een paar uur te slapen.

Ik had extra sloten laten aanbrengen op de deuren en ramen, maar ik vond het nog steeds niet prettig om daar alleen te zijn. Voordat ik ging slapen, keek ik in elk vertrek, in de kledingkast en onder het bed. Ik werd wakker van elk zuchtje wind door de bomen in de tuin, en elke sirene van een politiewagen bezorgde me hartkloppingen. Zodra mijn werk wat rustiger werd, zou ik tijd hebben andere woonruimte te zoeken: hoog, met een paar trappen en heel veel sloten tussen mij en onbekenden. Tot die tijd moest ik maar genoegen nemen met het appartement.

De weekenden vond ik niet fijn omdat ik dan zo veel vrije tijd had. Het vegetarische restaurant was gesloten, zodat ik vele uren niets te doen had voordat ik naar het Italiaanse restaurant moest. Ik kocht de *Time Out* en omcirkelde tentoonstellingen en films. Maar ik ging er uiteindelijk nooit naartoe omdat ik het niet prettig vond zoiets alleen te doen te midden van gezinnen en stelletjes. Daarom bleef ik thuis en speelde wat met eten; ik maakte pizzadeeg zoals Lucio me dat had geleerd of verse pastakussentjes gevuld met pompoen en geitenkaas. Niet dat ik er veel van at, maar het was een troostende bezigheid.

De enige die ik tijdens die lange, lege dagen maar niet uit mijn hoofd kon zetten, was Tonino. Ik betreurde de gang van zaken in het Teatro, vooral omdat ik overal de schuld van zou krijgen. Wie zou hem immers de waarheid durven te vertellen? Niemand wilde Raoul op stang jagen en de kans lopen daardoor zijn nieuwe doelwit te worden. Zelfs de obers, die hem haatten, wilden daar niet bij betrokken worden.

Ik kon maar niet bedenken hoe ik Tonino kon benaderen zodat ik hem kon uitleggen wat er echt was gebeurd. Ik was niet welkom in het Teatro, maar ik kon ook niet zomaar naar het Palio, zijn nieuwe restaurant in de City, gaan en daar wachten tot hij zou verschijnen.

Ik had een artikel bewaard uit een van de zondagse kleurenbijlagen die vlak na de opening van het nieuwe restaurant was verschenen. Er stond een foto bij van Tonino in kokskleding in de keuken, maar de foto die echt mijn belangstelling had gewekt was een klein fotootje van hem als jongen. Hij zag er mager en ernstig uit met een glimlachende, veel dikkere Lucio naast zich en Raffaella tussen hen in. Volgens mij zaten ze op de bank voor de bakkerij op de *piazza* van Triento. Elke keer dat ik het artikel bekeek, kreeg ik een nostalgisch gevoel.

Toen de kok van het Italiaanse restaurant terugkwam en zijn keuken weer opeiste, waren mijn avonden opeens even moeilijk als mijn weekenden. Ik had die vrije tijd moeten gebruiken om een betere en goedkopere woning te vinden, maar al mijn energie leek te zijn verdwenen. Ik lag uren lusteloos op de bank kookboeken door te bladeren en viel af en toe in slaap. Dan werd ik een uur later wakker met mijn hoofd op een foto van kalfslapjes en nieuwe aardappeltjes.

Uiteindelijk kwam Tonino naar mij toe. Op een maandagmiddag kwam hij naar het vegetarische restaurant terwijl ik op een pen stond te kauwen en gerechten probeerde te bedenken voor de rest van de week.

Ik was zo blij zijn vertrouwde gezicht te zien dat ik grijnsde toen hij de keuken binnen liep en tegen de toonbank leunde alsof de zaak van hem was.

'Ik heb Raoul ontslagen,' zei hij abrupt. Daarna zweeg hij en wachtte op mijn reactie.

'Je bent dus gekomen om mij mijn oude baan aan te bieden?'

'Nee.'

'Waarom dan wel?'

'Waarom wat, waarom ik hem heb ontslagen?'

'Nee, waarom ben je hier?' Ik zag dat hij rondkeek en alles in zich opnam.

'Nou, eigenlijk ben ik hier om je te vragen of je met me wilt dineren.'

'Wat?' Dat antwoord had ik niet verwacht.

'Als je vanavond geen andere afspraken hebt, wil ik je graag mee uit eten nemen,' zei Tonino vreemd formeel. 'We hebben nooit echt over je zomer in Italië gepraat. En vanavond heb ik wat tijd over, dus dit leek een goed moment.'

'Waar gaan we dan naartoe?'

'Naar het Teatro natuurlijk.'

'Waarom?'

'Alice, dit is niet de juiste reactie als je uit eten wordt gevraagd,' zei Tonino geamuseerd. 'Dan vraag je niet wat en waarom. Dan zeg je ja of nee. Wat wordt het?'

'Eh... nou eh, ja, denk ik. Ik wil graag met je uit eten.'

'Goed, dan reserveer ik een tafeltje voor zeven uur. Zorg dat je op tijd bent.'

'En vertel je me dan over Raoul?' vroeg ik nieuwsgierig. 'Waarom je hem ontslagen hebt?'

Hij lachte een beetje. 'Ik dacht dat jij dat wel zou weten.'

Daarna kon ik me echt niet meer concentreren op dingen als bestellingen en budgetten, maar ik zag mezelf al zitten in de eetzaal van het Teatro met Tonino tegenover me terwijl we zaten te kletsen en de obers die ik kende ons bedienden en mijn voormalige collega's ons eten klaarmaakten.

Dat was een heel bizar idee, maar ik kon niet wachten tot het zover was.

Babetta

’s Winters had Babetta meestal weinig te doen. Dan was ze door de wind en de regen gedwongen om binnen te blijven en was er geen werk voor haar in de tuin. Ze kon niet veel meer doen dan houthakken, zorgen dat het vuur aanbleef en soepen en stoofschotels op het fornuis laten sudderen. Maar dit jaar was alles anders.

Ook al bleef Villa Rosa gesloten en werd de kust net als anders door stormen geteisterd, Babetta kon zich niet herinneren dat ze ooit een winter als deze had meegemaakt. Dat kwam allemaal door de Vespa die Raffaella haar had laten houden. Het gehavende oude ding had een nieuwe wereld voor hen geopend.

Babetta durfde het nog steeds niet aan de scooter zelf te besturen, maar op mooie dagen haalde ze Nunzio over om de heuvel naar Triento op te rijden. Op een zondag nam hij haar zelfs wel eens mee naar de kerk, maar hij bleef wel buiten als de priester haar de biecht afnam.

Het hondje zat altijd tussen hen in, knus in de mand op Nunzio’s rug. Daarom kon ze op de kronkelende kustweg haar armen niet om zijn middel slaan. Toch voelde ze zich meer verbonden met haar man als hij hen dichter bij de wereld bracht waar hij zich zo veel jaren afzijdig van had gehouden.

Nunzio leek ook te genieten van de ritjes naar Triento of langs de kust naar Calabrië en de grotere steden een paar kilometer verderop. Soms kwam hij haar zelf halen, de hond al in de mand op zijn rug, en dan moest ze snel een andere hoofddoek omdoen en zich opknappen.

Als de slager met zijn bestelbus bij het hek kwam of de visboer langskwam, stuurde ze hen vaak weg zonder iets te kopen omdat ze op de markt al genoeg had gekocht.

De mensen in Triento glimlachten als ze hen zagen, de oude man met zijn vrouw en het hondje dat vlak achter hen aan dribbelde. Soms bleef iemand staan om het beestje te aaien en de serveerster in de bar op de hoek zorgde altijd voor een bak water. Nunzio zei bijna nooit iets, maar hij vond het niet erg als hij stil moest blijven staan terwijl Babetta een grapje of een roddelpraatje uitwisselde.

Ze bleven maar een halfuurtje in Triento, maar voor Babetta was dat voldoende om iets van het leven te proeven. En ze vond het ook altijd fijn om weer thuis te zijn, in haar keuken te werken en lekkere dingen klaar te maken voor Nunzio terwijl hij voor het vuur dat ze voor hem had opgestookt in slaap was gevallen.

Als het echt hard waaide of te hard regende, bleven ze thuis. Dan herstelde Babetta oude kleren of maakte ze verse pasta die ze daarna in de keuken ophing om te drogen. Daarna deed ze een middagdutje en droomde van de lente als de aarde weer was opgewarmd, en van de terugkeer van de Engelse vrouwen. Ze durfde zelfs te dromen dat ze terugging naar de *trattoria* bij de haven en haar eigen versgeplukte fruit ruilde voor Raffaella's verrukkelijke eten.

Misschien maakte ze zich ook wel zorgen, omdat haar leven niet zo mooi hoorde te zijn, omdat er misschien iets naars op de loer lag. Maar als ze naast Nunzio lag en luisterde naar het ritme van zijn gesnurk en wachtte op het einde van de winter, weigerde ze die gedachte toe te laten.

Alice

Ik had een soort onthulling verwacht, dat Tonino me de echte reden voor deze uitnodiging zou vertellen. Ik zat er de hele maaltijd op te wachten, maar hij zei niets.

Nu ik gast was in het Teatro, leek het een totaal andere wereld. Ik ving een vleugje op van mijn oude leven in de hitte en de drukte van de keuken toen ik er onderweg naar de eetzaal langskwam. Toen ik even opzij keek, zag ik een paar bekende gezichten maar ook een paar nieuwe. En iedereen werkte met de koortsachtige concentratie die ik maar al te goed kende.

Ons tafeltje stond helemaal achter in het restaurant en Tonino zorgde ervoor dat mijn rug naar de glazen wand van de keuken was gekeerd. Zodra ik daar zat, omringd door de hoog opgestapelde wijnflessen waarin het kaarslicht werd gereflecteerd, was het verbazingwekkend gemakkelijk om niet te denken aan alle hectiek achter me. Ik gaf me over aan de luxe van het gesteven witte linnen en het fonkelende kristal en de kleine rituelen: het openslaan van mijn menukaart, het proeven van de wijn en het uitzoeken van een versgebakken broodje uit het broodmandje.

Er stonden gerechten op de kaart die ik niet kende, omdat Tonino het menu steeds nieuw wilde houden. Maar ik ontdekte ook een paar favorieten en vroeg me af wie er nu op de pasta-afdeling werkte.

'Zal ik voor je bestellen?' vroeg Tonino, hoewel het niet echt een vraag was.

'Dat is prima,' beaamde ik en legde mijn menukaart neer.

Hij bestelde snel, raffelde de gerechten af alsof hij er niet echt bij nadacht. Gnocchi met een wildekruidensaus, paddenstoelen met bonenpuree, paprika met amandelen, een salade van *porcini* en truffels, gegrild konijn. Dat was meer eten dan we op zouden kunnen, maar ik wist dat dit ook niet werd verwacht. Voor Tonino was eten een kwestie van proeven en genieten, niet om je onbeperkt vol te stouwen.

'Hoe gaat het met het Palio?' vroeg ik toen de ober met onze bestelling naar de keuken was verdwenen.

Tonino trok een gezicht alsof hij iets bitters doorslikte. 'We hebben nog altijd last van een paar kinderziekten. De eetzaal is twee keer zo groot als deze, weet je, en de clientèle is totaal anders. Er zijn veel dingen die ik niet had verwacht, maar we komen er wel!'

Ik dacht aan de ontelbare keren dat ik gehoorzaam 'Ja, chef!' had geroepen en voelde me bijna vereerd dat ik hier nu naar zijn problemen zat te luisteren.

'Wie is hier nu de chef-kok?' vroeg ik in de hoop het gesprek in de richting van Raoul te kunnen sturen.

'Ik heb Nico promotie gegeven. En hij doet het fantastisch,' zei hij alleen maar.

'De keuken is dus weer tot rust gekomen?' drong ik aan.

'Maak je maar geen zorgen, Alice, je krijgt een prima maaltijd.' Tonino glimlachte. 'Nico weet wat hij doet.'

'En Raoul?'

'Terug naar New York, neem ik aan. Daar zal hij zich beter op zijn plek voelen.'

Heel veel later pas ontdekte ik wat er was gebeurd. Ik kwam toevallig een van mijn vroegere collega's tegen en hij vertelde me dat Tonino een van zijn onverwachte bezoekjes had gebracht en in de koelruimte Raoul en Nico betrapte toen ze coke snoven. Kennelijk was hij zo kwaad geworden dat iedereen er bang van werd. Tonino was eigenlijk een kalme man, heel zuinig met zowel woorden als gebaren, heel on-Italiaans eigenlijk; daarom was iedereen ontzettend geschrokken toen hij zo woedend was.

Raoul had niet eens geprotesteerd toen Tonino hem vertelde dat hij kon vertrekken en niet terug hoefde te komen. Nico had gesmeekt of hij zijn baan mocht houden en beloofde alles te doen als hij zijn baan maar mocht houden. Daarna had Tonino iedereen versteld doen staan door hem promotie te geven en te zeggen dat hij ervan uitging dat

Nico de keuken uitstekend zou laten draaien en op precies dezelfde manier leiding zou geven als hij het zelf zou doen.

Naar het eten te oordelen, had dat trucje succes. Maar we kregen natuurlijk alleen het allerbeste. De spanning in de keuken bereikt een hoogtepunt als de hoogste baas in zijn eigen restaurant komt eten. Dan wordt iedereen op de proef gesteld. En met een baas als Tonino, die elke keer weer perfectie eiste, zal de spanning in de keuken ondraaglijk zijn geweest.

Maar het eten was verrukkelijk. Toen ik het proefde, hier in de eetzaal die Tonino in feite zelf had ontworpen, kon ik zijn genialiteit meer dan ooit waarderen.

'Raoul is dus weg,' zei ik toen de *amuse bouche* was gebracht.

Ik vroeg me af of Tonino me zou berispen omdat ik mijn zelfbeheersing bij Raoul had verloren, of zou zeggen dat ik mijn tijd en talent verspilde met de Indiase dhalsoepen en bloemkoolcurry's in dat vegetarische restaurant. Maar hij begon er zelfs niet over. In plaats daarvan praatten we alleen over Italië, het eten dat ik daar had klaargemaakt en gegeten, en wat ik vond van het stadje waar hij was opgegroeid.

'Ik kan bijna niet geloven dat het nog maar een paar maanden geleden is dat ik daar was,' zei ik.

'Eigenlijk zou je in de lente terug moeten gaan,' zei Tonino. 'Ik weet zeker dat mijn ouders wel wat hulp kunnen gebruiken als het toeristenseizoen weer begint.'

Ik schudde mijn hoofd. 'Zodra Guyon terug is, moet ik een echte baan gaan zoeken. Ik kan het me niet veroorloven nog een zomer vrij te nemen.'

'Nou ja, een andere keer dan misschien. Ik ga ervan uit dat mijn familie daar niet weggaat.'

Bij Tonino voelde ik me totaal anders dan bij zijn broer. Hij praatte zo zacht dat ik me soms naar voren moest buigen om hem boven de geluiden in het restaurant uit te kunnen verstaan. En hij glimlachte en lachte lang niet zo vaak. Voor hem was het leven een serieuze zaak en eten was het allerbelangrijkst. Ik had altijd wel geweten dat hij erg gedreven was, maar toen ik een hele avond met hem doorbracht, met z'n tweeën op dat eilandje van dat restauranttafeltje, waren de verschillen tussen hem en Lucio zo overduidelijk dat ik goed kon begrijpen waarom ze niet met elkaar konden opschieten.

Tijdens het voor- en het hoofdgerecht praatten we over koetjes en kalfjes. Ik dacht dat Tonino wel een keer zou vertellen waarom we hier eigenlijk waren, maar toen we ons diner afsloten met kaas en koffie praatten we nog steeds over van alles en nog wat.

Op een bepaald moment ging hij naar het toilet zodat ik even alleen was. Ik vroeg me af of ik hem aantrekkelijk vond. Ik had geen idee wat hij dacht, wat hem een bepaalde charme verleende, en ik vond zijn kalme intensiteit fascinerend. Maar hij had ook iets kils, iets afstandelijks. Het was net alsof de luiken altijd halfdicht waren en zomaar helemaal konden worden dichtgeslagen.

Buiten namen we afscheid van elkaar, waarna Tonino me in een taxi zette.

'Dit was heel fijn,' zei hij. 'We moeten het gauw nog eens doen.'

Ik glimlachte en beaamde dat, maar ik vroeg me nog steeds af wat Tonino eigenlijk van me wilde.

Babetta

Voor de lente stierf Nunzio. Op een heldere zonnige ochtend vond Babetta hem in de rieten stoel, roerloos en koud, met het hondje aan zijn voeten. Ze legde een deken over Nunzio heen en ging weer naar binnen, liep door het huis en deed haar gebruikelijke klusjes alsof hij zat te slapen. Ze maakte de lunch klaar en zette zijn portie in de oven, zoals ze altijd deed als hij nog in de tuin aan het werk was en later zou binnenkomen om het op te eten. Maar toen hoorde ze het hondje op het terras janken en dat geluid leek haar te wekken.

Ze pakte de sleutel van het haakje achter de deur en liep langzaam naar Villa Rosa. Sinds de Engelse dame was vertrokken was er geen reden geweest om naar binnen te gaan en ze voelde zich een indringer. Maar de sleutel was hier achtergelaten voor noodgevallen en Babetta vond dat dit een noodgeval was.

Binnen was het kil en vochtig. De tijdschriften en boeken waren bedekt met stof en dode vliegen lagen op de vensterbanken. Babetta liep naar de telefoon, toetste het nummer in dat Sofia voor haar had opgeschreven en vermande zich zodat ze de woorden zou kunnen uitspreken.

Nadat de telefoon drie of vier keer was overgegaan, hoorde ze de stem van haar dochter. '*Pronto!*' zei Sofia zoals altijd op energieke toon.

Babetta haalde diep adem. 'Je vader is overleden,' zei ze en ze wachtte tot het gejammer zou beginnen.

Uiteindelijk was Sofia degene die alles deed: ze zorgde ervoor dat Nunzio's lichaam werd opgebaard in de kapel en ze regelde de begrafenis. Ze maakte een lijstje van alles wat gedaan moest worden: formulieren invullen, certificaten laten goedkeuren, betalingen doen, en vinkte alle punten een voor een af. Ze kookte voor hen beiden en ruimde Babetta's huis op.

Nu ze niets meer omhanden had, voelde Babetta zich verloren. Vaak ging ze in Nunzio's rieten stoel zitten, trok de deken die nog steeds naar hem rook over zich heen en ging in gedachten op zoek naar de prettigste herinneringen. Het fijnst waren de herinneringen aan de tijd toen Sofia nog klein was: Nunzio nam hen mee naar het strand, speelde met Sofia in het water en tilde haar op als er golven aankwamen zodat ze gilde van plezier.

Babetta streelde de ruwe vacht van het hondje en putte troost uit het warme lijf. In gedachten zag ze Nunzio, met alleen zijn zwembroek aan, bruin en gespierd door zijn werk aan de weg. In die tijd hadden ze niet vaak aan de toekomst gedacht, hadden er nooit bij stilgestaan dat ze algauw oud zouden zijn.

Nu keek ze naar het uitzicht waar haar man zo vaak naar had gekeken. Ze kon het nog altijd niet opbrengen om aan de toekomst te denken. Daarom vulde ze de lege uren met het aaien van het hondje en het denken aan het verleden.

Daar voelde ze zich veiliger.

Alice

Toen Guyon uit de afkickkliniek kwam, vrolijk en klaar om weer aan het werk te gaan, was ik blij voor hem. Maar hierdoor werd mijn eigen situatie wel penibel: ik was werkloos, woonde in een appartement dat ik me niet kon veroorloven en had een eindeloze, lege toekomst voor ogen.

Ik dacht heel veel aan Charlie. Nadat hij die ochtend was vertrokken, had hij geen contact meer met me gezocht en ik voelde me gekwetst. Ik belde naar zijn werk en liet boodschappen achter, maar hij belde nooit terug.

Op precies dezelfde manier had ik Leila behandeld, dus ik mocht niet klagen. Ze was me nog weken na mijn vertrek uit het appartement in Maida Vale blijven bellen, met voorstellen om samen iets te drinken, te ontbijten of te lunchen, maar steeds was ik dat vergeten of had ik afgezegd. Uiteindelijk was Leila ermee opgehouden en nu leek het alsof Charlie datzelfde deed. Ik had het helemaal aan mezelf te wijten, maar elke keer als ik me erg eenzaam voelde, dacht ik na over alles wat ik had losgelaten.

Toen Tonino belde en vroeg of ik weer met hem wilde dineren, kon ik geen enkele reden bedenken om te weigeren. Deze keer stelde hij voor om naar het Palio te gaan en ik wilde wel eens zien hoe het daar was.

Er was geen echte reden om me voor hem op te tutten. Tonino had me altijd alleen maar gezien in kokskleding en met een bijzonder onflatteuze koksmuts op. Toch kocht ik een veel te duur zwart jurkje en een paar schoenen met smalle bandjes en onmogelijke hakken. En toen ik langer dan gebruikelijk met mijn haar en make-up bezig was, vroeg ik me af wat ik in vredesnaam aan het doen was.

Toen ik het Palio binnen kwam, was ik blij dat ik al die moeite had genomen. Het hele restaurant rook naar geld. De eetzaal had de vorm van een schelp, net als het plein van Siena, en de muren hingen vol bijzondere, realistische foto's van de Palio, de paardenrace in die stad. Je had het gevoel dat je je te midden van een verbazingwekkende pracht en praal bevond met fantastische kleding en wapperende vlaggen. Het was dramatisch en indrukwekkend. Bij de deur aarzelde ik even, want ik had alweer het gevoel dat ik daar niet thuishoorde, ondanks het beschermende omhulsel van mijn dure jurk en schoenen.

Toen ontdekte ik Tonino bij de bar; hij tilde zijn arm op om mijn aandacht te trekken. Hij begroette me met een kus op beide wangen en ik voelde dat de mensen naar ons keken. Slanke jonge vrouwen, weldoorvoede bankiers, onberispelijk geklede echtgenotes – iedereen vroeg zich af wie deze gewone jonge vrouw met dat bruine haar kon zijn en waarom ze een afspraak had met de sterkok van de stad.

Terwijl ik het menu bestudeerde en van de cocktail nipte die Tonino voor me had besteld, realiseerde ik me hoe moedig het was geweest om het Palio te openen. Dit was Tonino's versie van de Noord-Italiaanse keuken met granen als polenta, gerechten met wild als fazant, romige soepen met kastanje en pancetta. Dit waren niet de gerechten waarmee hij was opgegroeid. Het leek alsof hij had geprobeerd afscheid te nemen van de ingrediënten uit het zuiden, de pasta's, lichte tomatensauzen en de vis. Het menu van het Palio was veel rijker, net als de clientèle.

Tonino hield me nauwlettend in de gaten toen ik de hoofdgerechten bekeek, maar zei niets. Weer bestelde hij voor mij, vroeg me niet wat ik wel of niet lustte, en weer protesteerde ik niet.

Ik vroeg me af waar we deze tweede avond tijdens het eten en drinken over moesten praten, maar deze keer leek hij een planning te hebben. Toen de eerste gang werd geserveerd, bracht hij het onderwerp Lucio ter sprake en bleef daarover doorpraten tot we onze maaltijd hadden afgerond met kaas, koffie en *panforte*.

Tonino leek vast van plan elk detail uit me te persen: hoe Lucio er tegenwoordig uitzag, wat hij kookte en welke plannen hij had.

Eerst was ik blij met de kans om te praten over de man die me zo had geobsedeerd. Ik gaf uitgebreid antwoord op Tonino's vragen, vertelde over de dagen die Lucio en ik samen hadden doorgebracht en zelfs over een paar van onze gesprekken.

Maar toen drong het tot me door dat de rivaliteit tussen de broers wederzijds was. Het leek wel alsof Tonino constant achteromkeek om te zien of Lucio op hem lette, bang dat zijn broer hem zou inhalen. En ik werd bang dat ik al te veel had gezegd.

Ik probeerde andere onderwerpen aan te roeren, zoals het restaurantwezen, Guyons gezondheid, wát we maar gemeenschappelijk hadden, maar Tonino was nog niet klaar.

'Jij en Lucio waren dus heel vaak samen,' zei hij. 'Uitstapjes, lunches, jullie werk in de pizzeria. Wie kwam eigenlijk op het idee dat je daar zou gaan werken?'

'Je moeder.'

Hij trok zijn wenkbrauwen op. 'O ja, *mamma*. Nooit te beroerd om een knap meisje op het pad van een van haar zoons te zetten.'

'Maar zo was het niet, echt niet,' zei ik snel. 'Ze dacht dat hij me nuttige dingen kon leren.'

'Maar het enige wat mijn broer weet is hoe hij een pizza moet maken en een getalenteerde jonge kok als jij heeft dat binnen een halve dag onder de knie. Ik weet zeker dat dat niet de reden is geweest dat je zo veel tijd met hem hebt doorgebracht.'

Hij keek me met opgetrokken wenkbrauwen aan. Het drong tot me door dat hij vermoedde dat Lucio en ik iets met elkaar hadden gehad. 'O nee, echt niet! Er was niets tussen ons...' begon ik, maar ik voelde me dom en zweeg.

Tonino keek me met een lome glimlach aan alsof het hem niet echt iets kon schelen en veranderde toen opeens van onderwerp. 'Het is nog vrij vroeg. Kom je mee naar mijn appartement om nog wat te drinken?'

Hij zag de blik op mijn gezicht en glimlachte weer, nog minzamer dan anders, en zei: 'Alleen om wat te drinken, Alice, daarna zet ik je in een taxi en stuur ik je naar huis. Je bent heel veilig bij me, weet je.'

Door de lacherige manier waarop hij dat zei, voelde ik me onbeholpen. Ik realiseerde me dat ik altijd het slechtste verwachtte van mannen, zelfs als ze niets hadden gedaan om dat te verdienen. Bovendien vertrouwde ik Tonino. Hij was zelfingenomen en bazig, maar ik vond hem ook bijzonder fatsoenlijk.

Zonder op mijn toestemming te wachten, liet hij mijn jas halen en vroeg de ober een taxi voor ons te regelen.

We zaten op de achterbank en ik zorgde ervoor dat ik hem niet aanraakte. Ik keek zelfs amper naar hem. Ja, ik vertrouwde Tonino, maar ik wilde geen verkeerde signalen afgeven.

Hij woonde vlak bij de rivier in een loft. Het was een mooi appartement met gemetselde muren en een glazen wand met uitzicht over de lichtjes van Londen. Elke centimeter was ontzettend netjes en schoon; het leek wel alsof hij verwachtte dat de fotograaf van een tijdschrift over binnenhuisarchitectuur zou langskomen.

Allereerst schonk hij twee glazen Laphroaig in. 'Dertig jaar oude whisky, *Islay single malt*,' zei hij toen hij me het glas gaf. 'Ik neem aan dat dit oké is?'

'Ja hoor, dankjewel,' zei ik, ook al was ik geen whiskydrinker.

Het was koud buiten, maar Tonino wilde op het terras zitten. Hij gaf me een plaid en zei dat ik het wel warm zou krijgen van de single malt.

'Ik hou van dit uitzicht,' zei hij toen we naast elkaar in het donker zaten. 'Op sommige dagen ben ik zestien uur of meer begraven in een keuken en zie ik de lucht nooit; daarom vind ik het heerlijk om hier te zitten.'

'Ik mis de lucht soms ook,' zei ik weemoedig. 'Vooral het uitzicht vanuit het huis in de buurt van Triento waar ik woonde. Die lucht was echt heel bijzonder.'

Even zweeg hij. Daarna boog hij zich naar me toe en raakte heel even mijn lippen aan met de zijne, zo licht dat je het amper een kus kon noemen.

'Sorry, Alice, ik weet dat ik zei "alleen om wat te drinken", maar ik kon me niet beheersen.' Tonino glimlachte, maar niet op die hooghartige, iets neerbuigende manier van eerder.

'Het is wel goed.' Gevleid glimlachte ik terug. Daarna zei ik zacht: 'We smaken allebei naar whisky.'

'We smaken naar goede whisky en dat is belangrijk.' Tonino boog zich weer naar me toe en nu kuste hij me echt.

Ik sloot mijn ogen, liet mijn hoofd tegen de rugleuning rusten en klaagde niet.

Babetta

Voor Babetta regen de dagen zich aaneen tot één groot niets. Ze was zich niet langer bewust van het weer of de seizoenen. Soms had ze al uren op Nunzio's rieten stoel gezeten voordat ze zich realiseerde dat ze drijfnat was en het hondje rillend in de regen naast haar zat. Ze nam aan dat dit bij het rouwproces hoorde. Toch had ze zich nooit eerder zo gevoeld, niet toen haar grootouders waren overleden, of haar jongste zus, of haar ouders. Dit was een ander soort leegte.

Raffaella kwam regelmatig naar het huis. Als het fris was legde ze een plaid over Babetta heen en zette eten voor haar klaar in de keuken.

Sofia kwam ook een paar keer per week; ze was een goede dochter die zich zorgen maakte over haar moeder. Maar ze vulde de stilte met woorden die Babetta niet wilde horen. 'Wil je nu dan eindelijk verhuizen, mama? Je kunt hier niet in je eentje blijven, hoor. Het is te afgelegen en bovendien zijn er veel te veel trappen. Binnenkort ben je te oud om trap te lopen, dus kun je maar beter op tijd verhuizen.'

Haar dochter bedoelde het goed. Sofia kon niet begrijpen waarom iemand de voorkeur gaf aan deze stille plek boven het kleurrijke, levendige stadje. Maar Babetta kon het ook niet goed uitleggen. Ze hield van Triento en voelde zich erdoor aangetrokken. Maar dit was thuis, zoals het al zo veel jaren was geweest en ze wilde deze plek nog niet verlaten.

'Het is wel goed,' zei ze. 'Bovendien ben ik niet alleen. Kijk maar, ik heb dit hondje.'

Ze wees naar het beestje dat altijd bij haar was, ook al gaf ze hem geen kleine hapjes en haalde ze hem niet vaak aan.

Sofia snoof spottend. 'Aan die hond heb je niets als de een of andere crimineel besluit in te breken en je mishandelt zoals je wel eens in de krant leest.'

'Ik lees de krant nooit,' zei Babetta koppig.

'Goed dan.' Sofia was geïrriteerd. 'Zoals je wel eens op de radio hoort.'

'Ik ben hier niet bang. Nooit geweest ook.'

'Maar ze laten je toch niet blijven. Zonder papa kun je de tuinen hiernaast immers niet verzorgen? Die rijke Engelse dame met die mooie handtas stuurt je weg zodra ze hoort dat hij overleden is.'

'Dat denk ik niet,' loog Babetta.

'Kom dan in elk geval een keertje mee om een paar huurappartementen in Triento te bekijken,' smeekte Sofia. 'In de stad is een verhuurbedrijf en daar heb ik wat informatie opgehaald. Het zal je verbazen hoe mooi sommige appartementen zijn: moderne apparatuur, gemakkelijk schoon te houden, vlak bij de markt... Zou je dat niet fijn vinden?'

'Ik ga wel een keer kijken,' zei Babetta onwillig. 'Maar het heeft helemaal geen haast. Ik ga nergens naartoe voordat het echt moet.'

'Zal ik dan een paar afspraken maken met de *signora* van het verhuurbedrijf?' drong Sofia aan.

'Ja, doe maar wat je wilt.' Babetta wilde er niet aan denken. Ze wilde alleen maar op de rieten stoel zitten en naar de lucht staren.

Alice

Die nacht met Tonino was in elk opzicht verrassend. Ik herinner me geen enkel moment van verlegenheid of onhandig gefrunnik met mijn kleren toen hij ze uittrok. Ook kan ik me niet herinneren dat we bespraken wat we gingen doen. Het was een nieuwe dans en Tonino had de leiding genomen. Ik hoefde alleen maar te volgen.

De whisky heeft waarschijnlijk geholpen de scherpe kantjes er een beetje af te halen. Toen we naar binnen gingen had ik er drie of vier op, en ik was een beetje dizzy van de kou en de kussen. Eerst liep ik met hem mee naar de bank en vervolgens naar de slaapkamer, alsof ik er niets over te zeggen had. We zeiden geen van beiden iets. Tegen de tijd dat ik me afvroeg of ik het echt wel wilde, waren we al te ver om ermee op te houden.

Na afloop viel hij bijna meteen in slaap en ik lag me af te vragen wat er nu zou gaan gebeuren. Zou er de volgende ochtend een ongemakkelijk gesprek volgen en de niet-gemeende belofte elkaar te bellen? Zou hij dit weer willen doen? En ik?

Ergens had ik een triomfantelijk gevoel omdat ik me van Charlie had bevrijd en me door een andere man had laten aanraken. Misschien had mijn ijdelheid ook wel een knak gekregen nadat ik zo veel jaren tweede viool had gespeeld na Leila. Maar toen ik opzij keek naar Tonino's donkere hoofd op het kussen, overheerste een gevoel van ongeloof. Dit voelde niet echt.

Uiteindelijk viel ik ook in slaap. Toen ik de volgende ochtend wakker werd, lag ik stijf tegen Tonino aan. Met één arm drukte hij me zacht tegen zich aan. Ik probeerde te gaan verliggen, maar hij liet me niet los en dus nestelde ik me weer in zijn armen.

Als ik me niet zo eenzaam had gevoeld, zou ik sterker zijn geweest.

Maar in plaats daarvan liet ik me in de volgende maanden langzaam opnemen in Tonino's leven. Ik heb nooit iemand iets verteld over onze nachten samen, zelfs Guyon niet. Ik stond 's ochtends vroeg op en ging zoals altijd naar het vegetarische restaurant om Guyon te helpen, maar hij had geen idee dat ik niet uit mijn eigen huis kwam.

Op zijn aanraden had ik me laten inschrijven bij een uitzendbureau. Daardoor werkte ik de meeste avonden in de een of andere keuken, vooral in West End. En als ik klaar was ging ik terug naar Tonino's flat. Vaak zat hij dan met twee glazen whisky op het terras op me te wachten.

Tonino bezat een kalme kracht. Hij wist precies wat hij wilde en hij werkte langzaam en systematisch tot hij het had. Restaurants, geld, roem, vrouwen; hij benaderde alles op dezelfde manier. Hij was stabiel en gaf me een veilig gevoel, beschermd. Meestal was hij lief.

Niemand wist iets van ons, dat wist ik zeker. We probeerden allebei onze relatie buiten de rest van ons leven te houden. Als zijn telefoon ging, nam ik nooit op. Vrijwel al mijn spullen bleven in mijn eigen appartement, ook al sliep ik daar vrijwel nooit. En net als tijdens onze eerste nacht samen praatten we nooit over de toekomst.

Ik dacht dat ik gelukkig was. Bepaalde dingen van Tonino vond ik geweldig: zijn rollende accent en de manier waarop hij niet bepaald melodieus Italiaanse liedjes zong als hij 's zondags een eenvoudig pastagerecht voor ons klaarmaakte. Hoewel ik geen heftige gevoelens voor hem koesterde, zoals ik wel voor zijn broer had gedaan, accepteerde ik het comfortabele leven dat hij me bood.

Een paar jaar na onze eerste nacht vroeg hij of ik bij hem in wilde trekken. Er was geen romantiek, geen enkel teken dat onze relatie zich had verdiept of serieuzer was geworden. Tonino was gewoon praktisch. 'Het is belachelijk dat je zo veel huur betaalt als je vrijwel altijd hier bent,' zei hij. 'Reken maar eens uit hoeveel geld je kunt besparen.'

Hij kocht zelfs een mobiele telefoon voor me, zodat ik de telefoon in zijn appartement niet hoefde te gebruiken. We woonden samen en toch hielden we onze relatie geheim. Het leek belachelijk, maar hij zei dat hij er zo zijn redenen voor had.

'Je weet dat mijn moeder zich er altijd vreselijk druk over maakt dat ik me moet settelen en haar kleinkinderen moet geven,' zei hij luchthartig. 'Ik wil haar niet nog een reden geven me aan mijn hoofd te zeuren, vooral omdat ze je allemaal zo aardig vinden. Het zou alles alleen maar moeilijk maken. En zo is het immers goed, Alice?'

Ik had niet echt bezwaar tegen de geheimzinnigheid. Het betekende ook dat ik het Guyon niet hoefde te vertellen en om de een of andere reden had ik het vermoeden dat hij onze relatie niet zou goedkeuren. Bovendien vond ik het prima dat ik zodoende ongemakkelijke ontmoetingen tussen mijn moeder en Tonino kon vermijden en ik niet verwikkeld raakte in zijn publieke leven. Het was gemakkelijker voor ons om samen apart te blijven. Dat betekende dat we de realiteit uit de weg konden gaan.

Ik trok niet eens letterlijk bij hem in. De keukenspullen die ik had gekocht bleven onuitgepakt. Waarom zou ik ze uitpakken, Tonino had immers alles wat we nodig hadden? Alle kunst aan de muren was van hem, alle meubels, alles. Ik glipte min of meer zijn huis in en stopte mijn bezittingen in een paar hoekjes en gaten: een paar kleren in de kledingkasten en laden, een paar cd's naast de stereo. Iemand die toevallig binnenkwam en om zich heen keek, zou nooit kunnen denken dat ik daar woonde.

Niet dat Tonino ooit mensen uitnodigde. Zijn publieke gezicht was alleen voor het restaurant en zodra hij zijn voordeur achter zich dichtdeed, betekende dit privacy. Zelfs in het appartement bleef een deel van zijn persoonlijkheid verborgen. Ik had me bijvoorbeeld nooit gerealiseerd dat hij zo'n lezer was tot ik in een kast stapels boeken vond: romans, veel literatuur en dikke pillen over geschiedenis en kunst. Tot dat moment had ik gedacht dat de enige boeken in het appartement de netjes gerangschikte kookboeken in de keuken waren.

Tonino liet heel langzaam meer van zichzelf zien, stukje bij beetje. Dat was een kwelling, maar het hield me geïnteresseerd, nieuwsgierig. En langzaam maar zeker vergat ik dat ik eigenlijk de andere broer wilde. Ik nam de weg van de minste weerstand en bleef bij deze.

Babetta

Babetta had er al bijna meteen spijt van dat ze had beloofd appartementen in Triento te bekijken. Sofia had al snel een serie afspraken gemaakt met de *signora* van het verhuurbedrijf, waarna Babetta een vermoeiende dag doorbracht met het bekijken van miezerige kamers in oude stenen huizen.

'Deze zou er heel leuk uitzien met rode geraniums op de vensterbank,' zei Sofia opgewekt. 'En met leuke gordijnen en kussens om het op te fleuren. Denk je ook niet? Of die andere met dat terrasje? Misschien zou je daar zelfs wat kruiden kunnen kweken.'

'Die had te veel schaduw. Daar zou ik de zon nooit te zien krijgen,' antwoordde Babetta.

'Je moet niet zo negatief doen over al die huizen, mama. Niets is perfect.'

Babetta vertelde haar niet dat ze omhoog had gekeken toen ze op dat terras stond en ze alleen maar een minuscuul stukje blauw had kunnen zien, niet groter dan een zakdoek.

'Die vond ik gewoon niet mooi,' zei ze koppig. 'En deze ook niet.'

'Nou, je zult toch ergens moeten wonen.' Sofia's geduld raakte op. 'De *signora* heeft heel veel tijd voor je vrijgemaakt, weet je.'

'Dat heb ik haar niet gevraagd,' zei Babetta koppig. Toen ze omhoogkeek, zag ze een smal strookje lucht tussen de smalle steeg met aan weerszijden oude huizen.

'Mijn moeder woont al jaren in hetzelfde huis,' hoorde Babetta Sofia tegen de *signora* van het verhuurbedrijf zeggen. 'Ze zal het moeilijk vinden om te verhuizen.'

De vrouw, kordaat en zelfverzekerd in haar broekpak, begon haar geduld ook te verliezen en knikte alleen maar. 'Nog één woning, meer heb ik er niet,' zei ze. 'Triento is klein en de mensen hier houden hun huis tegenwoordig aan om het als vakantiewoning te verhuren. Er zijn niet veel woningen meer voor de mensen die hier al jaren wonen.'

Babetta vond de laatste woning ook niets, al ontdekte Sofia heel veel dingen die ze geweldig vond: een moderne keuken, een douche, bad en bidet, een stukje uitzicht op de *piazza*. 'Ik vind dit de mooiste tot nu toe, mama. Een beetje duurder dan de andere, maar ik vind dat we het moeten nemen. Je hebt spaargeld genoeg. Je kunt het je wel veroorloven.'

'Ik zal erover nadenken,' zei Babetta.

'Het is heel dicht bij de markt en de bakker, zie je wel? Daar kun je elke dag naartoe om even met Silvana te kletsen. Dan blijf je op de hoogte van alle roddels.'

Babetta zat er helemaal niet op te wachten om dagelijks een oude vrouw over andere mensen te horen praten. 'Ik zal erover nadenken,' herhaalde ze.

En nu zat ze weer in haar rieten stoel, de lucht strekte zich boven haar uit tot helemaal aan de horizon. Ze wist dat Sofia gelijk had en dat ze dit huis vroeg of laat zou moeten verlaten. Toch was het al bijna lente en ze was van plan dezelfde werkzaamheden in de moestuin te doen als anders: ze zou tomatenplantjes bij de houten stokken planten die Nunzio in de grond had gestoken, mest in de grond werken rondom de artisjokken, rucolazaad zaaien in de meest vruchtbare aarde en als ze heel veel geluk had, kon ze misschien nog één seizoen haar eigen groenten oogsten.

Alice

Inmiddels was ik tot de conclusie gekomen dat ik nooit een topchef zou worden. Ook al bleef Tonino herhalen dat ik er het talent voor had, wist ik dat ik de drive miste. De keukens waar ik het liefste werkte, waren de keukens die me deden denken aan Raffaella's keuken: kleine buurtbistro's met een kleine menukaart en vriendelijk personeel. Ik was opgehouden mezelf te overvragen, ik wilde niet langer alleen maar leren en ik begon me zelfs te ontspannen in mijn vrije tijd.

Overdag was ik vrij, omdat Guyon me niet langer nodig had. Hij had zijn drinken onder controle, net als zijn werk in het vegetarische restaurant. En omdat ik geen huur meer betaalde, hoefde ik me niet erg druk te maken over hiaten tussen mijn tijdelijke baantjes. Ik had heel veel vrije tijd en vond dat prima. Ik las de boeken die ik in Tonino's kasten vond of werkte in de keuken. Ik volgde een cursus taartdecoratie en kwam tot de ontdekking dat ik daar wel aanleg voor had, maar ik had geen enkele behoefte me hier verder in te bekwamen. Ik zag mezelf nog niet de kost verdienen met het versieren van bruidstaarten. Ik zag mezelf eigenlijk helemaal niets doen.

Op een ochtend zat ik heel ontspannen in een koffiebar in Covent Garden de krant te lezen toen ik bij de recensies opeens een foto van Leila zag. Net als ik zag ze er wat ouder uit, ze had fijne lijntjes om haar ogen die er een paar jaar geleden nog niet waren geweest. Toen ik naar haar foto keek, realiseerde ik me dat ik haar miste. Daarna wijdde ik mijn aandacht aan het artikel ernaast, een recensie over de roman die ze had gepubliceerd, *Soul Sisters*. De recensent vond hem prachtig. Hij zei dat het boek fris, origineel en knap was geschreven, dat ze een nieuw talent was en men haar in de gaten moest houden. Wat me verbaasde was dat, hoewel Leila me had verteld dat ze een verhaal over een hond schreef, in de hele recensie het woord hond niet voorkwam. Hij schreef dat het verhaal ging over twee jonge vrouwen die elkaar tijdens hun studietijd leren kennen, elkaar uit het oog verliezen nadat een van hen met het vriendje van de ander slaapt en dat het jaren duurt voor ze elkaar terugvinden.

Ik las de recensie zeker drie keer, geschokt en woedend dat Leila ons verhaal zonder mijn toestemming had gebruikt. Ja, ze had onze namen en een paar feiten veranderd, maar iedereen kon weten dat het verhaal op ons was gebaseerd.

Vlak bij het station van de ondergrondse was een boekwinkel en ik ging er dus meteen naartoe om te zien of ze Leila's boek ook hadden. En ja hoor, er lag een hele stapel, met de uitgeknipte recensie ernaast. Met enige tegenzin omdat ik in feite geld in haar zak stopte, kocht ik een exemplaar en ging linea recta met een taxi terug naar Tonino's loft. Ik werd altijd duizelig als ik in een rijdende auto zat te lezen, maar toch kon ik me niet beheersen en las het eerste hoofdstuk al tijdens de rit.

Leila schreef precies zoals ze praatte: koket, grappig en altijd met een ingehouden dramatiek. Toen ik haar boek die middag las, zag ik hoe slim ze het had aangepakt: ze had stukjes uit ons leven verweven met andere ideeën en herinneringen. Het was niet precies ons verhaal, maar in vrijwel elk opzicht leken de personages op ons.

De beide vrouwen in het verhaal hadden bijvoorbeeld geen vader, net als Leila en ik. Ze wist heel goed dat mijn vader was weggegaan toen ik nog klein was en een gezin had gesticht met een andere vrouw. Ik had haar vaak verteld dat hij me, zodra ik een tiener was geworden, nog maar zelden een kerst- of verjaardagskaart stuurde. Op haar beurt had zij me verteld dat haar vader een getrouwde man was met wie Aurora een korte affaire had gehad en dat Aurora hem nooit had verteld dat ze zwanger was geworden.

Ik had altijd gedacht dat het ontbreken van een vader iets was wat Leila en ik met elkaar gemeen hadden en tijdens het lezen van haar boek leek het alsof zij dat met me eens was. Dat was wat haar personages met elkaar verbond, waardoor ze een nauwe band met elkaar hadden, ondanks dat een van hen onconventioneel en wild was, net als zij, en de ander nogal gewoontjes en uit de arbeidersklasse, net als ik.

Inmiddels was ik niet meer boos, maar geïntrigeerd geraakt door Leila's interpretatie van onze levens. Toen ik bij de passage kwam waarin zij met mijn vriendje sliep, was ik verontwaardigd. En tegen het einde, toen Leila de beide personages weer bij elkaar liet komen, was ik bijna in tranen.

Het was al donker toen ik het boek uit had. Ik was in een dromerige, enigszins afwezige stemming; zoals vaak nadat je urenlang in een stille kamer hebt zitten lezen. Ik wist niet goed wat ik moest voelen. Ergens vond ik dat Leila er verkeerd aan had gedaan om ons verhaal te pikken. Had ze zich soms niet gerealiseerd dat ik het verhaal ook zou lezen? Ik wilde haar bellen, haar vragen wat ze wel niet dacht, maar als ik contact met haar zou opnemen, zou ik mijn leven weer op de kop zetten. Daarom sloeg ik het boek dicht, legde het in een van Tonino's anonieme kastjes en besloot het maar te vergeten.

Maar een paar weken later werd mijn schone nieuwe leventje voor de tweede keer overvallen door mijn warrige oude leventje. Ik liep over Long Acre in Covent Garden gedachteloos naar de etalages te kijken, toen iemand me tegemoet liep die me bekend voorkwam. Rossig haar, helemaal niet knap, een sigaret rokend... 'Charlie!' riep ik.

Hij keek op en glimlachte. 'Hé, Alice,' zei hij, alsof we elkaar gisteren nog gesproken hadden.

'Wat doe jij hier?' Ik was belachelijk blij hem te zien.

'Heb een dagje vrijgenomen. Maak een rondje langs een paar muziekwinkels. En jij?'

We blokkeerden het drukke trottoir, zodat de mensen om ons heen moesten lopen. 'Ik loop ook maar wat te dwalen. Zullen we ergens iets gaan drinken?' vroeg ik impulsief. 'Een eindje verderop is een pub.'

'Uitstekend. Dan trakteer ik je op een biertje,' zei Charlie.

Hij leek helemaal niet veranderd. Hij had hetzelfde soort rugzak bij zich, boordevol tweedehands boeken en kranten, dezelfde enigszins versleten kleren, dezelfde lompe Doc Marten-schoenen.

'Dát is lang geleden, hè?' vroeg ik terwijl de barkeeper onze glazen volschonk. 'Ik heb je een paar keer geprobeerd te bellen, maar...'

'Ik wilde je echt een tijdje niet zien, Alice. Dat zou ik te moeilijk hebben gevonden.'

'Dat begrijp ik. Soms is dat de enige manier om ergens een einde aan te maken.'

Even praatten we over onbelangrijke dingen, vooral over ons werk. Charlie had een paar promoties gekregen en zijn carrière in de filmwereld verliep voorspoedig. Hij leek verbaasd dat mijn carrière helemaal tot stilstand was gekomen. 'Als je niet zo gedreven was geweest toen wij nog samen waren, was alles misschien anders gelopen,' zei hij spijtig.

'Je hebt er toch geen spijt van? Dat je bent weggegaan?'

'Alles is goed uitgepakt,' zei Charlie alleen maar.

Hij haalde iets uit zijn binnenzak, een geplastificeerde foto: een vrouw met donker haar had een pasgeboren baby op de arm en rustte met haar wang op zijn hoofdje.

'Van jou?' vroeg ik.

Hij knikte. 'We zijn nog niet zo lang samen, Mary en ik. Ze maakt me geen verwijten, ze neemt me niets kwalijk, nog niet in elk geval, en we hebben Grace. Een schatje, vind je niet?'

'Ze zijn allebei heel mooi.'

'Dat had jij kunnen zijn, Alice.' Door de manier waarop hij dat zei, voelde ik even medelijden met Mary.

'Nou ja, ik heb ook een relatie,' zei ik snel. 'Ik woon samen met Tonino Ricci, de chef van het Teatro. Weet je nog?'

Zodra ik de woorden had uitgesproken, had ik er al spijt van. Wat ik met Tonino had was zo zorgvuldig afgemeten, en nu ik het een relatie noemde en er met Charlie over praatte, werd de betovering verbroken. Toen pas drong het tot me door dat de hele situatie verre van normaal was, eigenlijk niets voorstelde. Dat had ik natuurlijk aldoor wel geweten, maar ik had dat feit gewoon verdrongen.

'Is hij de man met wie je kinderen denkt te krijgen?' vroeg Charlie terwijl hij zijn kostbare foto weer veilig in zijn zak stopte.

'Ja,' zei ik, me vastklampend aan deze fictie. 'Dat denk ik wel. Misschien, als de tijd voor ons allebei rijp is.'

DEEL DRIE

Ken je het gevoel dat je helemaal losstaat van
je eigen leven? Het overkomt me regelmatig dat
ik de sleutel in het slot van mijn voordeur steek en bijna
niet kan geloven dat het míjn deur is en míjn leven.

— Sheherazade Goldsmith,
Brits activiste en lid van de beau monde

Alice

In het volgende decennium bouwde Tonino een imperium op en werd ook bekend buiten het Londense culinaire wereldje. Dat was de tijd waarin chefs niet langer mensen waren die alleen maar kookten, maar méér werden: beroemdheden met verschillende restaurants, kookboeken en fans, die een opvallend leven leidden. Tonino genoot daar veel meer van dan ik had verwacht.

Toen hij echt geld begon te verdienen, kocht hij een groot huis even buiten een leuk dorpje in Hertfordshire en uiteindelijk trok ik me daarin terug. Het was een sprookjesachtig Engels landhuis: oude rode bakstenen muren begroeid met klimop en een grote ommuurde moestuin. Omdat ik toch alle tijd had, begon ik de aarde te bewerken zoals Babetta me jaren eerder had geleerd. Ik ben uren bezig geweest met het door de aarde werken van goed gerotte mest en compost en het planten van zaailingen. Het was er natuurlijk kouder dan in Italië en daarom kweekte ik mijn tomaten in een leuke kas die Tonino voor mijn verjaardag had gebouwd. Elk voorjaar maakte ik mijn moestuin weer groter, plantte fruitbomen en bessenstruiken, en bracht al het land weer in cultuur.

Soms stapte mijn moeder in de trein naar het zuiden, maar ze voelde zich niet op haar gemak als Tonino er was. Daarom kwam ze eigenlijk alleen als hij werkte. Ik was er dus heel vaak alleen, maar dat vond ik niet meer zo erg. Het huis was voorzien van sterke sloten en een alarminstallatie, en er woonden maar weinig mensen in het dorp: een paar niet-werkende moeders die altijd wel zin hadden in een kop koffie en enkele ouderen die stekjes met me ruilden. Ik voelde me er veilig. In de lente en de zomer werkte ik urenlang in de tuin, in de herfst maakte ik alles wat ik had gekweekt in en in de winter kon ik dromen.

Ik bleef buiten het licht van de schijnwerpers die op Tonino waren gericht. Als de pers langskwam voor een artikel over zijn prachtige biologische moestuin, dan fotografeerden ze hem in rubberlaarzen terwijl hij aardappelen opgroef of manden vulde met groenten of met verse eieren van onze kippen. Als de journalisten beter hadden opgelet, zouden ze hebben gezien dat zijn rubberlaarzen amper waren gedragen en dat er geen spoortje aarde onder zijn nagels zat. Maar ze gingen naar huis met het verhaal dat ze wilden, over het idyllische buitenleven van de topchef, over de zelfgemaakte zoetzure groenten en jams die op de lokale boerenmarkt werden verkocht, over de bonen die hij had geplukt om een lunch met *pasta e piselli* voor hen te maken, over de geur van het gistbrood in de oven. Ze wisten niet dat hij achter hen aan reed, nog geen uur nadat zij naar de stad waren vertrokken, want zelfs op zondagmiddagen had Tonino allerlei verplichtingen. En ik bleef achter om weer een week in mijn tuin te werken.

Er was bijna altijd wel iets te doen, onkruid wieden, bomen snoeien, zaailingen uitplanten. In de winter vond ik het af en toe heerlijk om nette kleren aan te trekken en naar Londen te gaan om samen met Tonino te lunchen in een van zijn vele vestigingen. Het biologische eethuis in Belgravia bijvoorbeeld, waar een plank boordevol stond met door mij geconserveerde groenten en fruit.

Inmiddels wist men het natuurlijk van ons. Guyon had het algauw na mijn verhuizing naar het platteland ontdekt en zodra hij over zijn verbazing heen was, uitte hij er zijn afkeuring over.

'Waarom Tonino in vredesnaam?' vroeg hij.

'Ik weet het niet… dat gebeurde gewoon.'

'Van jou had ik meer verwacht.' Hij was boos op me. 'Hoe zit het met je ambities? Heb je die gewoon opgegeven?'

'Weet je, ik weet niet eens zeker of ik wel echt ambities had,' bekende ik. 'Wat ik wel had was dat gevoel dat ik elk moment moest leven, alles uit mijn leven moest persen. Maar dat kan niet echt, denk je wel? Misschien ligt het echte geheim erin dat je tevreden bent met wat je hebt in plaats van altijd iets anders na te jagen.'

'Maar je moet toch een doel hebben in je leven?'

'Volgens mij heb ik dat ook. Mijn doel van dit jaar is het aanleggen van een aspergeperk. Misschien ga ik wel meer tomaten kweken en dan maak ik daar tomatensaus van die Tonino in zijn restaurant kan verkopen.'

'Je leven staat dus op een laag pitje,' zei Guyon. 'Hier op het platteland gaat alles in een rustig tempo en heb je alle tijd van de wereld.'

Hij bedoelde het minachtend, maar ik vond een rustig leventje wel prettig.

'Hoe ziet je toekomst eruit?' drong hij aan.

'Dat weet ik niet,' bekende ik. 'Maar dat weet niemand immers.'

Ik vertelde hem niet dat mijn relatie met Tonino nog altijd even onduidelijk was. Het was ongelooflijk, maar hij had zijn familie nog steeds niets verteld. Hij hield hen op afstand, zei dat ze niet naar Londen hoefden te komen omdat hij het zo druk had en de enkele keer dat hij naar Italië ging, bleef ik in Engeland.

In de korte momenten dat we samen waren, was Tonino heel lief. Maar ik had geen idee wat hij deed als we niet bij elkaar waren. Zijn toekomstbeeld omvatte alleen maar meer werk, meer succes. Ondanks de continue druk van zijn moeder was er nooit sprake van een huwelijk of kinderen. Volgens mij heb ik me nooit gerealiseerd dat ik die dingen wel wilde, tot het tot me doordrong dat ik ze niet zou krijgen.

Tonino was niet op de hoogte van bepaalde facetten van mijn leven. Ik bedoel niet alleen mijn tuin, mijn vrienden in het dorp en zelfs niet dat ik tijd met Guyon doorbracht. Maar ik deed ook andere dingen waarover ik hem niets vertelde.

Twee keer per maand nam ik de trein naar Londen en ontmoette Charlie. Meestal gingen we naar Regent's Park Zoo of naar het museum, overal waar kinderen zich konden vermaken.

Charlie had er inmiddels twee, Grace en Mia, met vlechtjes die hij even strak probeerde te vlechten als hun moeder Mary dat kon. Hun relatie was niet goed gebleven en ze waren uit elkaar gegaan toen Mia nog een baby was. Charlie had de meisjes om het weekend en die tijd leek hij helemaal te willen volproppen met activiteiten. Op die dagen zat zijn tas vol kleurboeken en barbiepoppen, en hij kende de tekst van allerlei liedjes die niet in de top 10 stonden. Maar in de meeste andere opzichten was hij nog altijd mijn Charlie, de persoon bij wie ik me het meest op mijn gemak voelde. En ik genoot van het idee van mijn geheime afspraakjes met hem.

We hielden contact per e-mail en mijn hart maakte altijd een sprongetje als ik zag dat hij me had gemaild. Vaak deed ik mijn laptop speciaal aan om te controleren of er een nieuwe e-mail van hem was. Vaak schreef hij over een boek dat ik volgens hem mooi zou vinden of een film die ik echt moest gaan zien.

Soms deed ik alsof zijn dochters van mij waren. Dan kamde ik hun haar of ging er niet tegen in als iemand me hun moeder noemde. Zij noemden me tante Alice en als we een drukke weg overstaken legden ze altijd hun handje in de mijne. Het waren lieve meisjes en ik was jaloerser op Mary vanwege hen dan ik ooit op haar was geweest vanwege Charlie.

Als Tonino had geweten dat Charlie en ik elkaar soms zagen, zou hij jaloers zijn geworden. Dat zou zijn mannelijke trots een knak hebben gegeven. Ook al was onze vriendschap platonisch, ik vond het niet nodig een probleem te creëren. Daarom hadden Charlie en ik de afspraak dat hij me nooit thuis zou bellen.

Maar op een zondagochtend belde hij me op mijn mobieltje. Toen ik zijn stem hoorde schrok ik. 'Wat is er!?' siste ik.

'Ik heb net de krant gehaald en daarin staat het overlijdensbericht van Leila's moeder,' vertelde Charlie. 'Ze is overleden aan een zeldzame bloedziekte waarvan niemand wist dat ze die had. Sorry hoor, maar ik dacht dat je dat wel wilde weten.'

Toen we de verbinding hadden verbroken, bleef ik op de rand van het bed zitten. Ik kon niet geloven dat zo'n levendig iemand overleden was. De dood van Aurora, met haar liefde voor de lucht en haar kalme gulheid, voelde als een bijzonder schokkend verlies. Misschien kwam het doordat ik haar na die zomer in Villa Rosa nooit meer had gezien en ik haar dus niet ouder had zien worden. Of misschien kwam het doordat ze zo veel op Leila leek. Maar ik had het gevoel alsof de grond onder me wegzonk en alle zekerheden in mijn leven verdwenen waren.

'Wie was dat?' vroeg Tonino met een slaperige stem. We lagen lang in bed omdat het zondag was en hij sliep nog half.

'Een vriend belde om te vertellen dat Leila's moeder is overleden. Ik kan het gewoon niet geloven.'

'Google haar maar even,' stelde hij voor, nog steeds met zijn ogen dicht. 'Kun je kijken of het waar is.'

Dat deed ik en ik vond er al een paar artikelen over. Dat kwam natuurlijk doordat Aurora een bekende figuur was in de kunstwereld en Leila beroemd was vanwege haar bestsellers. Tijdens het lezen van de artikelen kreeg ik het gevoel dat ik iets moest doen. Leila was nu alleen, het minste wat ik kon doen was haar een kaart of een brief sturen.

Ik was de halve dag bezig met het schrijven, terwijl de regen tegen de ramen sloeg en me uit mijn tuin hield. Tonino verveelde zich, hij nam de trein naar Londen, en ik bleef worstelen met oubollige zinnen en afgezaagde condoleances. De kans was groot dat Leila zakken vol post kreeg en dat ze mijn brief niet eens zou lezen, maar toch leek het heel belangrijk dat ik het goed deed.

Uiteindelijk beschreef ik een paar herinneringen aan die zomer met de blauwe luchten: over de keren dat ik Aurora had zien zitten achter haar ezel op de rotsen bij de zee, dat ik had geprobeerd haar te verleiden naar huis te komen om een beetje pasta te eten, dat ik bij zonsondergang samen met haar een *limoncello* had gedronken. Onderaan schreef ik mijn naam en ik bracht de brief naar de brievenbus voordat ik me kon bedenken. Ik had geen idee waar Leila nu woonde, maar op internet had ik het adres van haar agent gevonden. Ik hoopte dus dat mijn brief werd doorgestuurd.

Ongeveer een maand later kreeg ik antwoord. De brief was geschreven in haar vertrouwde priegelige handschrift en toen ik hem las kon ik Leila's stem gewoon horen:

Lieve Alice,

Wat was het fijn om je brief te krijgen. Ik ben zo somber door het verdriet van mezelf en van andere mensen, zo uitgeput door alles. En door al die praktische dingen die gedaan moeten worden als iemand de wereld heeft verlaten. Het was dan ook een opluchting om je brief te lezen en me te laten meevoeren met

je herinneringen. Ik heb nooit meer zo'n tijd meegemaakt als die zomer, ook al ben ik later nog regelmatig op Villa Rosa geweest. Tja, Villa Rosa. Ik moet beslissen wat ik daarmee wil. Verkopen, verhuren, houden... Ik weet het gewoon niet. Ik wil nog steeds mijn moeder om advies vragen. Ik heb zelfs een keer haar mobiele nummer gebeld. Stom, hè?
Het was altijd net alsof je mijn zus was, Alice. Nu ben ik alleen en heb ik heel veel behoefte aan een zus. Zou je terug willen komen? Zou je naar Villa Rosa willen komen en me helpen te besluiten wat ik ermee moet doen? Ik kan het ook wel aan andere mensen vragen, maar om de een of andere reden voelt het beter als jij het bent. Zeg alsjeblieft dat je komt!

Heel veel liefs,
Leila

Die brief verraste me. Ik had een afstandelijker brief verwacht. Ik had Leila jaren geleden immers zo slecht behandeld? Vooral in het begin had ik haar vaak willen bellen, maar mijn trots weerhield me toen. Daarna had ze haar boek gepubliceerd en werd ze beroemd en was het te laat. Als ik toen contact met haar had opgenomen, zou ze hebben gedacht dat ik dat alleen maar deed om met haar succes te pronken.

Nu bood Leila me de kans weer met haar om te gaan. Maar als ik die kans greep, betekende dit dat ik terug moest naar Triento en ik wist niet of ik dat wel kon.

Er waren heel veel redenen om nee te zeggen: de complicatie dat Tonino's familie daar woonde, de waanzin om dat te doen met iemand die ik al meer dan tien jaar niet had gezien, het werk in mijn tuin waardoor ik altijd thuis moest zijn. Maar ik vroeg me toch af of het goed zou zijn om wel te gaan.

Misschien verveelde ik me en begreep ik dat mijn leven wel een oppepper kon gebruiken. Misschien kwam het alleen maar doordat ik Leila miste. Wie weet echt waarom hij iets doet? Maar ik pakte mijn laptop, typte het e-mailadres in dat boven aan de brief stond en mailde haar mijn antwoord: 'Oké, ik kom!'

Villa Rosa

Iemand had de hekken en de luiken van Villa Rosa geopend. In het huis speelde een radio en bij de voordeur stond een emmer met een mop erin. Het was niet meer dan een snelle schoonmaak, want er was niet voldoende tijd om het huis goed wakker te schudden, om de muren te verven en het stoffige hout weer te laten glanzen. Alleen het ergste vuil zou worden weggehaald, de vloeren geveegd en gedweild, doffe oppervlakken opgepoetst.

'Waar komt al dat stof toch vandaan?' Raffaella's stem klonk uit een van de slaapkamers boven. En even later: 'Ik had nooit gedacht dat ik dit huis weer eens zou schoonmaken. *Porca la miseria*, zou ik ooit nog leren om nee tegen iemand te zeggen?'

Nadat ze de bedden had verschoond, liep Raffaella naar beneden. Ze stond in de deuropening naar de verwaarloosde tuin te kijken. Hier moest nog heel veel gebeuren, maar zij zou dat zeker niet doen. Misschien was er nog wel tijd om de bloembedden vlak bij het huis te schoffelen of om een paar potten met margrieten op de muur te zetten voor wat fleurigheid.

'Wat jammer,' mompelde ze. 'Wat ontzettend jammer.' Daarna pakte ze de emmer en de mop en begon de keukenvloer te dweilen.

Toen ze had beloofd het huis klaar te maken voor de Engelse schrijfster, had ze gedacht dat die klus met een paar uur wel bekeken was. Ze wilde haar graag een plezier doen. Maar Raffaella was vergeten wat verwaarlozing doet met een huis, hoe de tijd zich als een dikke laag stof op lege vertrekken vlijt, hoe schimmel en vocht in lege ruimtes gedijen.

Ze begon zich af te vragen of dit huis iets had waardoor het steeds weer werd verlaten. Ja, de voorgevel had een kleurtje nodig en de verwilderde tuin moest dringend worden opgeschoond. Maar zelfs áls het weer mooi werd gemaakt, zou iemand er dan echt van gaan houden?

Villa Rosa was amper veranderd sinds Raffaella een meisje was. Ze was hier voor het eerst gekomen toen ze net weduwe was geworden en zich afvroeg wat het leven nog voor haar in petto had. Meestal kookte ze voor de Amerikaan die het beeld van Christus op de berg had laten bouwen en ze wist nog dat ze heel erg onder de indruk was geweest van zijn knappe uiterlijk en zijn belangrijkheid. Uiteindelijk was Villa Rosa voor hen allebei niet meer geweest dan een tussenstation, een fijne plek tussen het ene leven en het andere. Ze waren er even gebleven, net als ieder ander.

Raffaella vond dat het huis meer verdiende, een eigenaar die hier zomer na zomer, dag na dag zou blijven. Terwijl ze de keukenvloer dweilde en overwoog om de oven ook nog schoon te maken, vroeg ze zich af wat Villa Rosa te wachten stond.

Alice

Het was heerlijk om Villa Rosa weer te zien. Ik had me afgevraagd wat er allemaal kon zijn veranderd in de afgelopen jaren, maar zodra ik het huis door de geopende hekken zag, wist ik dat alles nog precies hetzelfde was.

Ik was naar Rome gevlogen, had de trein naar het zuiden genomen en was op het station van Triento in een taxi gestapt. Terwijl de taxichauffeur over de kronkelende kustweg reed, bleef ik naar het uitzicht kijken. Leila zou in Villa Rosa op me wachten, maar ik probeerde niet aan haar te denken. In plaats daarvan keek ik naar de gelaagde klippen en de manier waarop de golven de rotsen hadden uitgehold. Ik keek naar de weidse zee en omhoog naar de eindeloze hemel, naar alle dingen die ik zo verschrikkelijk had gemist.

Toen de taxi stopte, keek ik even naar Babetta's oude huisje. Het was zo'n lieve oude vrouw geweest en ik vroeg me af hoe het haar was vergaan. Dood, waarschijnlijk, na al die jaren. En ik hoopte dat ze dan op een rustige manier was gestorven.

Toen kwam Leila naar buiten. Ze bleef onder de granaatappelboom staan wachten terwijl ik met de euro's voor de taxi worstelde. Ze zag er prachtig maar kwetsbaar uit.

'Ciao, bella!' riep ze. Dat was een korte opleving van de oude Leila, want lang hield ze het niet vol. Ze was bleek van verdriet. Toen ze me een glas *limoncello* gaf en voor me uit liep naar het terras zei ze afwezig: 'Op de herinnering.'

Leila zag er uitgeput uit. Haar huid was grauw en er zaten grijze strengen in haar donkere haar dat ze slordig uit haar gezicht had gekamd.

'Het spijt me,' zei ik. Wat moest ik anders zeggen?

Ze keek me aan. 'Wat spijt je?'

'Je verlies... en dat ik je in de steek heb gelaten.'

Leila zei peinzend: 'Misschien moeten we dit meteen maar uitpraten. Denk je ook niet? Dan kunnen we het daarna misschien vergeten. Vertel eens, Alice, waarom heb je me op die manier laten vallen? Me afgewezen? Kwam dat alleen door dat gedoe met Lucio?'

Ik had geweten dat deze vraag zou komen en toch had ik geen antwoord klaar. 'Ik weet het niet,' zei ik onzeker.

'Je wist toch hoe belangrijk je voor me was?' Leila was niet van plan me te ontzien. 'Hoe erg ik je vriendschap nodig had?'

Ik keek naar haar, vol afschuw, wensend dat ik dat gedoe met Leila had laten rusten, net als alle andere vervelende dingen waar ik niet over na wilde denken.

'Maar toch heb je me laten vallen,' zei ze verdrietig.

'Ik weet het... het spijt me.'

'Dat hoef je niet te blijven zeggen. Ik wil alleen maar begrijpen waarom.'

Ik speelde met mijn glas *limoncello* en probeerde een manier te bedenken om het uit te leggen.

'Vertel me waarom, Alice,' drong ze zacht aan.

'Misschien dacht ik dat als ik Lucio niet kon hebben, jij mij niet zou mogen hebben,' bekende ik ten slotte.

'Je strafte me dus?'

Beschaamd knikte ik. 'Dat denk ik wel. En tegen de tijd dat ik me realiseerde hoe stom dat was, leek het al te laat om het ongedaan te maken.'

'Na de publicatie van mijn eerste boek verwachtte ik dat je contact met me zou opnemen.' Leila klonk weemoedig. 'Dat boek was ons verhaal... mijn brief aan jou, op een bepaalde manier. Maar misschien heb je het nooit gelezen?'

'Ik heb ze allemaal gelezen, al je boeken, de interviews in kranten en tijdschriften,' zei ik. 'Alles, eigenlijk.'

'Toch heb je me nooit gebeld.'

'Ja, maar toen ging het al zo goed met je en daarom dacht ik dat het je niet meer zoveel kon schelen.'

Leila lachte schor. 'Mijn moeder begreep er niets van, weet je. Zij dacht dat ik je iets vreselijks had aangedaan. Ik vertelde haar over Lucio, maar ze geloofde niet dat dit alles was. Ze bleef vragen wat er nog meer was gebeurd. Het moet jouw schuld zijn, zei ze, want het is niets voor Alice om zoiets te doen.'

Ik voelde me steeds ellendiger. 'Waarom heb je gevraagd of ik wilde komen?' vroeg ik. 'Alleen maar om dit gesprek te kunnen hebben?'

'Nee, natuurlijk niet.' Ze raakte mijn elleboog even aan, haar vingers waren koud van het gekoelde glas. 'Zoals ik al schreef, heb ik altijd het gevoel gehad dat je mijn zus was. En nu ben ik alleen; mijn moeder is overleden; ik heb heel veel minnaars maar geen man, helemaal geen familie. Ik heb dus een zus nodig. Ik heb echt een zus nodig, Alice.'

'En daar koos je mij voor uit? Jij kunt mij wel vergeven, ook al kon ik jou niet vergeven wat je met Lucio hebt gedaan?'

'Ja,' was alles wat ze zei.

'Maar het wordt nooit meer hetzelfde. We zijn veranderd.'

'Natuurlijk zijn we dat.' Opeens glimlachte ze. 'Wat je niet weet is dat ik Charlie af en toe bel om te vragen hoe het met je is.'

'Je vindt Charlie niet eens aardig,' zei ik. 'Je vond het verschrikkelijk dat ik met hem ging.'

'O, dat weet ik niet, hoor. Misschien is dat gevoel nu verdwenen.' Leila haalde haar schouders op. 'Maar hij heeft me steeds op de hoogte gehouden van je leven.'

Het was een schok om te horen dat er achter mijn rug om over me was gepraat. 'Dan neem ik aan dat je het nu ook weet van Tonino?'

Ze knikte. 'Ja. Maar volgens Charlie ben je niet gelukkig. Hij zegt dat je bij Tonino bent omdat het gemakkelijk is. Eigenlijk heeft hij er nogal veel over te zeggen.'

Ik was vergeten dat je de mensen die jou goed kennen niet voor de gek kunt houden, hoe gemakkelijk zij alle pasgeverfde, nieuw aangelegde elementen kunnen lostrekken en de versleten plekken eronder kunnen blootleggen. Dat vond ik geen prettige gedachte.

'Ik woon in een prachtig huis en bepaal zelf hoe ik mijn dagen doorbreng,' zei ik, in de verdediging gedrongen. 'Iedereen kan jaloers zijn op mijn problemen.'

Leila glimlachte weer. 'Laten we het daar nu maar niet over hebben. Wil je nog wat drinken voordat we binnen iets gaan eten? Ja, ik heb voor je gekookt, maar het is niet veel bijzonders, hoor.'

Nu de stemming wat milder was geworden, kon ik goed om me heen kijken. Toen pas zag ik hoe verwaarloosd Villa Rosa er eigenlijk uitzag. Het huis had dringend een verfje nodig en in de lager gelegen terrastuinen waren niet-geoogste artisjokken uitgelopen tot paarse distelbloemen en een warrige kluwen tomatenplanten had zichzelf uitgezaaid.

'Wat verdrietig,' zei ik. 'Als Babetta hier nog was, zou ze het vreselijk hebben gevonden om haar moestuin zo te zien.'

Leila keek me even scherp aan. 'Babetta? Maar zij is er nog steeds! Eerlijk gezegd weet ik niet goed wat ik moet doen om haar uit het huisje hiernaast te krijgen.'

'Echt waar? Leeft die oude vrouw nog steeds?' Ik kon het niet geloven. 'Maar ze is vast al honderd!'

Leila lachte. 'Ik heb geen idee hoe oud ze is en dat vertelt ze ook niet. Het enige wat ik weet, is dat ze als een waanzinnige op die oude Vespa over de kustweg scheurt. Daar staat ze om bekend. Ze neemt het oude hondje Sky zelfs mee, in een gevlochten mand op haar rug. Het is echt een mal gezicht.'

'Je houdt me zeker voor de gek?'

Leila schudde haar hoofd. 'Dat zou ik wel willen. Ga maar even bij haar langs. Dat zal ze heel fijn vinden.'

De gedachte dat Babetta er nog altijd was, vond ik geruststellend. Misschien waren we niet allemaal zo erg veranderd door de tijd.

Toen de zon in de zee was gezakt en het roze licht van de lucht was gedoofd, gingen we naar binnen om te eten. Leila had een lichte maaltijd klaargemaakt: malse visfilets die ze in aluminiumfolie had gegrild met kappertjes, olijfolie en citroen, een salade van peperige rucola en een mandje met broodjes die ze in de oven had opgewarmd.

'Dit is verrukkelijk,' zei ik. 'Eenvoudig maar heerlijk.'

Ze trok haar neusje op. 'Dat complimentje verdien ik helaas niet. Raffaella heeft me verteld wat ik moest doen.'

'Raffaella?' Weer was ik verbaasd. 'Zie je haar vaak?'

'Ja, ze komt hier heel vaak. Nadat Babetta's man is overleden heeft ze haar min of meer geadopteerd. Het is helemaal haar schuld dat die oude vrouw op die Vespa rijdt.'

'Hoe gaat het met Raffaella?' vroeg ik. Ik kon mijn nieuwsgierigheid niet bedwingen. 'Nog altijd zo knap?'

'O ja,' zei Leila. 'Maar volgens mij blijft ze dat tot ze doodgaat.'

Ik keek naar mijn lege bord. 'Ik zou haar graag weer willen zien.'

'Ik weet zeker dat Raffaella jou ook heel graag wil zien. Je woont immers samen met haar zoon?'

'Maar dat weet ze toch niet?' vroeg ik snel.

Leila zei ongemakkelijk: 'Eh... toch wel. En dat is mijn schuld, want nadat Charlie me dat had verteld, zei ik er toevallig iets over tegen Raffaella. Ik wist niet dat het een groot geheim had moeten blijven.'

'Ik begrijp er niets van. Als zij het weet, waarom heeft ze er dan nooit iets over gezegd tegen Tonino?'

'Misschien voelt ze zich gekwetst. Of is ze boos. Dat is lastig te zeggen bij Raffaella. Maar zij en Tonino praten amper met elkaar, volgens haar heeft hij het te druk met zijn zaken om haar te bellen.'

Ik knikte. 'Dat kan wel kloppen.'

Het was verleidelijk om naar Lucio te informeren; ik vroeg me af of hij nog altijd pizza's maakte en nog altijd zo knap was... nog altijd single. Maar ik wilde mezelf niet toegeven dat ik nog altijd aan hem dacht. Daarom bracht ik het gesprek op een veiliger onderwerp en vroeg Leila of ze me iets over Babetta kon vertellen.

'Mijn moeder vond het goed dat ze in het huisje bleef wonen in ruil voor de verzorging van de hond en de tuin,' vertelde Leila. 'Maar nu is ze te oud om meer te doen dan de paden schoonhouden. Daar is ze zeker een uur per dag mee bezig en volgens mij doet ze net alsof ze niet ziet wat een puinhoop de rest is. Maar we hebben nooit de moed gehad iemand anders te laten komen om alles op te ruimen. Dat zou Babetta heel vervelend hebben gevonden.'

'Ik doe het wel,' bood ik aan. 'Ik zal de tuin wel eens goed aanpakken. Voor de lange termijn zul je wél iemand moeten inhuren. Tuinen zijn eigenzinnig, hoor. Als je ze alleen laat, gaan ze volstrekt hun eigen gang.'

'Wil je dat echt doen?' vroeg Leila opgelucht. 'Ik word er moedeloos van. Ik blijf zo veel mogelijk binnen, alleen al bij de gedachte dat het er buiten zo uitziet.'

Ik lachte. 'Ja, dat gevoel ken ik.'

Hierna was de sfeer tussen ons ontspannen. Leila haalde een dienblad waar ze kaas, gepelde walnoten en dunne plakjes fruit op had gelegd en zette het tussen ons in op de tafel. Het was fijn om daar zo te zitten eten en kletsen. Ik werd er vrolijk van.

Maar toen dacht ik aan wat ik buiten de hekken van Villa Rosa nog onder ogen moest zien: Raffaella's woede, Lucio's charme. Allemaal complicaties. Ik kon me hier maar beter zo lang mogelijk verstoppen tussen het hoge gras en het verspreid groeiende onkruid.

Babetta

Babetta had besloten zich in het zwart te kleden voor de Engelse kunstenares, ook al waren ze op geen enkele manier familie van elkaar. De vrouw was goed voor haar geweest en daarom leek het wenselijk om haar respect te bewijzen. En de oude zwarte jurken die ze voor Nunzio had gedragen, waren nog goed genoeg. Een steekje hier en daar en dan konden ze er wel mee door. Ze wist dat de jongelui van tegenwoordig zich niet hielden aan de juiste rouwrituelen, maar dat was geen reden om de manier waarop zij de dingen altijd had gedaan te veranderen.

Toen Babetta de stoffige zwarte kleren tevoorschijn haalde, hoopte ze dat dit de laatste keer was dat ze ze droeg. Er waren niet veel mensen over om wie ze gaf. Alleen haar dochter, haar twee lieve kleindochters die pas ter wereld waren gekomen nadat artsen zich ermee hadden bemoeid, en Raffaella die bijna voelde alsof ze familie was. Zij zouden haar toch zeker allemaal overleven?

Niet dat Babetta het gevoel had dat haar eigen einde al in zicht was. Haar lichaam werd elk jaar natuurlijk pijnlijker, haar botten waren ingezakt en haar rug was iets gebogen, alsof ze altijd gebukt stond boven een stukje aarde dat dringend gewied moest worden. Maar sinds Raffaella haar op de Vespa had gekregen, had ze het gevoel dat er een jongere vrouw in haar versleten lichaam woonde. Een vrouw die graag zonder helm reed zodat de wind door haar haren waaide, die de scooter zo snel mogelijk liet rijden, gewoon omdat ze dat leuk vond. Een vrouw die zich veel vrijer voelde dan ooit tevoren.

Het verbaasde Babetta hoe haar leven was veranderd. Haar leven leek vol kleine pleziertjes. Meestal reed ze 's ochtends naar de haven en bleef daarna een paar uur in de *trattoria* waar ze net deed alsof ze Raffaella hielp. Ze sneed een stukje prosciutto of dekte een paar tafels, maar meestal dronk ze koffie en at iets wat Ciro voor haar neerzette. Hij hield ervan nieuwe gerechten uit te proberen en zij was altijd bereid hem haar mening te zeggen.

's Middags veegde ze de paden van Villa Rosa schoon en genoot van de manier waarop het onkruid de tuin in bezit had genomen. Vroeger zouden haar vingers hebben gejeukt om ze eruit te trekken, maar nu zag ze daar het nut niet van in. Het onkruid zou toch terugkomen, en de veerkracht ervan was ook mooi, zoals het door elkaar heen groeide en zich zo snel verspreidde, ongelooflijk overvloedig.

Af en toe plantte ze een paar zaailingen die ze vervolgens vergat. Weken later ontdekte ze dan dat ze dwars door het onkruid heen groeiden. Dan kon ze tomaten plukken ook al waren de planten niet keurig omhoog geleid of kon ze armenvol kruiden plukken om aan Raffaella te geven. De tuin was weliswaar verwilderd, maar hij verraste haar nog steeds met zijn grote oogst.

Als Babetta de paden schoon genoeg vond, reed ze op haar scooter naar Triento. Meestal dronk ze een kopje koffie in haar favoriete bar en daarna ging ze op Silvana's bank voor de bakkerij zitten. De oude vrouw was allang overleden, na een strenge winter, maar de mensen gingen nog altijd even op haar bank zitten om uit te rusten en verhalen en roddels uit te wisselen, zoals ze altijd al hadden gedaan. Het had Babetta verbaasd hoe fijn ze het vond dat ze hier nu ook deel van uitmaakte.

De wereld veranderde zo snel; dat vond zij in elk geval. Mensen wilden dingen die ze nooit eerder nodig hadden gehad. Toch was Triento niet veel anders dan het altijd was geweest. Babetta zag dezelfde gezichten bij de marktkramen en in de *salumeria*, ouder en gerimpelder maar nog steeds bekend. Mensen kookten gerechten die ze altijd hadden gemaakt en ze genoten van dezelfde plekken. Lente betekende het *festa*: vuurwerk, muziek en zigeunerkraampjes. In de zomer trokken de stranden nog altijd veel publiek. In de winter bleef iedereen vlak bij het haardvuur. Het leven verliep in vrijwel hetzelfde ritme.

En als er een einde aan een leven kwam, waren er altijd nog wel een paar oudjes in zwarte kleren die fatsoenlijk om dat verlies rouwden.

Alice

Even wist ik niet waar ik was. Ik herkende de witte muren niet, of de vale oude quilt die ik over me heen had getrokken. Het duurde een paar seconden voordat ik begreep dat ik terug was in Villa Rosa, in dezelfde kamer waarin ik jaren geleden had geslapen.

De vorige avond waren Leila en ik nog lang blijven zitten, drinkend en kletsend. We hadden een paar flessen wijn soldaat gemaakt, maar die was waarschijnlijk niet zwaar geweest, omdat ik goed had geslapen en wakker werd zonder een duf gevoel in mijn hoofd.

Allereerst had ik behoefte aan koffie, sterke zwarte koffie zoals de Italianen hem graag drinken. Daarna moest ik Tonino bellen. Hij was woedend geweest dat ik hier naartoe ging. Hij had het gevoel dat ik een stilzwijgende belofte verbrak. Ik had geen idee wat hij zou zeggen als ik hem vertelde dat zijn familie op de hoogte was van onze relatie. Het leek me beter om dat probleem af te handelen als ik weer terug was in Londen.

Leila lag nog in bed. Het huis was stil en de luiken waren nog dicht. Ik liep op mijn tenen door de keuken omdat ik haar niet wilde wekken. Aan de wallen onder haar ogen te zien had ze de laatste tijd niet veel geslapen.

Zodra de koffie klaar was, glipte ik naar buiten en liep door de hekken van Villa Rosa. Leila had me vermaakt met haar verhaal over Babetta die op de oude Vespa over de kustweg raasde en ik wilde de oude vrouw heel graag weer zien.

Misschien word je op een bepaald moment niet ouder. Het was al zo veel jaar geleden dat ik Babetta voor het laatst had gezien, maar de jaren leken nauwelijks invloed op haar te hebben gehad. Ze had meer rimpels, neem ik aan, en haar lichaam was iets gebogen, maar haar hele gezicht lichtte op door haar glimlach toen ze zag dat ik voor de deur stond, net als vroeger.

In de keuken blafte het oude hondje Sky, maar hij was te lui om zijn mand uit te komen. Babetta liep voor me uit door haar lage woonkamer en bood me een stoel aan bij het vuur waar ze al houtblokken op had gelegd om de ergste kou van deze koele lenteochtend te verdrijven.

Ze mompelde iets wat ik niet goed begreep in de taal die ik nog altijd niet kon verstaan en liep de kamer uit. Ze kwam terug en bracht een dienblad binnen met koffie en een schaaltje zoete koekjes die ze waarschijnlijk zelf had gebakken.

Ze praatte een tijdje in het Italiaans tegen me, terwijl ik glimlachte en knikte alsof ik haar begreep. Daarna maakte ze me duidelijk dat ik moest meekomen naar haar terras en de trap af naar de tuin.

De oude Vespa stond onder een golfplaten afdak. Babetta reed hem eruit en gebaarde dat ik achter haar moest gaan zitten.

Ik probeerde te weigeren en schudde mijn hoofd op een overdreven manier, maar ze bleef op het gerimpelde leer kloppen. *'Andiamo, andiamo,'* zei ze en opeens herinnerde ik me weer hoe moeilijk het altijd was geweest om tegen haar in te gaan.

We scheurden weg en reden de heuvel op, met zo'n snelheid dat de motor gilde, maar als Babetta me al hoorde protesteren, negeerde ze me. Vastbesloten reed ze door, auto's en vrachtwagens reden ons toeterend voorbij en het uitzicht schokte en trilde door de oneffen kustweg. Daarna reden we naar beneden, naar de haven.

Pas toen we gestopt waren kon ik weer gewoon ademhalen en om me heen kijken. Hier leek niet veel veranderd. Ik zag dezelfde krakkemikkige vissersboten naast chique jachten voor anker liggen, dezelfde boetieks en eethuisjes langs de haven en, helemaal achteraan, Raffaella's *trattoria* met de wapperende parasols ervoor, maar nu waren ze rood in plaats van blauw.

Babetta dreef me ernaartoe, ze trok aan mijn arm en duwde me met haar schouder vooruit. Ik stribbelde natuurlijk tegen, maar dat leek zinloos en daarom liet ik me door haar naar de rode parasols leiden. Het moest er immers toch een keer van komen.

'Raffaella!' riep de oude vrouw toen we dichter bij de *trattoria* waren. 'Raffaella!'

'Hallo, Babetta!' hoorde ik Raffaella terugroepen.

Nu al dreef de zoete geur van gefruite uien door de openstaande deur. Ernaast stonden dozen artisjokharten. Raffaella kwam naar buiten, veegde haar handen af aan haar schort en glimlachte. Toen ze mij zag, knipperde ze een paar keer en leek toen haar zelfbeheersing terug te hebben gevonden.

'Alice,' zei ze. 'Ben jij het echt?'

Zoals Leila al had gezegd, was Raffaella nog steeds heel knap. Haar haar was grijs en halflang, haar huid was gelijkmatig van kleur en ze had een meisjesachtig lichaam. Tonino leek in niets op haar; hij had het kalmere uiterlijk van zijn vader.

'Ja, ik ben het echt,' zei ik. Ik stond nog steeds iets achter Babetta, alsof ik bang was dat ik niet welkom zou zijn.

Raffaella glimlachte, liep naar me toe en kuste me op beide wangen. Daarna riep ze tegen Ciro dat hij moest komen en hetzelfde moest doen. Daarna stonden we elkaar even ongemakkelijk aan te kijken.

Babetta was zich niet bewust van deze spanning en verbrak de stilte met een lange opgewonden Italiaanse woordenstroom.

'Ze zegt dat ze je hier mee naartoe heeft genomen omdat ze me nodig heeft als vertaler,' vertelde Raffaella.

'Wat wil ze me vertellen?'

'Dat ze haar man Nunzio lang geleden heeft verloren en ze nu helemaal alleen is. Dat ze zich afvraagt waar jij het zo druk mee hebt gehad en waarom je al die jaren niet bij ons bent teruggekomen. Ze wil weten of je gelukkig bent, getrouwd bent, kinderen hebt. Wat zal ik tegen haar zeggen?'

'Nee, ik ben niet getrouwd...' Even aarzelde ze. 'En nee, ik heb geen kinderen.'

Raffaella fronste. 'Dat weet ik,' zei ze op een toon die alleen voor mij was bedoeld. 'Maar ik begrijp het niet.'

'Zo is het gewoon,' zei ik. 'Dat kan ik niet uitleggen.'

'Maar wil je dat dan niet? Is dat het?' drong Raffaella aan.

'Ik... Tonino...' begon ik onzeker, maar toen werd ik gered door

Babetta die opnieuw een woordenvloed over ons heen stortte. Ze klopte me onder het praten op de wang, alsof ik een klein meisje was.

'Ze vindt het fijn dat je terug bent,' vertaalde Raffaella, 'omdat het lente is, een drukke tijd in de tuin, en ze hoopt dat je blijft en haar komt helpen. Dus vertel eens, hoelang blijf je? Weer de hele zomer?'

'Dat weet ik niet zeker,' zei ik. 'Ik blijf zo lang als Leila me nodig heeft. Maar ik denk niet dat het de hele zomer is, nee. Ik heb nu zelf een tuin die ik moet verzorgen.'

'Die wil ik graag een keer zien,' zei Raffaella met een veelbetekenende blik. 'Maar daar hebben we het een andere keer wel eens over. Kom nu maar binnen, het ziet ernaar uit dat het gaat regenen. Ik kan je wat te drinken aanbieden en wat *biscotti* die Ciro vanochtend heeft gemaakt. Kom, kom.'

Binnen leek niets veranderd. Het voelde nog altijd alsof ik iemands woning binnen kwam. We gingen aan een tafeltje vlak bij de keuken zitten en terwijl Ciro kookte, zaten wij met ons drieën te wachten tot het ophield met regenen. Na een tijdje kon ik me niet meer beheersen en liep de keuken binnen. Ik was blij toen Ciro naar me glimlachte en knikte, deksels optilde zodat ik in de pannen kon kijken en de geurige stoom van de sauzen kon opsnuiven.

'Je bent nog steeds kok,' zei Raffaella toen ik terugkwam.

'Nee, niet echt. Ik werk niet meer in een restaurantkeuken, al heel lang niet meer.'

'Ja, maar je bent nog steeds kok. Dat zie ik.' Weer keek ze me met een veelbetekenende blik aan.

Het was een opluchting dat het droog werd en ik kon vertrekken, zelfs al betekende dat weer een ritje achterop Babetta's scooter. Deze keer reed ze met minder haast, ze keek zelfs een paar keer achterom om iets tegen me te zeggen. Kennelijk vond ze het geen probleem of ik het wel of niet begreep. Een paar keer hoorde ik Raffaella's naam en die van Lucio. En elke keer dat ze zijn naam noemde, leek ze een tuttend geluidje te maken. Maar ik had geen idee wat ze zei.

Toen we terug waren op Villa Rosa was Leila opgestaan en aangekleed. Ik ging meteen de keuken in en maakte voor ons drieën een grote kom spaghetti klaar en gebruikte wat van de gekruide saus die ik in de koelkast vond.

Tijdens het eten probeerde Leila met Babetta te praten in Italiaans dat zo slecht was dat zelfs ik het een beetje kon volgen. Ze praatten vooral over de oude hond. Maar opeens sprongen de tranen in Leila's ogen. Ze depte ze met het servetje dat ik naast haar bord had gelegd.

'Wat is er?' vroeg ik, verbaasd over de plotselinge stemmingswisseling.

'Heb je je al afgevraagd waarom Babetta helemaal in het zwart is gekleed en zelfs een zwarte hoofddoek draagt?' vroeg Leila.

'Nee, niet echt.' Ik nam aan dat de meeste Italiaanse oude vrouwen zwarte kleren droegen.

'Ze vertelde me net dat ze dat heeft gedaan uit respect voor mijn moeder. O, Alice, deze oude vrouw heeft een manier gevonden om te rouwen om haar en ondertussen kan ik nog niet eens geloven dat ze is overleden. Wat moet ik doen?' Leila liet haar hoofd in haar handen vallen. 'Dat kan ik toch niet allemaal in mijn eentje?'

'Ik blijf wel bij je,' beloofde ik spontaan, maar ik meende het ook. 'Ik blijf zo lang je me nodig hebt.'

Babetta

Babetta keek naar Alice die in de tuin werkte; het leek wel alsof ze woedend was op alles wat erin groeide. Ze snoeide de overhangende takken, knipte de klimplanten kort en ruimde de verwilderde moestuin op.

Hoewel Alice geen hulp had gevraagd, maakte Babetta een stapel van alle tuinafval op een lager gelegen terras van de tuin. Ze had zich dan misschien wel neergelegd bij de overwoekerde tuin, maar ze vond het helemaal niet erg dat die werd opgeruimd.

Meestal hield de andere vrouw, Leila, zich afzijdig. Babetta wist dat ze aan de keukentafel zat en op het toetsenbord van haar computer tikte met het hondje aan haar voeten. Op die manier had ze de afgelopen weken doorgebracht. Ze pauzeerde alleen even om naar beneden naar de rotsen te lopen of als het regende even op bed te gaan liggen. Het was Babetta opgevallen dat zij ook zwarte kleren was gaan dragen. Haar huid leek nu zelfs nog bleker.

Als het vanavond donker was, zouden de twee vrouwen komen kijken als zij de stapel tuinafval aanstak. Ze had er droge takken omheen gelegd zodat de boel in brand zou vliegen, maar zodra het vuur de groenere takken had bereikt zouden de vonken omhoogschieten. De geur van de rook zou zich vastzetten in hun haren en kleren. En hun gezicht zou warm worden, ook al bleef hun rug koud.

Daarna zouden ze met elkaar eten, zoals bijna elke avond. Misschien kwam Raffaella hen wel gezelschap houden en nam ze lekkere hapjes mee, de restjes van de lunchgerechten van de *trattoria*.

In al die jaren waarin Babetta alleen had gewoond, was ze het ontwend om op de gezichten van andere mensen te letten. Toch zag ze een verandering bij Alice als Raffaella in de buurt was; geen grote verandering, maar toch... Haar schouders verkrampten en haar gezicht vertrok alsof ze zich ergens schrap voor zette.

Vanavond, als het vuur brandde en ze er met z'n vieren omheen stonden, zouden hun gezichten worden verlicht. Babetta wilde dan eens kijken zoals ze altijd had gekeken, want zo langzamerhand was het de hoogste tijd dat het verdriet dat Alice kwelde werd weggebrand, net als het tuinafval op de brandstapel.

Alice

Ik ben gek op brandstapels. Ze doen me denken aan toen ik nog heel klein was: op Guy Fawkes-avond stak mijn vader altijd een stapel hout in de achtertuin in brand. Ik mocht er alleen vanuit mijn slaapkamerraam naar kijken, op afstand gehouden door mijn moeder, die bang was voor de vlammen en haar enige kind daartegen wilde beschermen. Als het maar even kon bleef ik daar de hele tijd staan kijken, naar de stapel hout die eerst fel brandde en daarna doofde tot er alleen nog houtskool over was dat glom als kostbaarheden.

Maar Babetta vond het vuur nog veel mooier dan ik. Zij had het tuinafval op een grote hoop gegooid en maakte plannen voor een soort feestje. Ze had zelfs een stoffige fles whisky uit haar kelder gehaald en wilde dat we hiermee een toost zouden uitbrengen.

'Volgens mij schijnt de maan vanavond en worden we blind als we dat opdrinken,' waarschuwde Leila toen ze naar de slordige stapel takken en bladeren keek. 'Denk je dat dat spul echt brandt?'

Leila zag er in mijn ogen nog steeds uit als eten dat te lang op het vuur heeft gestaan: alle smaak en pit waren verdwenen. Meestal liet ik haar alleen om te schrijven, omdat ik niet goed wist wat ik moest zeggen. De oude Leila had altijd een beetje om het leven gelachen, maar deze Leila wilde zich ervoor verstoppen.

'De whisky kunnen we altijd nog gebruiken om het vuur mee op te stoken,' zei ik voor de grap.

Leila glimlachte niet eens. 'Ik denk maar steeds dat je me gaat verlaten, Alice,' zei ze met een lage emotionele stem. 'Elke ochtend als ik wakker word, verwacht ik dat je je koffers hebt gepakt.'

'Ik heb toch gezegd dat ik zou blijven?'

'De hele zomer?'

'Ja... Als jij dat wilt, blijf ik de hele zomer.'

Leila schonk me een vreemd glimlachje en liep vervolgens om de brandstapel heen. Eerst liep ze gewoon, maar daarna begon ze te huppelen. Opeens leek het alsof ze te veel energie had.

'Laten we het hele huis vullen,' riep ze toen ze om de houtstapel was gelopen. 'Laten we vrienden uit Engeland uitnodigen, feestjes geven en lawaai maken. Laat Tonino overkomen. Laat Charlie langskomen met zijn dochters. En Guyon ook, als je wilt.'

'Weet je dat wel zeker?' Ik was verbijsterd door haar plotselinge verandering van tempo. 'En je schrijven dan... daar heb je toch rust en stilte voor nodig?'

'Ja, maar nu heb ik behoefte aan opwinding.' Ze verhief haar stem. 'Ik heb behoefte aan mensen... lawaai... leven.'

'Leila?'

'Kijk me niet zo aan. Ik wíl deze verdrietige vrouw niet zijn die zwarte kleren draagt en in stilte rouwt. Ik heb er genoeg van! Laten we dus een feestje vieren als we vanavond deze houtstapel in brand steken, precies zoals Babetta wil. Laten we rode lippenstift opdoen en te veel parfum. Laten we gaan drinken en zingen en schreeuwen. Wat jammer dat we geen vuurwerk hebben... Ik vraag me af of Babetta weet of we dat nog ergens kunnen krijgen...'

Leila dacht even na, grijnsde en verdween over het gras, terwijl het oude hondje moeizaam achter haar aan hobbelde. Even later zag ik dat zij en Babetta op de oude Vespa de heuvel op reden. De verwelkte, verdrietige Leila had me zorgen gebaard, maar de maniakale vrouw die ze nu was vond ik een beetje eng.

Ongeveer een uur later kwamen ze terug met een grote doos. Ze fluisterden samenzweerderig tegen elkaar en brachten hem naar de keuken. Even bleef ik uit de buurt, trok een stuk onkruid uit de aarde en vroeg me af of ik de bougainville te ver had teruggesnoeid. De tuin zag er kaal uit en dat was echt niet mijn bedoeling geweest toen ik ermee begon. Maar het was verslavend om alle planten te snoeien die te groot waren geworden en de planten weg te halen die zichzelf op ongewenste plekken hadden uitgezaaid. Nu ik alles onder controle had, voelde ik me een stuk beter.

Toen ik eindelijk naar binnen ging, was Babetta al bezig met het klaarmaken van onze gezamenlijke maaltijd. Het moest een soort feestmaal worden van schelpdieren in een dunne tomatensaus, maar ze lieten me niet meehelpen.

'De keuken uit, hup hup, eruit,' zei Leila.

'Maar...'

'Nee, wij gaan het feestje voorbereiden. Jij hebt keihard in de tuin gewerkt en dus moet jij je nu ontspannen.'

Leila was nog steeds overdreven vrolijk, zodat ik er maar niet tegen inging. In plaats daarvan ging ik even op bed liggen. Ik dacht aan Tonino, die ik niet zo erg miste als volgens mij zou moeten. Ik had er helemaal geen zin in hem uit te nodigen om naar Villa Rosa te komen voor een groot feest met mijn drie oude vrienden. Ik vroeg me af of ik inderdaad de gemakkelijkste optie had gekozen, precies zoals Charlie tegen Leila had gezegd. Ik werd nog steeds boos als ik eraan dacht dat zij over mij hadden gepraat. Ik liep het terras op en weer terug. Ik wist niet goed wat ik met mezelf aanmoest.

Toen de zon onderging hoorde ik Babetta roepen: 'A-lies, A-lies!'

'Ik kom eraan!' riep ik terug, opgelucht dat er eindelijk iets ging gebeuren.

Even later stonden we met z'n drieën met een glas rode wijn in de hand rondom de brandstapel. We wachtten op Raffaella en op de duisternis.

'Op deze manier wil ik afscheid nemen van mijn moeder,' zei Leila. 'Met een grote uitbundige brand.'

Ik knikte. 'Goed, dan nemen we op deze manier afscheid van haar.'

Net toen de zon onderging, arriveerde Raffaella. Het zachte licht en de lange schaduwen flatteerden haar. Ze leek knapper dan ooit.

We zwegen toen Babetta de fakkel bij het hout hield. Even dacht ik dat het hout niet wilde branden. Maar Leila had mijn opmerking serieus genomen en gooide er whisky overheen en ook nog wat petroleum. Babetta had er droog aanmaakhout op gegooid dat wie weet hoelang tegen de meest beschutte muur van haar huis had gelegen.

Niemand zei iets. We keken naar de vlammen die knaagden aan het afval dat ik uit de tuin had gehaald. Toen het vuur echt brandde en begon te brullen, stapten we iets achteruit, met gloeiende gezichten en tranen in de ogen van de rook. Leila lachte en schonk haar glas nog eens vol. 'Wat is dit prachtig,' riep ze. 'Ik vind het heerlijk.'

Ik keek even naar Raffaella en vroeg me af of haar iets bijzonders opviel aan Leila, maar ze staarde in het vuur.

'Als je goed kijkt, zie je vormen,' fluisterde Leila. 'Galopperende paarden, spoken... zie je ze?'

Grijnzend legde Babetta nog meer hout op het vuur. Ze leek uitbundig. Was ik de enige die zich niet had laten infecteren door de vlammen? Wie vond dat nu niet opwindend?

Leila schonk onze glazen nog eens vol. Ze had een rode sjaal om haar schouders geslagen en danste neuriënd rondom het vuur. Ik stapte een stukje achteruit en probeerde als een buitenstaander naar het tafereel te kijken. De gebogen vorm van de oude vrouw, de in het zwart geklede jonge vrouw, de andere vrouw die zwijgend stond te kijken.

Zodra het echt donker was en ze het hondje veilig in het huis hadden opgesloten, staken Babetta en Leila hun vuurwerk af. Ze begonnen met sterretjes die we boven ons hoofd ronddraaiden en daarna staken ze een paar Romeinse kaarsen en vuurkransen af.

Ze bewaarden de vuurpijlen tot het laatst. Het waren er heel veel en ze waren spectaculair, ze verbrijzelden de stilte voordat ze in de inktzwarte lucht tot ontploffing kwamen en daarna in een vonkenregen uit elkaar barstten. Toen ik ernaar keek realiseerde ik me dat Leila gelijk had: dit was de beste manier om afscheid van haar moeder te nemen.

Het was net alsof we de lucht vertelden dat ze was gestorven.

Babetta

Babetta's wangen waren nog warm en strak van het vuur. Ze stond in de keuken, raspte Parmezaanse kaas en sneed een stuk knapperig brood in stukken. De schelpen en de babyinktvis die ze had gekocht, hoefden maar een paar minuutjes te koken in de bouillon die ze hadden gemaakt. Daarna konden we eten.

Iedereen had veel wijn gedronken, vooral Leila, en er hing een feestelijke stemming in de keuken van Villa Rosa. Babetta luisterde naar het gepraat van de drie vrouwen en vond het helemaal niet erg dat ze er niets van begreep. Ze had er genoeg aan hun stemmen te horen en het gevoel te hebben dat ze ergens deel van uitmaakte.

Ze had goed opgelet vanavond, precies zoals ze had gepland. Eerst was er niet veel te zien geweest, maar daarna had ze gemerkt dat Alice op haar hoede was voor Raffaella. Het viel niet erg op en de kans was groot dat Raffaella het zelf niet eens in de gaten had. Maar Babetta vond dat Alice wel een schuchter dier leek dat soms dichterbij kwam en zich dan weer terugtrok, op het laatste moment schichtig. Zelfs nu was ze de hele keuken door gelopen voordat ze op de stoel ging zitten die het verst van Raffaella af stond.

Babetta schepte de soep in kommen en bracht ze naar de tafel. Ze zag dat Leila haar glas weer volschonk, dat haar wangen rood afstaken tegen haar bleke gezicht en dat ze nerveus met haar vingers door haar haren streek.

Toen ze even van de bouillon proefde, keek ze naar Raffaella. Haar vriendin glimlachte wel, hief haar glas voor een toost en zei dat het vuurwerk een groot succes was geweest, maar ze leek geforceerd. Babetta vroeg zich af wat het was dat een schaduw wierp over Raffaella's leven en waarom gelukkig zijn haar zo veel moeite kostte.

Alice

Ik bleef proberen Raffaella mijn excuses aan te bieden, maar elke keer dat ik bij haar in de buurt kwam bedacht ik me. Tonino's geheimzinnigheid had ons allebei gekwetst en ik zag niet in hoe woorden dat konden goedmaken. Daarom liep ik behoedzaam om haar heen in de hoop dat ik een confrontatie kon vermijden.

Onze maaltijd na het vuurwerk was moeilijk. Ik probeerde te praten over andere dingen dan mijn leven in Londen en vermeed het Tonino's naam uit te spreken.

Het was een opluchting toen het afgelopen was en Raffaella opstond om te vertrekken. Leila en ik zetten de vieze borden in de gootsteen en Babetta liep naar haar eigen huis met een paar stukken brood in haar servet. Ik wist dat ze ze ergens voor zou gebruiken – als broodkruim voor gehakt of geroosterd als ontbijt de volgende ochtend. Want in Babetta's keuken werd niets weggegooid.

Ik had er helemaal geen behoefte aan om alleen met Raffaella achter te blijven, maar ze was vrij lang bezig om al haar spullen bij elkaar te zoeken: autosleutels, telefoon, schalen waarin ze eten had meegenomen, een pot artisjokharten die Babetta voor haar had opgehaald. Toen ze eindelijk klaar was, had Leila al welterusten gezegd en was er niemand meer die als buffer tussen ons kon fungeren.

Even keken we elkaar afwachtend aan. Toen nam Raffaella het initiatief, onverzettelijk en met een schorre stem: 'Dus, Alice, schaamde je je te erg om het me te vertellen?'

'Nee, zo is het niet,' probeerde ik haar duidelijk te maken.

'We hebben je kennelijk allemaal verkeerd ingeschat, nietwaar?' Raffaella was zo boos dat ze moeite had zacht te blijven praten. 'Wat voor vrouw blijft bij een man die niet openlijk met haar wil omgaan?

En dan kom je hier en denk je dat je je relatie met mijn zoon verborgen kunt houden! Ik dacht dat we vriendinnen waren... dat mijn man en ik goed voor je waren geweest en dat je dat had gewaardeerd.'

Ik probeerde mezelf te verdedigen. 'Ik wilde helemaal niet zo geheimzinnig doen. Tonino had jullie over ons kunnen vertellen, maar dat heeft hij niet gedaan. Je zou boos op hém moeten zijn in plaats van op mij.'

'O, maak je geen zorgen, hoor. Ik ben ook boos op hem. Ik ben boos op mijn beide zonen, maar om verschillende redenen. Ik ben woedend.'

'En Ciro?'

Raffaella schudde haar hoofd. 'Hij heeft zich erbij neergelegd dat onze zonen zijn zoals ze zijn. En hij probeert niet naar hun slechte kanten te kijken.'

Lucio had haar dus ook boos gemaakt. Ik vroeg me af wat hij had misdaan.

'Ik begrijp dat je beledigd bent,' zei ik. 'Maar Tonino dacht dat je ons dan onder druk zou zetten om te trouwen en kinderen te krijgen. Dat wilde hij voorkomen.'

'Onder druk zetten?' zei Raffaella minachtend. 'Ik heb de hele avond gewacht tot je er zelf over zou beginnen. Waar was je zo bang voor? Wat dacht je dat ik zou doen?'

'Geen idee... Het was vreemd.'

'Je houdt van mijn zoon. Wat is daar zo vreemd aan?'

'Ja, maar... ik denk niet dat ik van hem hou... niet echt.'

Raffaella siste woedend, liep snel naar buiten en sloeg de keukendeur keihard achter zich dicht.

Even bleef ik staan en luisterde naar het geluid van de startende auto die vervolgens snel wegreed. Daarna hoorde ik Leila's stem. Kennelijk had ze in de hal gestaan en onze ruzie gehoord.

'Dat ging niet echt goed, hè?' zei ze toen ze de keuken binnen liep.

'O, denk je?' vroeg ik droog.

'Maak je maar geen zorgen. Raffaella is heel opvliegend. Morgenochtend is ze wel bijgetrokken en dan kun je normaal met haar praten.'

'Ik heb er wel een puinhoop van gemaakt, vind je niet?'

Leila pakte een gebruikt glas uit de gootsteen en schonk het laatste beetje wijn uit de fles in het glas. 'Het leven is nu eenmaal een puinhoop, Alice. Daarom is het zo interessant om erover te schrijven. Je houdt dus niet echt van Tonino?'

'Dat kan volgens mij niet.'

'Weet je zeker dat je niet op zoek bent naar iets wat niet bestaat?'

'Je bedoelt hevige hartstocht? Echte romantiek? Nee, volgens mij hadden jij en Charlie gelijk. Ik ben bij Tonino omdat hij de gemakkelijkste optie is, en de veiligste. En hij is bij mij omdat ik bereid ben me te schikken in het leven dat hij wil leiden.'

'Op die manier kun je heel lang gelukkig zijn, neem ik aan.'

'Dat was ik ook. Min of meer.'

'En nu?'

'Nu zou ik moeten weggaan, maar ik ben bang. Ik wil niet alleen zijn.'

'Je bent niet alleen,' zei Leila vriendelijk. 'Je hebt mij, weet je nog?'

'Ja, maar je weet wel wat ik bedoel.'

'Weet je, blijf hier deze zomer. Neem even afstand van Tonino en besluit wat je echt wilt. Pas daarna ga je terug naar Londen om je leven daar op orde te brengen.'

'En Raffaella? Zal zij Tonino niet vertellen wat ik heb gezegd?'

'Niet waarschijnlijk.'

'Hoe weet je dat zo zeker?' vroeg ik.

'Raffaella is behoorlijk kwaad op haar beide zoons. Tonino vertelt haar niets en Lucio vertelt haar te veel.'

'Wat bedoel je?'

'Nou, vorig jaar heeft Lucio een meisje van hier zwanger gemaakt, waarna ze besloten het te laten weghalen. Om de een of andere reden heeft hij Raffaella in vertrouwen genomen. En zij wilde de baby natuurlijk houden en bood aan het kind zelf op te voeden of het meisje op alle mogelijke manieren te ondersteunen.'

'Maar ze hebben de abortus toch doorgezet.'

'Ja, en Raffaella's hart gebroken. Dat heeft mijn moeder me allemaal verteld. Het werd bekend en een groot schandaal.'

'In Italië is abortus toch legaal?'

'Ja, maar toch... goede meisjes doen dat niet, hier tenminste niet. Je zou kunnen zeggen dat er mensen in dit stadje zijn die de laatste tijd niet veel pizza hebben gegeten.'

'Arme Lucio,' zei ik.

'Arme Raffaella,' zei Leila.

'Daarom was ze vanavond misschien zo kwaad op me.'

'Maar ze heeft een groot hart, weet je, en ze is opvliegend. Ga morgen maar naar haar toe, praat het uit.'

'Misschien... Ik zal erover denken.'

Ik vertelde haar maar niet dat ik het liefst naar Lucio toe wilde, of dat ik daar niet veel langer meer mee kon wachten.

Babetta

Babetta sliep lang uit en toen ze wakker werd, had ze niet genoeg energie om meer te doen dan in de nieuwe rieten stoel te zitten die ze samen met Raffaella had uitgekozen. Ze gaf niet graag geld uit aan nieuwe dingen, maar Nunzio's stoel was gaan rotten en viel uit elkaar en ze hield ervan op het terras te zitten, met zijn oude plaid over haar knieën. Dan dacht ze aan hem en aan hun leven samen.

Af en toe keek ze naar Villa Rosa en vroeg zich af of ze stemmen hoorde of alleen maar een vogel.

Ze had de vorige avond intens genoten. Van het vuur en van het eten, maar vooral van het vuurwerk dat Lucio voor hen had geregeld. Het kwam uit de school, een doos vol met vuurwerk dat de afgelopen twee jaar van de kinderen was afgenomen. Ze had niet gevraagd hoe het kwam dat hij hiervan wist, maar ze had wel zo haar vermoedens: daar werkte een knappe docente, jong en nog niet lang in het stadje. Precies het soort jonge vrouw tegen wie Lucio aardig zou doen.

Babetta vond het ontzettend jammer dat hij niet was komen kijken. Ze vond het nog steeds opwindend om een lucifer bij de vuurpijlen te houden en te wachten tot ze de lucht in vlogen. Lucio zou het ook geweldig hebben gevonden. Maar hij had haar uitnodiging niet willen aannemen, ook al had ze aangeboden te wachten tot hij klaar was met zijn werk in de pizzeria.

Babetta doezelde met haar gezicht naar de zon gericht even in en de herinnering aan de vorige avond vermengde zich met alle vragen die ze had. Wat was er aan de hand met Raffaella? En met Alice? Zou ze iets voor Leila kunnen doen? Ze had niet verwacht dat haar leven zo verstrengeld zou raken met dat van andere vrouwen. Maar ze had het idee dat zij de enige was die zag dat er problemen waren die opgelost moesten worden.

Maar niet nu. Deze warme lentedag was voor andere dingen. Babetta wilde die ochtend lekker blijven doezelen, want ze wist dat er niets gedaan hoefde te worden. Haar keukenkasten waren gevuld, haar huis was opgeruimd en de tuin van Villa Rosa onder controle. Ze wilde genieten van haar vrije tijd, kijken naar de boommarters die rondom de bomen dartelden, het oude hondje aaien als hij naast haar lag te soezen en naar de zee kijken, zoals Nunzio altijd had gedaan.

Ze putte troost uit deze stilte, uit deze lome dag. Misschien reed ze morgen wel met de oude Vespa naar de haven of de heuvel op naar Triento. Dan zou ze zich bezighouden met het leven van haar vriendinnen en zien wat er voor hen kon worden gedaan. Maar niet nu. Deze dag was voor haar alleen.

Alice

De ochtend na het vuur was een anticlimax. Leila leek uitgeput na haar energieke uitbarsting en er was geen teken van leven van Babetta.

Daarom vulde ik een uurtje door naar de zee te lopen en daarna het pad te volgen dat een stukje langs de kust liep. Daar beneden stonden nog een paar huizen, met alle luiken dicht; ze wachtten op hun zomergasten. Iemand had een echt pad aangelegd, beschaduwd door bomen en bedekt met dennennaalden. Ze hadden een gammel hek geplaatst van kruiselingse stokken, en een paar ruwe treden uitgehakt naar een kleine baai tussen twee steile kliffen. Het leek alsof je hier op een warme, rustige dag kon zwemmen, hoewel het een kiezelstrand was en de stenen scherp leken. Het rook naar rottend zeewier, boven de hoogwaterlijn lag een omgekeerde boot en op de rotsen lag een kluwen visdraad.

Toen ik op het strand naar de zee en de lucht stond te kijken, begon het idee om hier de hele zomer te zijn steeds aantrekkelijker te worden. Ik had immers geen haast om terug te keren naar Tonino's huis op het platteland en weer de vrouw te worden die daar woonde. Alleen mijn tuin miste ik, maar die legde me ook bepaalde verplichtingen op. Ik vond het dan ook helemaal niet erg dat ik mijn lijst met dingen die gedaan moesten worden niet had meegenomen. Daar moest Tonino zich voor de verandering maar eens mee bezighouden. Hij moest maar iemand uit het dorp inhuren om de boel op orde te brengen. Ondertussen had ik Leila's terrastuin en de vraag hoe ik die moest beplanten.

Misschien een kruidentuintje met wat sla vlak bij de keukendeur, peinsde ik toen ik terugliep naar het huis. De fruitbomen zouden natuurlijk blijven staan, maar hoger in de tuin zou ik een paar palmen kunnen planten om het geheel meer structuur te geven of om wat schaduw te bieden. Het had geen enkele zin te beginnen voordat ik een goed plan had en daarom stond ik een tijdje naar de kale aarde te kijken voordat ik in de keuken iets te eten ging maken.

Er was bijna geen eten in huis. Ik vond een paar aangebroken pakken *arborio*-rijst, zo vol graanklanders dat ik ze weg moest gooien, een pot olijven met schimmel erop en een stuk uitgedroogde Parmezaanse kaas. Tot nu toe waren de meeste maaltijden door Babetta gebracht: schalen vol lasagne, frisse soep met pasta en lentegroenten, in bacon gerolde gestoomde snijbiet gefrituurd in schuimende boter, verse jonge tuinbonen met salie.

Het was heerlijk geweest me door iemand te laten vertroetelen, maar nu had ik weer zin in mijn eigen eten. Ik wilde een ui snipperen, het geluid van mijn mes op de plank horen, daarna wilde ik de ui door hete olie roeren en de geur opsnuiven; ik wilde de gezichten zien van andere mensen als ze een hapje namen van de stevige, romige risotto die ik twintig minuten lang had staan roeren; ik wilde een stuk kalfsvlees combineren met de smaak van de citroenen die vlak bij de keuken groeiden; ik wilde een inktvis koken in zijn eigen volle inkt.

Allereerst moest ik dus naar Triento om boodschappen te doen. De ochtend was al half voorbij en de markt ging om twaalf uur dicht. De kans was dus groot dat ik alleen nog maar producten zou vinden die andere vrouwen hadden afgekeurd. Aurora's oude Jeep stond naast het huis en even overwoog ik die te nemen, maar hij had stroeve versnellingen en slechte remmen, en ik betwijfelde of ik hem over de bochtige kustweg of de steile wegen in het stadje kon loodsen.

Ik pakte een jas en een muts, en ging op zoek naar Babetta. Ze zat op haar terras met haar walnotengezichtje naar de zon gericht. Eerst dacht ik dat ze sliep, maar toen ik dichterbij kwam deed ze haar ogen open.

'Buongiorno,' zei ik vrolijk en ze knikte me loom toe.

Ik probeerde haar duidelijk te maken dat ik een lift nodig had naar de markt, maar ze leek al moe te worden door alleen maar naar mijn pogingen te kijken. Voordat ik zelfs maar klaar was, wees ze met haar duim naar het afdak waar de Vespa onder stond en deed haar ogen weer dicht.

Ergens vond ik het wel prettig dat Babetta niet was meegekomen. Ik vond het heerlijk dat ik op de kleine scooter reed en voor scherpe bochten en tunnels op de toeter mocht drukken. Ik was vergeten hoe leuk dit eigenlijk was.

In een van de smalle achterafstraatjes vond ik een parkeerplekje en zette de oude Vespa in een leegstaand gebouw. Daarna maakte ik de boodschappenmanden los en ging op zoek naar etenswaren.

Ik deed mijn inkopen met zorg, zoals Babetta me had geleerd. Ik liet me niet verleiden door de grote ronde Parmezaanse kazen, de wankelende stapels lentegroenten of de vette gekruide worsten. De komende weken zou er tijd genoeg zijn om dat allemaal te kopen, maar nu kon ik alleen meenemen wat ik voor het avondeten nodig had.

Toen mijn manden loodzwaar waren en ik terug wilde gaan naar de scooter hoorde ik de stem die ik had gehoopt te zullen horen.

'Alice, ben jij dat?' Lucio stond naast de kraam die verse buffelmozzarella verkocht. 'Ben jij het echt?'

Hij leek maar een beetje ouder: hij had fijne lijntjes om zijn ogen en zijn haar begon grijs te worden. Maar op zich was zijn gezicht nog precies hetzelfde: hoge jukbeenderen, volle lippen en een scheve neus. Zijn glimlach was dezelfde. En toen ik naar hem keek, had hij hetzelfde effect op me als altijd.

Hij kwam naar me toe en kuste me op beide wangen. Daarna stapte hij achteruit om me eens goed te kunnen bekijken en kuste me weer. De hele tijd lag zijn hand op mijn taille.

'Je ziet er prachtig uit,' zei Lucio.

'Jij ook,' zei ik.

'Leila had al gezegd dat je er was. Zodra ik tijd had, had ik langs willen komen. Maar je weet hoe het is als je in een keuken werkt. Van de winter is het vrij rustig geweest, maar nu begint het alweer drukker te worden.'

Zijn hand rustte nog steeds zacht in de welving van mijn lichaam alsof hij daar hoorde.

'Ik wilde ook even bij jou langsgaan,' zei ik opgewekt. 'Maar nu heb ik al dit eten gekocht en moet ik eigenlijk naar huis om het klaar te gaan maken.'

Lucio lachte. 'Nog altijd dezelfde Alice... nog altijd geobsedeerd door eten.'

Ik vroeg me af of hij het wist, van mij en Tonino. Ja toch zeker? Maar ik wilde er niet over beginnen voor het geval zijn moeder het hem niet had verteld.

'Maar we kunnen toch wel even een kop koffie nemen?' vroeg ik. 'Of moet je aan het werk?'

'Ja, natuurlijk kunnen we dat. Kom mee, dan krijg je koffie,' bood hij aan. Dan kun je met me praten terwijl ik alles klaarmaak. Net als vroeger, oké?'

Ik knikte en met zijn hand op mijn onderrug leidde hij me over de *piazza* en via het steegje naar zijn pizzeria.

Binnen was het kil, de oven was nog niet aan. De muren waren opnieuw wit geschilderd en de ruimte rook nog een beetje naar verf. De lange banken waren geboend en gelakt, en voor de deur stond een bloembak met rode geraniums.

De menukaart was helemaal niet veranderd. Toen hij zag dat ik hem doornam, glimlachte hij spijtig. 'Nog altijd de *primavera* en de *marinara*,' zei hij. 'Allemaal dezelfde favorieten.'

'Heb je geen specialiteiten?' vroeg ik.

'Ja hoor, 's zomers maak ik voor de toeristen wel een pizza met patat erop voor de kinderen.'

'Patat? Je doet patat op de pizza?'

Hij knikte en lachte. 'Ja, echt! Zo'n pizza zal ik jou niet aanbieden, want aan je gezicht te zien vind je het maar niets.'

'Hoe zit het met eten dat met liefde is gemaakt?' vroeg ik. 'Je wilt je liefde toch niet aan een patatpizza verspillen?'

Lucio lachte weer. Tijdens het praten leek hij excuses te zoeken om me even aan te raken: zijn vingers streken langs de mijne toen hij me het koffiekopje gaf en zijn handen rustten op mijn schouders toen hij me naar de kruk naast de bar leidde.

'Vertel me eens waarom je eindelijk bent teruggekomen naar Italië,' zei hij terwijl hij de laatste gloeiende kolen uit de oven veegde.

'Leila had me nodig. Ze voelt zich eenzaam nu haar moeder is overleden.'

'Ja, het is heel erg als je geen moeder hebt. Arme Leila, volgens mij heeft ze het niet gemakkelijk gehad. Als je het mij vraagt, is ze nooit echt gelukkig geweest. Maar jou lijkt het wel goed te gaan.'

Ik sprong voor Leila in de bres. 'Leila heeft veel succes. Ze heeft keihard gewerkt en naam gemaakt. Ik heb niet echt iets met mijn leven gedaan; vergeleken met haar in elk geval niet.'

Lucio legde droog hout en aanmaakhoutjes in de oven en stak het aan. Hij zou de oven de hele middag laten branden tot de dikke stenen muren de hitte hadden geabsorbeerd en de oven de perfecte temperatuur had om een pizza met dunne bodem te bakken.

'Een succesvol leven past heel goed bij jou,' zei hij terwijl hij naar het vuur keek. 'Maar kijk eens naar mij. Ik blijf hier en maak patatpizza's voor de toeristen omdat me dat goed uitkomt. Zou mijn leven succesvoller zijn als ik in Londen op grote borden kleine porties van ingewikkelde gerechten aan rijke mensen zou serveren? Volgens mij niet. Dan zou ik net zo zijn als je vriendin Leila.'

Het was gemeen van me, maar ik genoot ervan hem zo te horen praten. Het gaf me een kick. Weer vroeg ik me af hoeveel hij eigenlijk wist van mijn leven in Engeland.

'Ik moet gaan,' zei ik. 'Ik heb Babetta's scooter geleend en ze zal zich zo langzamerhand wel afvragen waar hij blijft.'

Lucio veegde het houtschaafsel van zijn handen en liet me uit alsof ik een gast was in plaats van het meisje dat hem vroeger in de keuken had geholpen. Toen ik wilde vertrekken, hield hij me tegen en ik draaide mijn gezicht naar hem toe. Ik was zo stom om te denken dat hij me misschien wilde kussen.

Maar hij schudde zijn hoofd. 'Ik kan gewoon niet geloven dat je van mijn broer bent, Alice,' zei hij met een lage stem en deed de deur voor mijn neus dicht. Door het raam zag ik dat hij zich omdraaide en naar de pizzaoven liep.

Babetta

Babetta werd uitgerust wakker na alweer een lange nacht en ze was vast van plan iets te ondernemen. Ze ontbeet zoals altijd met een kop sterke koffie en een stuk hard brood met kleverige pruimenjam erop en vroeg zich af waar ze moest beginnen.

Toen Babetta de vorige dag in haar rieten stoel had gezeten, had ze vooral aan Raffaella gedacht. Babetta had altijd het idee gehad dat het leven van haar vriendin zonnig was. Ze had een hardwerkende echtgenoot, leuke zonen, een succesvolle zaak; meer kon een vrouw toch niet wensen? Maar nu leek het wel alsof er een donkere wolk boven haar hoofd hing.

Babetta stapte al vroeg op haar Vespa, warm ingepakt vanwege de wind op de bochtige kustweg. Het zou algauw zomer zijn; dan had ze die dikke lagen zwarte wol niet meer nodig. Maar vandaag was ze er blij mee.

Haar vriendin en Ciro zaten aan een van de tafeltjes in de ochtendzon, diep in gesprek. Toen ze haar zagen onderbraken ze hun gesprek.

Raffaella riep: 'Babetta, *ciao*! We hebben je gemist gisteren. Ik wilde al naar je toe om te kijken of het wel goed met je ging.'

'Niet nodig, ik voel me prima. Maar het was een kille rit. Ik heb wel zin in iets warms.'

Ciro stond op. 'Natuurlijk, ik ga een kopje koffie voor je maken. Misschien met wat *biscotti* die ik gisteravond heb gebakken. Als je ze lekker vindt, moet je er wat van mee naar huis nemen, Babetta.'

Toen hij weg was, zei Babetta glimlachend tegen haar vriendin: 'Jullie zorgen allebei zo goed voor me. Wat zou ik zonder jullie moeten doen?'

'Je hebt je familie toch?' protesteerde Raffaella. 'Sofia en de tweeling. Zij zorgen ook voor je.'

Babetta knikte. 'Ja, maar familie is anders. Mijn Sofia bijvoorbeeld, die vertelt me constant wat ik moet doen, hoe ik mijn leven moet leiden. Jij doet dat nooit.'

'Dat is zo. Familie kan heel fijn zijn... maar ook heel moeilijk,' beaamde Raffaella.

Babetta had de roddels over Lucio en dat zwangere meisje wel gehoord. Wie niet? Een week lang had niemand over iets anders gepraat op Silvana's oude bankje voor de bakkerij.

'Maar hij is echt een goede jongen, hoor,' zei ze tegen Raffaella. 'Alleen een beetje slap als het om vrouwen gaat, zoals zo veel mannen.'

'Over welke zoon heb je het nu?' vroeg Raffaella met een scherpe klank in haar stem.

'Over Lucio natuurlijk. Ik ben heel gek op hem, weet je,' zei Babetta snel. 'Bijna iedereen trouwens.'

'Lucio's probleem is niet meer relevant,' zei Raffaella met haar blik op de haven gericht. 'Ik heb nu wel andere dingen om me druk over te maken.'

'Tonino?'

Raffaella knikte. 'Vertel eens, waarom zou een zoon zijn moeder niets over de belangrijke dingen in zijn leven willen vertellen?' vroeg ze. 'Over de dingen die haar misschien gelukkig maken? Elke ochtend als ik wakker word is dat het eerste waar ik aan denk. En het blijft de hele dag aan me knagen.'

Vanuit haar ooghoek zag Babetta dat Ciro terugkwam met koffie en koekjes op een dienblad. 'Maar ik begrijp niet...' begon ze.

'Laat maar.' Raffaella haalde haar schouders op. 'Het geeft nu niet. Maar ik kan je wel zeggen dat Ciro en ik het fijn vinden om voor jou te zorgen, Babetta. Ik hoop maar dat iemand dat ook voor mij doet als ik ooit zo oud word als jij.'

Alice

Ik had niet gedacht dat Leila serieus was toen ze zei dat ze meer mensen op Villa Rosa wilde uitnodigen. Maar ze begon er weer over toen we buiten zaten te lunchen en genoten van de eerste warme zonnestralen.

'Het wordt een prachtige zomer,' zei ze. 'Heel vaak zwemmen, verrukkelijk eten, veel wijn. Wat zei Charlie toen je voorstelde dat hij en de meisjes langs zouden komen? En Guyon?'

'Ik heb het hun nog niet gevraagd,' bekende ik. 'Ik wist niet zeker of je het meende.'

'Natuurlijk meende ik het. Anders had ik het toch niet gezegd?'

'Maar je eigen vrienden dan? Wil je die niet uitnodigen?'

Leila zei peinzend: 'Mijn vrienden verwachten van me dat ik me op een bepaalde manier gedraag en dat kan ik nu niet.'

'Wat bedoel je?'

'Ze nodigen me uit voor hun dinertjes om fascinerend te zijn, de beroemde auteur met wie ze hun andere vrienden kunnen imponeren. En dan zit je in een lastig parket: sommigen storen zich aan je, anderen zijn vastbesloten je niet aardig te vinden. Het kost heel veel energie om in die wereld te leven. Mentale kracht.'

'En die heb je niet?'

'Nu niet.'

'Maar Guyon en Charlie hebben je nooit echt...'

'Aardig gevonden?'

'Nou, het waren mijn vrienden immers?'

'Dat klopt en dus hoef ik niet veel moeite te doen. Ze kunnen hier gewoon zijn, lawaai maken, een feestje om me heen bouwen. Er is geen enkele reden dat ik hen voor me in moet nemen, hen moet veroveren. Want dan zijn ze hier voor jou, niet voor mij,' zei Leila.

Ik lachte. 'Ik denk niet dat ik het helemaal begrijp, maar als je wilt zal ik ze uitnodigen. Ik zou het wel leuk vinden Charlies dochters hier te hebben. Ze zijn zo lief.'

Leila zei met een spijtige blik: 'Mijn moeder zou het heel fijn hebben gevonden, dit huis vol kinderen. Ze vond het jammer dat ik geen kinderen had.'

'Waaróm heb je eigenlijk geen kinderen?' vroeg ik nieuwsgierig.

'Ik heb bijna een kind gehad,' bekende Leila. 'Ik werd per ongeluk zwanger en kreeg een ellendige miskraam. Toen ik uit het ziekenhuis werd ontslagen, sprong ik in een taxi en liet me naar het asiel rijden. Daar heb ik een stel straathonden geadopteerd. Buiten jou zijn zij nu mijn beste vrienden. Zielig, vind je niet?'

'Waar zijn ze nu dan?'

'In mijn huis in Woldingham, bij mijn huishoudster. Ik mis ze. En jij, Alice? Waarom hebben jij en Tonino geen kinderen?'

Ik beet op mijn lip. 'Omdat hij dat niet wilde, denk ik.'

'Vind je dat niet erg?'

'Ja, toch wel,' bekende ik. 'Hoewel het lang heeft geduurd voordat ik me dat realiseerde.'

'Heb je je wel eens afgevraagd hoe je leven was verlopen als je niet was verkracht?' vroeg Leila opeens.

Ik was perplex. 'Daar denk ik eigenlijk nooit meer aan.'

'Maar het heeft je leven totaal op zijn kop gezet.'

'Toch is dat niet de reden dat ik geen kinderen heb.'

'Op een bepaalde manier wel. Sinds die tijd heb je de gemakkelijkste weg genomen. Je zegt nu zelfs dat je niet zeker weet of je van Tonino houdt, maar volgens mij ga je na deze zomer gewoon weer naar hem terug. Elke andere keuze zou te riskant zijn, of niet?'

'Leila, ik wil niet dat je je op deze manier met mijn leven bemoeit,' zei ik. Toen stond ik op en maakte een stapel van onze borden. 'Waarom doe je dat toch altijd?'

'Omdat ik je vriendin ben,' zei ze. 'En omdat ik om je geef.'

Woedend deed ik met veel kabaal de afwas; het kon me niets schelen of ik iets kapotmaakte. Toen ik het servies in de keukenkastjes gooide, herinnerde ik me weer dat ik ooit van plan was geweest alles uit het leven te halen. Als Leila gelijk had, had ik precies het tegenovergestelde gedaan.

Toen ik gekalmeerd was, belde ik Charlie en Guyon en sprak een boodschap in met het verzoek te komen. Hoe meer mensen hier waren, hoe kleiner de kans dat Leila een indringend gesprek met me kon voeren.

Hoe minder ik met haar te maken zou hebben.

Babetta

Het eerst wat Babetta hoorde, waren de kinderstemmetjes. Twee kleine meisjes lachten en riepen naar elkaar. Nieuwsgierig verliet ze haar terras en liep langzaam naar de hekken van Villa Rosa. Het waren leuke meisjes met lange blonde vlechtjes. Iemand had een schommel voor hen opgehangen, aan de sterke trellis van de bougainville.

In een tuinstoel onder de granaatappelboom zat een bleke man naar hen te kijken. Hij droeg een hoed tegen de zon en hield een krant vast. Babetta stond een tijdje bij de hekken en vroeg zich af wie deze nieuwe mensen waren. Daarna zag ze een andere man de keuken uit komen; hij was rossig, droeg een felgekleurd shirt en had een theepot in zijn handen.

Normaal gesproken zou Babetta de binnenplaats zijn overgestoken en op de keukendeur hebben geklopt. Maar de aanwezigheid van deze onbekenden maakte haar verlegen. Ze had zelfs het gevoel dat ze zich opdrong door alleen maar bij de hekken naar de spelende kinderen te staan kijken. Ze draaide zich dan ook met tegenzin om en liep terug naar haar eigen huis.

In de loop van de dag zag ze auto's arriveren en wegrijden. Babetta hoorde mensen buiten eten, vorken tegen messen slaan, het aanzwellen en afnemen van gepraat en gelach. Leila was het luidruchtigst, maar ze hoorde Alice ook, luidruchtiger dan anders toen ze met de meisjes speelde. Even overwoog Babetta daar de paden te gaan vegen, maar het leek wel zo netjes weg te blijven.

Toen stapte het oude hondje Sky uit zijn mand en schudde zijn lijfje, met zijn tong scheef uit zijn bek. Met stijve passen wandelde hij de trap af en begon in het lange gras te snuffelen. Hij spitste zijn oren, stak zijn grijze neus in de lucht en begon schor te blaffen.

'Sky, Sky, kom hier, jongen!' hoorde Babetta Leila roepen. De hond had haar ook gehoord. Kwispelend liep hij vastbesloten naar de hekken van Villa Rosa.

'Nee, rare hond!' siste Babetta tegen hem, maar hij negeerde haar. Ze mompelde in zichzelf, ze was ervan overtuigd dat de hond niet vertrouwd was bij kinderen; ze hadden zulke kleine vingertjes en zijn tanden waren zo scherp. Stel dat ze ruw tegen hem waren en hij van zich af beet? Zo snel als haar oude benen haar konden dragen, liep ze achter hem aan.

Leila zat op haar knieën en liet de meisjes zien hoe ze de hond zachtjes moesten aaien. Sky had zich aan hen overgegeven, hij was op zijn rug gaan liggen en wilde dat ze hem over zijn harige buik aaiden.

'Het is wel goed hoor, Babetta,' zei Leila in haar slechte Italiaans. 'Hij vindt de kinderen lief, zie je? Maar kom eens hier, dan stel ik je voor aan onze gasten. Ze blijven een paar weken, je hoeft dus niet verlegen te zijn.'

Ze werden onhandig aan elkaar voorgesteld; Leila bleef hun namen maar herhalen tot Babetta ze goed kon uitspreken. 'Charlie, Guyon... Charlie, Guyon.' De beide mannen spraken geen woord Italiaans en Babetta vroeg zich af wat hun komst voor haar betekende.

'Momento,' zei ze en liep naar haar eigen huis. Ze legde een blauw geruite doek in een mand en haalde uit haar kasten de lekkerste heerlijkheden: wat koekjes die ze de vorige dag had gebakken, een pot perzikenjam van de vorige zomer en een kleine panettone die Sofia voor haar had gekocht. Daarna liep ze terug naar Villa Rosa waar iedereen aan tafel verse tuinbonen zat te doppen.

Ze knikte naar de man met het felgekleurde shirt en bood hem haar cadeautje aan. Hij keek verheugd, glimlachte een bedankje en maakte het blik koekjes meteen open. Daarna maakte Leila nog meer thee en Alice verschoof haar stoel zodat ook Babetta aan tafel kon zitten.

Ze nam de aangeboden stoel, deed een greep in de plastic zak die op tafel lag, haalde er een handvol bonen uit en maakte ze open. Net als de anderen deed ze de bonen in een vergiet. Naast haar zaten Alice en Guyon tijdens het doppen met elkaar te kletsen. Een enkele keer ontsnapte er een boon en rolde onder de tafel waar de hond liep te snuffelen die hem meteen opat. Toen kwam Leila eraan met de thee en werden al haar koekjes opgegeten.

Met de zon op haar schouders zat Babetta samen met de anderen bonen te doppen, terwijl ze naar de buitenlandse gesprekken luisterde.

Alice

Dit zou een idyllische zomer worden. Ergens voelde ik me schuldig omdat ik de dagen werkeloos liet verstrijken, maar het was zo gemakkelijk om de ochtend aan het strand door te brengen en 's middags in een tuinstoel te liggen soezen terwijl Charlie op het terras met de meisjes speelde. We hadden in de garage achter het huis allerlei heel oud speelgoed gevonden. Charlie had een oude tafeltennistafel ontdekt en daagde Guyon uit voor een partijtje. De meisjes hadden emmers en schepjes gevonden. Een gezin dat lang geleden op Villa Rosa had gewoond moest dit allemaal hebben achtergelaten, maar nu werd alles wat zij niet meer hadden gewild goed gebruikt.

Even was ik bang geweest dat Leila er spijt van zou krijgen dat ze mijn vrienden in haar huis had uitgenodigd. Maar ze deed mee, speelde pingpong of nam de meisjes mee voor avontuurlijke tochten over het terrein. Ze leek zich goed te vermaken. Zelfs Babetta had zich in onze zomer gemengd, ze kwam elke dag met hapjes die ze zelf had gebakken en ze stond erop dat zij en ik om beurten kookten.

'Ik voel me schuldig dat ik die oude vrouw laat koken terwijl wij de koks zijn,' bekende Guyon. 'Zij zou hier toch moeten zitten terwijl wij eten voor haar klaarmaken?'

Ik keek even naar Babetta die de kinderen liet zien hoe ze een lange slang moesten maken van deeg voor gnocchi. 'Je denkt toch niet dat je haar kunt tegenhouden?' Ik lachte. 'Ze is in haar element. Volgens mij heb ik haar nog nooit zo gelukkig gezien.'

'De winter moet een eenzame tijd voor haar zijn,' zei hij.

'Eenzaam en wild,' beaamde ik. 'Heb je Aurora's stormschilderijen gezien? Er staan nog een paar tegen de muur van de woonkamer.'

'Ja, die heb ik bekeken. Ze hebben wél talent, Aurora én haar dochter. Verbazingwekkend.'

Ik knikte. 'Het lijkt me heerlijk als je één groot talent hebt. Dan is het veel gemakkelijker om te weten wat je wilt met je leven.'

'Maar jij hebt óók talent. Jij bent een fantastische kok,' zei Guyon.

'Dat is lief van je, maar niet echt waar. Ik kan het wel, maar ik heb er geen bijzonder talent voor.'

'Heb je er spijt van dat je er ooit aan bent begonnen?'

'Geen spijt, maar ik heb het gevoel dat ik nog maar net wakker ben geworden en me realiseer dat ik het leven van iemand anders leid. Ik blijf me afvragen: hoe kom ik hier, hoe is dat gebeurd.'

'Dat gevoel heeft iedereen wel eens, denk ik.'

'De mensen die ik ken niet, volgens mij. Jij en Charlie bijvoorbeeld, jullie lijken je nooit af te vragen of je wel op de juiste weg zit.'

'Maar ook wij hebben problemen. Hoe dan ook, het is nog niet te laat voor je! Je kunt nog altijd veranderen. Ga iets doen waar je van houdt.' Guyon zweeg even en keek me aan. 'Wees bij de persoon van wie je houdt!'

'Hoe dan? Hoe kan ik mijn leven zo veranderen?' Ik wilde dat iemand me dat vertelde. 'Ik weet niet waar ik moet beginnen!'

Guyon zuchtte. 'Ik heb heel veel therapie gehad, Alice, dat kun je je wel voorstellen. Ik weet niet zeker of ik daar heb geleerd een beter leven te leiden. Maar ik weet wel dat je soms gewoon iets moet dóén en erop moet vertrouwen dat het wel goed komt.'

Als Leila dit gesprek met me had willen voeren, zou ik zijn weggelopen. Maar van Guyon kon ik het beter accepteren. De volgende dagen dacht ik na over wat hij had gezegd. Ik dacht eraan als ik met de meisjes speelde op het strand waar we 's ochtends meestal naartoe reden, of als ik een eenvoudige lunch bereidde van macaroni met tomatensaus.

Soms klauterde ik zelfs over de rotsen onder Villa Rosa naar de zee. Daar kon ik altijd het best nadenken.

Maar heel lang kon ik alleen maar denken aan de dingen die ik niet wilde. Ik had me gerealiseerd dat ik geen chef wilde zijn. En ook geen speeltje voor Tonino. Ik zag heel goed waar ik in het verleden de fout was ingegaan. Maar ik zag niet hoe ik mijn toekomst moest vormgeven.

Op een ochtend was ik aan het werk in de kleine moestuin die ik voor Leila had aangelegd en ik vroeg me af waarom niet iedereen zijn eigen groenten verbouwde. Alleen al met een paar kroppen sla en wat kruiden zouden ze toch die bevrediging ervaren, dat bijzondere genoegen dat je je eigen eten kon oogsten en klaarmaken. Om de een of andere reden namen maar heel weinig mensen die moeite tegenwoordig, zelfs als ze een grote tuin hadden. En toen wist ik het. Toen wist ik wat ik wilde worden!

Die droom durfde ik pas een paar dagen later hardop uit te spreken, toen Charlie en ik onder de dennen over het paadje liepen dat naar de grot in de rotsen leidde.

'Ik heb een idee,' zei ik aarzelend.

'Vertel,' zei hij.

'Ik wil een tuinbedrijf beginnen.'

'Maar je bent geen tuinarchitect,' zei hij. 'Je houdt je toch alleen bezig met moestuinen?'

'Dat weet ik, en daar gaat het juist om. Ik dacht dat ik andere mensen zou kunnen helpen hun eigen biologische groenten te verbouwen.' Ik begon enthousiast te worden. 'Misschien kan ik verhoogde houten plantenbakken aan ze verkopen en hen helpen een moestuin aan te leggen.'

'Maar eten is toch je passie? Hoe zit het dan met je carrière als chef?' vroeg Charlie verbaasd.

'Die is allang voorbij,' zei ik. 'Ja, ik hou van eten, maar lang geleden heb ik al ontdekt dat ik niet van restaurantkeukens hou. Die manier van koken is verslavend. Het is een prachtige manier om je leven te vullen zodat je nergens anders aan hoeft te denken, maar het heeft niet echt iets met eten te maken. Dat is niet koken met liefde.'

'O? Waarom dan niet?' Hij was nu echt geïnteresseerd. 'Ik dacht altijd dat je geobsedeerd was door eten.'

'Ja, ik hou ervan de ingrediënten te telen en allerlei manier te verzinnen om er iets verrukkelijks van te maken,' beaamde ik. 'Voor mij is dat zoiets als toveren. Maar in een grote restaurantkeuken doe je continu precies hetzelfde. Dat heeft niet dezelfde magie.'

Ik vertelde hem wat ik op internet had gelezen over verhoogde plantenbakken. Dat je die zelf kon maken, van hout en zo hoog als je maar wilde, zodat je kon tuinieren zonder te hoeven knielen of bukken.

'Je hoeft niet eens te spitten,' zei ik. 'Niet iedereen kan een moestuin hebben zoals op Villa Rosa. Dat is heel veel werk. Maar dat betekent niet automatisch dat je dan alleen in plastic verpakte groente uit de supermarkt kunt eten en geen groente vers uit de aarde. Dát is wat eten voor mij betekent.'

Ik had verwacht dat Charlie allerlei argumenten zou bedenken waarom mijn idee niet zou werken, maar in plaats daarvan bleek hij geïnteresseerd. 'Je zou ze via internet kunnen verkopen,' zei hij. 'Neem verschillende formaten zodat ze zelfs op een binnenplaatsje passen. Onbehandeld hout natuurlijk, maar dat blijft toch jarenlang goed.'

'Je denkt dus dat het kan?'

'Waarom niet? Als je je maar goed voorbereidt.'

'Echt waar?'

'Ja, echt waar.' Charlie glimlachte. 'Ik vind het een geweldig idee. Hoe heb je dat in vredesnaam bedacht?'

Opgewonden vertelde ik hem alles. 'Ik probeerde te bedenken waar ik blij van word,' zei ik. 'En toen bedacht ik dat ik groenten kweken altijd zo leuk vond. Babetta heeft me de basisbeginselen geleerd en nu zou ik haar kennis graag willen doorgeven. Ik zou zakjes zaad kunnen verkopen en recepten. Ik heb zo veel ideeën. Misschien moet ik wel een tijdje voor een uitzendbureau in een keuken gaan werken terwijl ik mijn bedrijf opzet, maar dat vind ik geen probleem. Dan werk ik in elk geval toe naar iets wat ik echt graag wil.'

Later die middag zaten we samen aan de keukentafel en hielp hij me met het maken van een actieplan. Ik bleek ongelooflijk veel dingen te moeten beslissen, maar Charlie besprak ze een voor een, met gebogen hoofd en kauwend op zijn potlood.

'Ik wil wel met je meedoen,' zei hij. 'Als investeerder. Als stille vennoot. Alleen als je dat wilt natuurlijk.'

'Ja, dat zou ik geweldig vinden!'

'Dan zijn we nu dus zakenpartners.' Hij keek me aan. 'Niet helemaal de relatie met jou waarop ik had gehoopt, maar beter iets dan niets.'

Ik begreep de hint niet, toen niet in elk geval. Op dat moment had ik het misschien te druk met plannen maken voor mijn nieuwe bedrijf om aan Charlie te denken en aan de gevoelens die we ooit voor elkaar hadden gekoesterd. Pas later, toen ik in bed lag en niet kon slapen, dacht ik weer aan zijn woorden en vroeg ik me af wat hij ermee had bedoeld. Hield Charlie na al die jaren nog steeds een beetje van mij? En als dat zo was, wat voelde ik dan voor hem?

Tegen zessen had ik er genoeg van om in mijn bed te liggen woelen. Mijn hoofd tolde van alle gedachten en ik stond dus maar op. Het huis leek verbaasd me te zien: de luiken waren nog dicht en achter de gesloten slaapkamerdeuren hoorde ik de anderen snurken en kuchen. Toen ik naar de badkamer liep, hoorde ik achter me tot mijn verbazing Leila's slaapkamerdeur open- en dichtgaan.

'Kun je ook niet slapen…?' begon ik, maar toen ik me omdraaide stond niet Leila in het schemerige ochtendlicht, maar Lucio: zijn haar in de war, in zijn kleren van gisteren en met zijn schoenen in de hand. Glimlachend legde hij een vinger tegen zijn lippen en fluisterde: 'Sst, ze slaapt nog.'

Ik zei niets tegen hem. En tot mijn verbazing voelde ik ook niet veel.

Babetta

Nu er achter de hekken van Villa Rosa zo veel interessants gebeurde, dacht Babetta helemaal niet meer aan andere dingen. Ze reed niet meer naar Triento om te winkelen en te roddelen, en ook niet naar de haven naar haar vriendin Raffaella. Haar leven kreeg een prettig ritme. 's Ochtends sliep ze uit en na het ontbijt bakte ze koekjes of een brood. Voor lunchtijd bracht ze die naar Villa Rosa, veegde de paden en bemoeide zich met de keuken. Daarna ging ze samen met de anderen buiten zitten lunchen. Meestal speelden de kinderen 's ochtends op het strand en kwamen plakkend van het zand en het zoute water terug, dwaalden door de tuin in hun pastelkleurige handdoekponcho en met een stuk brood met Nutella in de hand. De volwassenen maakten nog een fles gekoelde wijn open en verhuisden van de tafel die in de schaduw stond naar een plekje in de zon, en aten stukjes kaas en fruit of hardgebakken ringen *tarallini*.

Als ze slaperig werd in de warme middagzon, liep Babetta naar haar eigen huis en ging in de rieten stoel zitten soezen. Vaak maakten de anderen dan een uitstapje: een wandeling aan de voet van het beeld van Christus op de berg of een ritje langs de kust waarna ze in een café koffie met cake namen. Als de auto de heuvel op klom zwaaiden de meisjes altijd uit het achterraampje en blafte Sky een schorre groet als antwoord.

Die middag waren ze zoals gebruikelijk vertrokken en zat Babetta een beetje te soezen in haar stoel toen ze een auto hoorde aankomen. Verbaasd opende ze haar ogen en voelde zich een beetje schuldig toen ze Raffaella's oude Fiat zag.

'Het spijt me, lieve vriendin, dat ik je heb verwaarloosd,' riep ze toen Raffaella de trap naar het terras op liep. 'Ik denk al een tijdje dat ik je nodig weer moet opzoeken.'

'Ik was een beetje bezorgd. Ik dacht dat je misschien ziek was. Maar toen zag ik Leila en zij vertelde me dat je het druk had.' Raffaella ging op de bovenste tree zitten en slaakte een zucht. 'Ah, dat is beter. Die trap is zo steil, ik begrijp niet hoe jij die nog op komt. Misschien heeft je dochter wel gelijk en moet je dit huis uit voordat het je allemaal te veel wordt.'

Met een afwijzende blik op haar oude gezicht zei Babetta: 'Ik ga hier niet weg... en ik ben niet ziek.'

Raffaella besloot haar vijandige woorden te negeren. 'Vertel eens wat je allemaal hebt gedaan. Leila zei dat ze je vaak ziet.'

'Ja, ik help de Engelse mensen met koken en voor de kinderen zorgen,' vertelde Babetta, nu met een trotse klank in haar stem.

'Aha, die twee leuke meisjes. Ik zag hen bij de haven achter de zeemeeuwen aanrennen.'

'Leuk maar vermoeiend,' zuchtte Babetta. 'Als ik Alice niet zou helpen, zou ze geen moment rust hebben.'

'Hoe is het met Alice?' vroeg Raffaella nieuwsgierig.

Babetta dacht daar even over na en realiseerde zich hoe erg Alice was veranderd sinds de komst van haar vrienden. Ze glimlachte vaker en leek minder een schaduw van zichzelf. 'Goed,' zei ze alleen maar. 'Met hen allemaal.'

Nadat ze een tijdje hadden gepraat, zette Babetta thee, die ze op het terras dronken.

'Ik neem aan dat ze binnenkort vertrekken, de Engelse mannen en de kinderen,' zei Babetta mat.

'Dat denk ik wel,' antwoordde Raffaella. 'Ze zijn hier alleen maar om vakantie te vieren. Maar Leila vertelde me dat zij en Alice de hele zomer hier blijven. Ze willen nog veel aan de tuin doen.'

Babetta keek naar de rijen tomatenplanten die ze in haar eigen tuin had geplant en die al bijna verstikt waren door een heleboel onkruid. 'Een tuin is heel veel werk,' zei ze.

Raffaella volgde haar blik en glimlachte. 'Weet je, ik heb een paar uurtjes niets te doen. Vertel me maar eens waar ik de kruiwagen en een hark kan vinden, dan zal ik eens kijken of ik je tomaten kan redden.'

Ze werkten zij aan zij. Babetta voelde zich schuldig omdat zij zoveel langzamer werkte dan haar vriendin. 'Als ik de tomaten heb ingemaakt, krijg jij er wat van,' beloofde ze. 'En heel veel zoete rode uien, als ze het dit jaar tenminste goed doen.'

'Weet je, ik kan mijn man wel vragen of hij je in de tuin wil helpen,' zei Raffaella. 'Thuis hebben we alleen plek voor een paar potten kruiden. Hij zou het heel fijn vinden een paar dingen te planten en te zien groeien. Je kunt zeggen wat je wilt, maar het is hier veel te groot voor jou alleen, Babetta.'

'Het is al heel lang geleden dat een man me heeft geholpen,' gaf de oude vrouw toe. 'Dat heb ik wel gemist.'

'Dat is dan afgesproken. Wij helpen je af en toe een middag in de tuin en alles wat jij niet nodig hebt, kunnen wij dan in de *trattoria* gebruiken. Een perfecte regeling. Ik begrijp niet waarom ik dat niet eerder heb bedacht.'

Ze werkten nog even door en hadden net het onkruid tussen de tomatenplanten weggehaald toen de auto's terugkwamen. Toen Babetta opkeek, zag ze dat Leila en de kinderen eerder waren uitgestapt en het laatste stukje liepen. Onderweg plukten ze wilde bloemen uit de berm.

Babetta kneep haar ogen tot spleetjes. 'Weet je,' zei ze bijna tegen zichzelf, 'volgens mij is ze zwanger.'

'Wat!' zei Raffaella verbijsterd.

'Leila; kijk maar eens naar haar lichaam. Haar middel is dikker en haar buik is gewelfd. Maar dat is niet het enige, het viel me op dat ze tijdens de lunch bijna geen wijn meer drinkt en gisteren wilde ze geen koffie. Zo ging het mij ook toen ik zwanger was van Sofia. Ik kon er niet meer tegen.'

'Zwanger?' herhaalde Raffaella onnozel.

'Ja, ja, volgens mij wel.'

Nu keek Raffaella ook naar Leila. De beide meisjes gaven haar de bloemen die ze hadden geplukt en Leila gebaarde dat ze nog meer moesten plukken. 'Volgens mij heb je gelijk. Ik zie het nu ook. O, mijn god.'

Babetta keek haar vriendin onderzoekend aan. 'Wat is er?'

Raffaella aarzelde, haar knappe gezicht opeens gespannen. 'Zeg alsjeblieft niets tegen Ciro, nog niet,' smeekte ze. 'Maar volgens mij weet ik wel wie de vader is.'

Geen van beiden hoefde Lucio's naam te noemen. Dat was nergens voor nodig. Later, toen Babetta het tuingereedschap naast de oude Vespa onder het afdak opborg, dacht ze aan de blik op Raffaella's gezicht en ze hoopte dat de jongste zoon deze keer het juiste zou doen.

Alice

Ik had verwacht dat Leila zich schuldig zou voelen toen ik haar uiteindelijk vertelde dat ik Lucio uit haar kamer had zien sluipen.

Maar ze reageerde uitdagend. Ze stak een sigaret op aan het fornuis en schonk zichzelf een glas jus d'orange in, ging tegenover me aan de keukentafel zitten en haalde zorgeloos haar schouders op. 'Ik neem aan dat je nu weggaat,' zei ze.

Verbijsterd vroeg ik: 'Heb je het daarom gedaan? Was het een test om te zien of ik daarom zou willen vertrekken?'

'Doe niet zo belachelijk.'

'Nou, waarom dan wel?'

'Omdat ik dat altijd doe. Elke zomer als ik bij mijn moeder logeerde, ging ik met hem naar bed. Waarom niet? Jij was uit mijn leven verdwenen en dus maakte het niet uit wat je dacht.'

'En je kon niet alleen zijn. Heb je altijd een minnaar nodig?'

'Dat maakt het leven interessanter. Mensen zoals Lucio en ik begrijpen dat. Maar het was niet de bedoeling dat je erachter kwam,' zei Leila snel. 'We zijn maar een paar keer samen geweest. Ik dacht dat niemand het zou merken.'

Ze drukte haar sigaret uit en stak een nieuwe op.

'En trouwens,' zei ze vanuit haar mondhoek terwijl ze het eerste trekje nam, 'jij bent nu met Tonino, dus ik nam aan dat je je hoop wat Lucio betreft had opgegeven. Je kunt immers niet beide broers hebben?'

'Ik wil geen van beide broers,' snauwde ik.

'Lieve help, doe niet zo chagrijnig en kinderachtig. Als je je zo gedraagt, kun je net zo goed weggaan.'

Voordat haar stemming kon omslaan, vertrok Leila naar haar slaapkamer. Daar was ze tegenwoordig veel vaker, ze sliep ook langer dan anders. Misschien vond ze daar eindelijk de rust die ze door de dood van haar moeder was kwijtgeraakt. Voorlopig leek het beter haar even met rust te laten tot ze was afgekoeld en ik een redelijk gesprek met haar kon voeren.

Het regende zacht en hoewel de lucht niet meer blauw was, leek alles in de tuin een soort weelderige troost. Ik wilde het huis ontvluchten en probeerde een plek te bedenken waar de regen geen probleem zou zijn. De enige plek die ik kon verzinnen was de vreemde kapel in de grot waar Babetta me jaren geleden mee naartoe had genomen. Op een dag als deze, met het sombere licht en de druipende stalactieten, zou er een bijzondere sfeer hangen. Ik ging op zoek naar Charlie en wilde vragen of hij en de meisjes zin hadden om mee te gaan.

De kinderen mee naar buiten nemen veroorzaakte de gebruikelijke drukte; we moesten hun schoenen, jassen en vestjes zoeken. Charlie werd er gek van, maar voor mij was het nog steeds nieuw.

'Ja, Mia, je mag je pop wel meenemen als ze mee wil. Nee, Grace, deze keer gaan we geen ijsje eten,' riep ik terwijl Charlie zich achter een oude *Vanity Fair* verstopte en net deed alsof dit allemaal niet gebeurde.

We reden langs de kust en zongen liedjes die ze op de peuterspeelzaal hadden geleerd en ik lachte Charlie uit omdat hij alle woorden kende. 'Je was altijd zo cool met je NME's en je platencollectie,' spotte ik. 'Moet je nu eens kijken!'

'Kinderen veranderen alles, dat zul je zelf nog wel eens ontdekken.'

Snel schudde ik mijn hoofd. 'Nee, ik ben te oud. Ik heb er veel te lang mee gewacht.'

'Heel veel vrouwen krijgen tegenwoordig kinderen op latere leeftijd,' zei hij.

'Ja, maar die hebben een partner.'

Charlie keek even opzij. 'Jij niet dan? Ben je niet meer bij Tonino?'

'Nee. Hoewel ik moet toegeven dat ik hem dat nog niet heb verteld.'

'Zo, dus je gaat er eindelijk een eind aan maken. Zal hij het erg vinden?' Dat leek Charlie niet erg te interesseren. 'Of zag hij het al aankomen?'

'Ik weet het niet, hij is altijd erg op zichzelf gericht. Maar volgens mij vindt hij het 't ergste dat ik zijn leven overhoophaal terwijl hij alles zo goed voor elkaar heeft. Zijn trots zal gekrenkt zijn. Maar dat is alles, denk ik.'

'Waarom bel je hem dan niet gewoon? Waar wacht je nog op?'

'Hij is heel goed voor me geweest, hij heeft me altijd erg vrij gelaten. Ik kan hem toch niet telefonisch dumpen?'

Even zei Charlie niets. Toen mompelde hij zo luid dat we het allemaal konden horen: 'Bazige, verwaande ezel.'

'Gaan we ezeltje rijden, *daddy*?' vroeg Grace vanaf de achterbank.

'Eh, nee, we gaan naar de grot die tante Alice ons wil laten zien. Daar zijn geen ezels.'

Ik was vergeten hoe steil de klim naar de ingang van de kapel was. Halverwege waren de meisjes met hun korte beentjes moe en dus tilde Charlie Mia op zijn nek en ik nam Grace op de rug. Iedereen zou denken dat we een gezin waren. Zelfs ik begon het gevoel te krijgen dat dit zo was.

De meisjes vonden de grote kalkstenen grot met het altaar en de marmeren beelden fantastisch. Ze renden rond om alles te ontdekken en riepen elkaar luid fluisterend van alles toe.

'Maffe plek,' zei Charlie. 'Zoiets heb ik nooit eerder gezien.'

'Volgens mij zijn Babetta en haar man hier getrouwd.'

'Wat een coole plek om te trouwen.' Charlie keek de kalkstenen grot rond. 'Kun jij je dat voorstellen? Ik zou het geweldig vinden!'

'Ja, misschien wel. Maar volgens mij hoeven wij ons geen van beiden al druk te maken over onze trouwlocatie.'

'Nee, dat lijkt er niet op,' zei Charlie grimmig. 'Maar hoe zit het nu eigenlijk met jou en Tonino? Waarom heb je plotseling besloten het uit te maken?'

'Zo plotseling is het niet. Dat had ik allang moeten doen. Maar ik heb me pas kortgeleden gerealiseerd dat ik de jaren heb laten verstrijken en heel veel dingen verkeerd heb gedaan.'

'Nieuwe baan, nieuwe man, dus?' vroeg Charlie opgewekt.

'Dat weet ik niet, maar in elk geval een nieuwe woonplek. Ik kan niet in zijn huis blijven wonen.'

'Ik vind het erg moedig van je, Alice.' Hij keek naar zijn dochters die door de stoffige ramen van een afgesloten zijkapel probeerden te kijken. 'Maar dat was je altijd al.'

'Moedig? Dat vind ik niet. Ik ga met de stroom mee. Tot nu toe tenminste.'

'Vergeet niet dat ik je kom helpen als je me nodig hebt... praktisch, emotioneel, wat je maar wilt.' Inmiddels was Charlie zijn kinderen vergeten. Hij keek me strak aan. 'Je hoeft het maar te zeggen.'

'Dank je. Ik zou niet weten wat ik zou moeten doen zonder vrienden als jij en Guyon. Ik verdien jullie eigenlijk niet.'

'O nee? Volgens Guyon is het aan jou te danken dat hij nog een baan heeft. En wat mij betreft... nou ja, jij en ik zullen elkaar gewoon altijd verdienen.'

Toen kwamen de meisjes eraan en vroegen of ze alsjeblieft toch een ijsje mochten. En omdat we door een grote spleet in de rotswand zagen dat het niet meer regende en er een rotsstrandje vlakbij was, beloofden we dat.

Charlie nam pistache-ijs, ik citroenijs en de meisjes natuurlijk aardbeienijs. Net als een paar andere gezinnen zaten we op het bijna lege strand naar de golven te kijken en ik bedacht dat de meisjes heel goed mijn kinderen hadden kunnen zijn. Een paar andere beslissingen zouden mijn leven een totaal andere wending hebben gegeven.

'Heb je die ring met smaragd nog steeds?' Ik weet niet waarom ik dat vroeg. 'Die ring waarmee je me je aanzoek deed?'

Onaangedaan zei Charlie: 'Ja, Alice, eerlijk gezegd heb ik die nog steeds.' Toen beet hij de onderkant van het hoorntje en schoten zijn dochters in de lach omdat het ijs eruit droop.

Babetta

Babetta was opgehouden met haar pogingen andere mensen gelukkig te maken. Alles veranderde te snel, te erg. Ze was te oud om alles te begrijpen. Maar zij kon wel andere dingen doen. Een salade maken van pikante slablaadjes en kruiden uit de tuin, een brood bakken en zijn gouden korst met bloem bestuiven, een klein meisje laten zien hoe ze van het deeg dat ze tussen haar vingers platdrukte een pastagerecht maakte. Ze kon haar eten met andere mensen delen, haar gezelschap, haar kennis. Maar ze kon niets veranderen aan de schokken waardoor het leven van andere mensen door elkaar werden geschud.

Ze wist nu heel zeker dat de dochter van de schilderes zwanger was en even zeker dat ze het zelf nog niet wist. Gisteren, toen Babetta op Villa Rosa was om spaghettisaus te maken, had Leila geklaagd over de geur van gefruite knoflook zo vroeg op de dag. Ze was bleek geworden en rende de keuken uit. Later die middag had Babetta Leila een paar gemberkoekjes gegeven en die had ze dankbaar opgeknabbeld.

'Daar had ik nu echt zin in,' zei ze tegen Babetta. 'Ik heb een beetje last van mijn buik. Ik voel me niet echt lekker.'

Babetta had niets gezegd. Op dat moment was ze afgeleid door Alice, die er altijd een beetje verdrietig had uitgezien en nu opeens blij leek. Ze had meer kleur op haar gezicht, haar schoonheid was minder verwelkt. Babetta zag hoe de mannen naar haar keken, Guyon op een totaal andere manier dan Charlie en dat verbaasde haar. Vaak nam Babetta de meisjes mee naar buiten, duwde ze op de schommel of nam ze mee naar de tuin en hield ze zo lang mogelijk bij zich, liet hen bloemen ruiken of kruiden plukken. Ze wist niet of het veel uitmaakte, maar als ze terugkwamen waren Alice en Charlie samen.

Toch kon ze het niet altijd opbrengen zich met andermans kinderen bezig te houden. Maar om de dag stond ze vroeg genoeg op om bij Raffaella een kopje koffie te kunnen drinken en te helpen met het klaarzetten van de tafeltjes van de *trattoria* voor de lunch. Ze wreef het bestek op, poleerde de glazen en legde naast elk bord een keurig gevouwen servet. Meestal moest ze in de keuken een gerecht proeven en vertellen of er nog een beetje zout bij moest of een druppeltje balsamicoazijn. Of ze hielp mee beslissen wat er moest gebeuren met de vis die Ciro die ochtend had gekocht. Af en toe bleef ze zelfs om bestellingen op te nemen en de gasten te vertellen wat ze volgens haar die dag moesten eten.

Babetta had besloten dat ze zich niet langer zorgen zou maken over andermans problemen. Daar had ze domweg geen tijd voor.

Alice

Al over een paar dagen zouden Guyon, Charlie en de meisjes terugrijden naar Rome. Ze waren steeds van plan geweest een paar beroemde plaatsen te bezoeken: het Colosseum, de Trevifontein, de Spaanse Trappen. De hotelkamers waren al gereserveerd en betaald, het was allemaal al besloten, maar het leek alsof ze nog lang niet wilden vertrekken.

'Echt, ik heb geen idee wanneer ik me meer ontspannen heb gevoeld dan nu,' zei Guyon tegen me. 'Rome met al die mensen en in deze hitte wordt een nachtmerrie.'

Toen Guyon er pas was had ik me zorgen gemaakt, alsof ik ervoor moest zorgen dat hij niet dronk zolang hij bij mij was. Maar als hij op een bepaald moment het gevoel had gehad dat hij het niet meer trok, had hij daar niets van laten merken. Elke keer dat wij wijn dronken, dronk hij mineraalwater of sap.

'Ik wilde dat je langer kon blijven,' zei ik. 'Eerlijk gezegd vind ik het een vreselijk idee om alleen met Leila hier te blijven.'

Guyon fronste. 'Er is iets niet goed met haar, hè? Ik bedoel, naast het verdriet om haar moeder en haar gebruikelijke gekte. Volgens mij is ze nog valser dan normaal.'

'Ik weet niet wat er gaat gebeuren als deze zomer voorbij is. Volgens mij zou ze niet alleen moeten zijn.'

'Nou, dat duurt nog weken. Misschien is ze dan weer in orde,' zei Guyon, niet overtuigd.

'Het lijkt alsof ze geen enkele beslissing kan nemen: of ze dit huis wel of niet wil verkopen, waar ze wil wonen. Ze lijkt helemaal vast te zitten.'

'Het enige wat je kunt doen is bij haar zijn, Alice.'

'Dat weet ik.'

'Charlie en ik hebben jarenlang datzelfde over jou gedacht,' bekende Guyon.

'Dat ik vastzat?'

Hij knikte. 'En nu bevrijd je jezelf. Ja toch? Maar dat moest je wel zelf willen. Niemand kon je daarbij helpen.' Hij schoot in de lach. 'Moet je mij horen, het klinkt alsof ik te veel therapie heb gehad. Daar moet ik maar eens mee ophouden.'

Net zo'n soort gesprek had ik met Charlie terwijl ik de meisjes hielp beslissen welke kleren ze in Rome zouden dragen. We legden bepaalde setjes boven op hun andere roze kleren in hun koffer.

'Die niet.' Mia wees naar haar spijkerbroek. 'Prinsessen dragen geen broeken. Alleen mooie jurkjes.'

Charlie keek me aan met zijn vermoeide vaderblik. 'Kom alsjeblieft mee naar Rome. Volgens mij kan ik dit niet alleen aan.'

'Dat zou ik heerlijk vinden. Maar volgens mij kan ik Leila nu niet alleen laten.'

'Ja, ze is gespannen, hè?' beaamde Charlie. 'Ze leek zich zo goed te vermaken toen we hier net waren. Maar er is iets veranderd.'

'Tja, ze is vaak misselijk; daar kan het ook van komen. Heb je wel gezien dat ze elke avond maar één glas wijn drinkt? Niets voor haar!'

'Ze drinkt 's ochtends ook bijna geen espresso meer.' Charlie leek opeens iets te begrijpen. 'Nou, zeg! Weet je, ze is zwanger!'

Nu werd ik ook misselijk. 'Nee toch? Ik bedoel, ze is al over de veertig en ze heeft een miskraam gehad.'

'Nou en? Het kán toch niet anders? Ze slaapt meer. Ze eet alleen nog maar de gemberkoekjes waar Babetta ons onder bedelft. Ik begrijp niet waarom het me al die tijd niet is opgevallen. Mary verging het ongeveer net zo, met de beide meisjes.'

'O, mijn god, misschien is ze inderdáád zwanger!' Ik realiseerde me dat het waar moest zijn. 'Maar ze heeft niets gezegd.'

'Misschien weet ze het zelf niet. Mary was al vier maanden zwanger van Mia voordat ze begreep wat er aan de hand was. Ze dacht dat ze gewoon niet lekker en gespannen was. Leila denkt dat misschien ook. Haar moeder is immers net overleden?' Hij zweeg en dacht even na. 'Ik vraag me af wie de vader is.'

In gedachten zag ik Lucio weer die op een ochtend heel vroeg Leila's kamer uitkwam. 'Volgens mij weet ik dat wel.'

'Wie dan?'

'Je hebt hem nooit ontmoet. Het is niet belangrijk.'

'Aan je gezicht te zien is het dat wel,' zei Charlie. 'Toch niet een ex-vriendje van je?'

'Nee, alleen iemand van wie ik dacht hij misschien speciaal zou worden,' bekende ik met tegenzin. 'Maar dat is niet gebeurd.'

'O, nou, misschien is hij nu speciaal voor Leila,' zei hij opgewekt. 'Het werd tijd dat ze het een beetje rustiger aan ging doen. Het is één ding om met Jan en alleman naar bed te gaan als je in de twintig bent, maar op haar leeftijd wordt dat een beetje zielig.'

'Charlie!' riep ik uit. 'Doe niet zo seksistisch!'

'Als ze een man was zou ik precies hetzelfde zeggen,' beweerde hij.

'Niet iedereen hoeft het rustig aan te gaan doen en zich netjes te gedragen. Misschien wil ze de baby niet eens houden. Een ander vriendinnetje van Lucio was zwanger en heeft een abortus gehad.'

'Lucio.' Peinzend herhaalde Charlie de naam. 'Hij had dus speciaal moeten worden?'

'Maar dat is hij niet,' zei ik tegen hem. 'Absoluut niet speciaal.'

Babetta

Babetta was er zeker van dat niemand het wist. Op Silvana's oude bankje voor de bakkerij werd over andere dingen gepraat: over een vrouw die haar overspelige man had betrapt, over een schandaal waar de burgemeester bij betrokken was, en geld. Het was al een tijdje geleden dat ze iemand Lucio's naam had horen noemen, en de Engelse mensen beneden aan de heuvel gaven ook allang geen aanleiding meer voor praatjes. Als het bekend was, zou erover worden gepraat, vooral tegen Babetta, die de roddels zou kunnen aanvullen met nog meer feiten. Maar niemand had ook maar iets gezegd.

Toen ze weer in Triento was, nam ze een andere route dan normaal. Ze liep tussen de marktkramen door naar de steeg waar Lucio's pizzeria stond. Hij was binnen aan het werk, met de oven aan, in de verstikkende hitte.

'Oef,' klaagde Babetta toen ze binnenkwam. 'Wat is het heet hierbinnen.'

Lucio keek op en begroette haar glimlachend. 'Hallo, Babetta. Op zoek naar nog meer vuurwerk? Of wil je een stukje van de beste pizza die je ooit hebt geproefd?'

Zonder op antwoord te wachten pakte hij een bal deeg en begon hem tussen zijn vingers uit te rekken. 'Volgens mij heb je zin in iets eenvoudigs, plakjes tomaat, verse blaadjes basilicum, stukjes mozzarella. Niets ingewikkelds, hè, Babetta?'

'Als jij het zegt.' Ze klom op de kruk die naast de toonbank stond. 'Maar ik ben hier niet gekomen om te eten.'

'O nee? Waarom dan wel?'

Ze keek even naar hem. Lucio, die altijd zo knap was geweest, leek nog altijd een jongen, zijn haar hing in zijn ogen toen hij zich over de pizza boog. Babetta begreep wel waarom een vrouw heel gemakkelijk gecharmeerd van hem kon raken. Ze was blij dat zij al heel jong met Nunzio was getrouwd en nooit door een man als deze verleid had kunnen worden.

'Ik wil even met je praten, maar eerst wil ik die pizza wel eens proeven,' zei ze.

Ze at hem helemaal op, zelfs de knapperige korst. Ze genoot van de gesmolten mozzarella op haar tong en de scherpe smaak van de tomaat.

'Jij lust er wel pap van,' zei Lucio vol bewondering.

'Jij ook, kennelijk.' Ze duwde haar lege bord van zich af en veegde haar mond af met een servetje.

'Ik weet niet wat je daarmee bedoelt.'

'Volgens mij wel.'

Lucio keek haar vragend aan. 'Je zult het me toch moeten uitleggen, oude dame.'

Babetta keek hem aan. 'In mijn tijd moest een man als hij een meisje zwanger had gemaakt met haar trouwen. Toen kon je het niet in het ziekenhuis laten weghalen. Dan liet je een meisje niet onteerd achter.'

'Dat weer!' Lucio zuchtte. 'Ik heb het aangeboden, maar haar familie wilde daar niets van weten. Ze wilden iets beters voor haar dan een pizzabakker en ze hebben haar nu naar Londen gestuurd, ver bij mij vandaan.'

'Ik heb het niet over dat meisje,' zei Babetta.

'Over wie dan wel? Voor zover ik weet heb ik niemand anders zwanger gemaakt.' Hij zweeg en keek Babetta aandachtig aan. 'Wie? Wat weet je?'

'Hoeveel vriendinnen heb je eigenlijk?'

Lucio pakte haar lege bord en zette het in de gootsteen. 'Dat gaat je niets aan. Toch?'

Ze voelde zich beledigd door zijn uitdagende toon. 'Als een man vroeger weigerde om met een meisje te trouwen dat hij had onteerd, dan zou de politie hem daartoe dwingen.'

'Dat weet ik. Maar in die tijd leven we immers niet?'

Babetta klauterde van haar kruk. 'Dan moet je zelf beslissen wat het juiste is om te doen, hè, Lucio?' Ze liep naar de deur. 'Deze keer is de keus aan jou.'

'Wacht!' riep hij. 'Ga je me niet vertellen wie het is?'

Babetta dacht hier even over na, maar zei toen hoofdschuddend: 'Je hoort het snel genoeg, denk ik. Maar bedankt voor de pizza; hij was inderdaad zo lekker als je had beloofd.'

Alice

Het was nog vroeg toen ik Leila hoorde kokhalzen. Ze hing boven de toiletpot, met tranen in haar ogen, en hield haar haar uit haar gezicht.

'Kan ik iets voor je halen?' vroeg ik. 'Water? Een handdoek?'

Ze ging op haar hurken zitten. 'Nee, mijn god, wat voel ik me ellendig. Ik ga straks misschien even naar de dokter. Die buikgriep duurt veel te lang.'

'Heb je je nooit eerder zo gevoeld?'

'Nee, écht niet!'

Ik ging op de rand van het bad zitten. 'Zelfs niet één keer eerder?'

'Wat zeur je nou? Kun je me hier niet rustig laten doodgaan?' Ze boog zich weer over de toiletpot en ik huiverde omdat ze alleen maar kokhalsde.

'Wat ik bedoel is dat het misschien geen buikgriep is,' zei ik toen ze klaar was. 'Je hebt last van ochtendmisselijkheid, je drinkt geen alcohol en koffie meer. Volgens mij wijst dat op iets heel anders...'

Leila keek even naar me en ik zag aan haar gezicht dat ze het begreep. 'Shit... Denk je dat ik zwanger ben?'

'Kan dat?'

'Zo voelde ik me de vorige keer niet. Toen was ik helemaal niet misselijk.'

'Maar het kan wel?'

Leila begroef haar gezicht in haar handen. 'O, god, dat kan ik echt niet gebruiken, hoor, zwanger zijn!' Ze begon te huilen en te lachen. 'Dat is nou echt iets voor mij!'

'Zullen we bij de drogist een zwangerschapstest kopen? Zo'n stick waar je op moet plassen?'

'Ja, laten we dat maar doen,' zei ze. 'O, hoe heb ik zo dom kunnen zijn?'

'Als je zwanger bent... ga je het Lucio dan vertellen?'

'Nee.' Ze klonk zeker van zichzelf.

'Wat ga je dan doen?'

'Dat weet ik niet. Ik kan in mijn eentje toch geen kind hebben? Ik kan op dit moment amper voor mezelf zorgen.'

'Ja, maar Lucio...'

'Nee! Zo'n relatie hebben we niet! Ik weiger om ter wille van een kind voor altijd aan Lucio vast te zitten.'

'Maar je wilt het niet laten weghalen?'

'Nee,' zei ze, zachter nu. 'Nee, dat kan ik denk ik ook niet doen.'

'Nou, je hoeft het niet in je eentje te doen,' zei ik. 'Je hebt mij. Dan word ik de tante van de baby. Dat zou ik echt leuk vinden. Samen met jou een baby hebben.'

De tranen stroomden inmiddels over haar wangen. 'Echt?'

Ik streelde haar haar, dat al grijs begon te worden. 'Als je zwanger bent, gaat je leven veranderen, Leila. Maar dat is niet per definitie slecht.'

'Dat zeg ik toch altijd tegen jou?'

'Ja, maar nu is het mijn beurt om het te zeggen.'

Leila legde haar handen op haar buik, zoals zwangere vrouwen altijd doen. 'Een baby,' zei ze verbaasd. 'Ik probeer de hele tijd te beslissen wat ik wil doen en nu lijkt het erop alsof dat al besloten is.'

Het was gek, maar nu we wisten dat Leila zwanger was leek het ook zichtbaarder. Haar lichaam was veranderd, ze werd dikker om haar middel, haar buikje werd boller. We vroegen ons af of Babetta het al veel eerder had vermoed. Die constante aanvoer van gemberkoekjes leek daarop te wijzen en hoewel we niets hadden verteld, maakte ze nu andere gerechten speciaal voor Leila: niet te gekruide bouillon, kleine porties zachte ravioli. Totaal anders dan haar gebruikelijke stevige gerechten.

Ik zorgde ervoor dat Leila de rust had om te ontspannen en de tijd om zich neer te leggen bij wat haar overkwam. We maakten lange rustige wandelingen, met de oude Sky achter ons aan, en als ik in de tuin werkte trok Leila vaak een ligstoel bij en praatten we over de toekomst.

'Als het een meisje is, noem ik haar natuurlijk naar mijn moeder,' zei ze dan. 'Maar als het een jongen is weet ik het niet. Er zijn geen speciale jongensnamen in mijn leven geweest. Misschien een Italiaanse naam...'

We wisten allebei dat Raffaella en haar man in Babetta's tuin werkten, aan de andere kant van de hekken van Villa Rosa. Tegenwoordig kwamen ze drie of vier keer per week een middag om de groentebedden te wieden. Leila ontweek hen om vragen te vermijden. Deze baby zou nooit deel van hun familie uitmaken, daar was ze heel duidelijk over, deze baby was alleen van ons. Een tijdlang ging ik daartegenin, ik herinnerde haar eraan dat zij en Raffaella altijd vriendinnen waren geweest, dat het niet eerlijk was haar te straffen. Maar Leila was vastbesloten de familie erbuiten te houden. Ze was niet te vermurwen.

'Het was maar een spelletje voor Lucio en mij,' zei ze steeds. 'Het was helemaal niet de bedoeling dat het serieus werd. En een baby maakt alles heel erg serieus.'

'Maar hij zal het kind toch zeker willen zien?' drong ik aan.

'Je begrijpt Lucio nog altijd niet, hè?' zei Leila bijna geamuseerd. 'Hij is kortzichtig, maakt gebruik van zijn uiterlijk en wil niets veranderen. Hij leeft zijn leventje precies zoals hij dat wil.'

'Zo klinkt het alsof hij een vreselijke man is.'

'Hij is niet vreselijk, alleen egoïstisch.'

'Tonino is net zo, denk ik.' Dat drong nu pas tot me door. 'Ze leken altijd zo verschillend, maar eigenlijk zijn ze precies hetzelfde. Alles is prima zolang alles maar loopt zoals zij dat willen.'

'Volgens mij komt dat doordat Italiaanse *mamma's* hun zonen zo verwennen,' zei Leila peinzend. 'Maar dat is niet de reden dat ik niet wil dat Raffaella zich met mijn kind bemoeit.'

'Wat dan wel? Als je me dat vertelt, hou ik misschien op daarover te zeuren.'

'Ik ben alleen door mijn moeder opgevoed en het gaat prima met me,' zei ze zacht. 'En dit is het enige kind dat ik ooit zal krijgen.'

'Je wilt dus dat alles wordt zoals het was voor jou en Aurora?'

'Ik wil dat alles perfect wordt.'

Regelmatig probeerde ik haar om te praten, maar Leila had altijd tegenargumenten. Ze wilde niet dat een andere familie zich met het leven van haar kind bemoeide, haar vertelde hoe ze het moest kleden of wat het moest eten, of naar welke school het moest. 'Het is niet hun kind, maar het mijne,' herhaalde ze koppig.

In de loop van de zomer waren we allebei sterker geworden. We waren klaar voor alle veranderingen. Klaar om afscheid te nemen van Villa Rosa, in de wetenschap dat het binnenkort zou worden verkocht en we misschien nooit zouden terugkomen. Klaar om eindelijk terug te gaan naar Londen en een ander leven te gaan leiden.

Babetta

De dagen werden koeler en Babetta voelde dat er een einde aan de zomer kwam. In Villa Rosa werden lakens en handdoeken gewassen en daarna opgevouwen in de linnenkast gelegd. Het tuingereedschap was schoongemaakt, in de olie gezet en opgeruimd. De keukenkasten werden ontdaan van levensmiddelen die konden bederven.

Een week geleden had Leila gezegd dat er in Babetta's huis een telefoon moest komen en die stond nu in een hoekje van de keuken op een telefoontafeltje. Het was een glimmend plastic ding met knoppen. Babetta had hem al twee keer afgestoft, maar nog nooit gebruikt. Ze had beloofd op te nemen als hij rinkelde en ze had Leila al een paar keer bedankt, maar stiekem vond ze dat de vrouw haar geld had verspild. Babetta had het al die jaren zonder telefoon kunnen stellen en ze zag geen enkele reden waarom dit moest veranderen.

'We kunnen je bellen als we weer in Londen zijn,' zei Leila. 'Jij past toch zoals altijd op het huis? En je veegt de paden natuurlijk, maar er komt een tuinman om het werk te doen dat Alice tot nu toe heeft gedaan.'

Leila wreef over haar buik; dat was inmiddels een gewoonte geworden. Ze droeg wijdere kleren dan nodig was, haar zwangerschap bleef onbesproken, een gedeeld maar niet toegegeven geheim.

Zelfs Raffaella had nog niet met Leila kunnen praten. De hekken van Villa Rosa bleven dicht en Raffaella had weinig zin naar binnen te gaan. Haar zoon Lucio had het geprobeerd en was weggestuurd. Hij had het niet nog eens geprobeerd. Alleen Babetta mocht binnenkomen, met haar lekkere hapjes en haar vriendelijkheid. Voor haar werden de hekken geopend. Maar niemand anders leek welkom.

En nu waren ze aan het inpakken en opruimen. Dat wees erop dat de zomer ten einde liep. Het zou algauw tijd zijn om de granaatappels te plukken, de oude tomatenplanten te verwijderen, mest door de aarde te werken en lupinezaad te zaaien. Om groenten en fruit in te maken, de voorraadkasten te vullen en meer hout tegen de beschutte muur van het huis te stapelen. Algauw zou de zon in kracht afnemen, de lucht donker worden en de kust worden geteisterd door stormen.

Terwijl Babetta zich schrap zette voor de komende winter, vroeg ze zich af of de Engelse vrouwen ooit zouden terugkeren. Of zou Villa Rosa weer jarenlang leegstaan met gesloten luiken tot de goed geklede *signora* kwam met haar leren map om het huis klaar te maken voor de verkoop?

Op de laatste dag hielp ze mee de koffers in Aurora's oude Jeep te laden, ze liet zich omhelzen en op haar beide wangen zoenen; Leila's zwangere buik stevig tegen haar aan gedrukt. Ze zwaaiden naar haar door de geopende raampjes en verdwenen de heuvel op met een wolk uitlaatgassen achter zich aan.

Babetta wist bijna zeker dat Villa Rosa hen nooit terug zou zien.

Alice

Ik had er verschrikkelijk tegen opgezien het Tonino te vertellen, maar ik had kunnen weten dat hij nooit moeilijk deed en dat nu ook niet zou doen. Hij hielp me toen ik mijn bezittingen in dozen stopte waarvoor hij had gezorgd en droeg ze naar de bestelwagen waarmee Guyon naar ons toe was gekomen.

Daarna zaten we op een bank en keken naar de tuin die ik tien jaar lang had vormgegeven en praatten nog een laatste keer met elkaar.

'Komt het wel goed met je? Heb je genoeg geld?' vroeg hij.

'Ja hoor, het komt wel goed met me. Ik ga een tijdje bij Leila wonen.'

'Dit is de juiste beslissing voor jou. Dat zie ik wel in,' zei hij met een lage, beheerste stem. Zo praatte hij vroeger ook als hij in het Teatro iemand vertelde hoe hij een gerecht moest klaarmaken of uitlegde wat iemand verkeerd had gedaan.

'En jij?' vroeg ik hem.

'Ik zal je natuurlijk wel missen, Alice.'

'Maar je vindt wel iemand anders?' Zijn haar was grijs geworden, zijn huid slapper, maar Tonino was nog altijd een aantrekkelijke man.

'Ja, net als jij.'

Ik stond op om een paar plukjes onkruid uit te trekken die zijn nieuwe tuinman over het hoofd had gezien. 'Ik ben niet echt op zoek,' zei ik. 'Dat is niet de reden dat ik wegga. Ik moet een tijdje alleen zijn. Ik wil uitzoeken wie ik ben en wie ik wil zijn.'

'Ik heb je nooit belet om iets te doen, en zeker niet om jezelf te zijn.' Tonino klonk gekwetst.

'Dat is zo.' Ik zat met mijn rug naar hem toe. 'Maar je hebt het me wel gemakkelijker gemaakt om mezelf te ontlopen.'

'Vind je het niet vreselijk om weg te gaan en dit allemaal achter te laten?' Hij knikte naar de tuin. 'Je hebt hier zo hard gewerkt en nu ga je weg.'

'Ach, er komen wel andere tuinen, hoop ik. Een heleboel.'

Hij pakte mijn hand, zo ruw door mijn werk in de tuin en de keuken dat het wel schuurpapier leek. 'Het spijt me dat ik je niet heb gegeven wat je nodig had, als ik het te druk had met mijn eigen leven. Dat is het probleem als je met een chef samenwoont, denk ik. Maar eerlijk gezegd zou ik het niet anders doen, ook niet als het kon.'

Daarna boog hij zich naar me over en raakte mijn lippen aan met de zijne, beroerde ze amper, net zoals de eerste keer op het balkon boven de Theems.

'Ik moet gaan,' zei ik. 'Guyon wacht op me.'

'Vaarwel, Alice.' Hij gaf een kneepje in mijn hand. 'Wees wie je wilt zijn.'

Toen ik naast Guyon in de gehuurde bestelwagen kroop, was ik bijna in tranen. Maar Guyon leek dolblij. Hij reed snel Tonino's oprit af en riep: 'Niet achteromkijken, Alice, niet achteromkijken.'

We reden de weg op. Guyon floot triomfantelijk. 'Als ik alcohol zou drinken, nam ik je ergens mee naartoe voor een fles champagne.'

'Ik heb helemaal geen zin om iets te vieren.'

'Maar je bent vrij! Hier heb je de hele zomer al tegenaan zitten hikken en nu heb je het gedaan!'

'Ja, en nu begint het moeilijkste deel,' zei ik. 'Leila helpen met de bevalling en mijn bedrijf opstarten. Er is heel veel te doen.'

'Maar niets wat je niet kunt. Je moet het gewoon stukje bij beetje doen.'

We reden rechtstreeks naar het appartement in Maida Vale en zetten mijn dozen in de logeerkamer. Het was vreemd om daar na al die jaren weer te zijn. Leila zou voorlopig in haar huis ten zuiden van de stad wonen, met een tuin van bijna een halve hectare met een taxushaag eromheen. Ik had het appartement dus voor mezelf. Ik wist nog goed dat ik hier de eerste keer met de trein naartoe was gekomen, doodsbang maar vastberaden. Het was nu jaren later en in feite voelde ik me net zo.

Het leek alsof ik terug was bij af. Ik draaide zelfs een paar diensten in de brasserie. Er waren nieuwe eigenaren, een nieuwe laag verf en andere meubels, maar het was nog altijd een drukbezocht buurtcafé. In het weekend werkte ik in de keuken en glipte vrijwel probleemloos weer in mijn koksKleren.

Door de week was ik urenlang bezig met het opzetten van mijn bedrijf. Vaak kwam Charlie 's avonds langs en dan praatten we met een glas wijn over wat ik allemaal had gedaan. Hij leek het fijn te vinden erbij betrokken te zijn, maar hij ontweek me ook. Het viel me op dat hij altijd op afstand bleef en elk mogelijk huidcontact met me vermeed. Als ik kookte, deed hij de afwas. Als ik op de bank ging liggen om tv te kijken, zat hij in de leunstoel. En als hij vertrok, zoende hij me niet op de wang, maar zwaaide alleen en beloofde me de volgende ochtend te sms'en.

Op Villa Rosa had het er even op geleken dat er een bepaalde intimiteit tussen ons ontstond, maar nu trok Charlie zich terug. Als we 's avonds niet samen waren, vroeg ik me af of er misschien iemand anders was. Dan stelde ik me voor dat hij met een andere vrouw at of naar de bioscoop ging.

En dat vond ik veel erger dan volgens mij goed voor me was.

Babetta

Babetta haalde dekens en sjaals tevoorschijn en legde steeds nieuwe houtblokken op het vuur. Haar leven kwam in een trager ritme, zoals altijd in de winter. Ze droeg wollen kleding en bleef binnen. Ze kreeg ook bezoek, Sofia met haar dochters om samen te lunchen met een kop soep, of Raffaella als de middag overging in de avond. Maar ze was meestal alleen.

De eerste keer dat de telefoon schril overging was ze te verbaasd om op te nemen. En toen ze eindelijk opnam en Leila's stem hoorde, verliep hun gesprek stijfjes. Leila's slechte Italiaans, het onuitgesproken geheim dat tussen hen in lag, de onprettige druk van de telefoon tegen haar oor, dat alles zorgde voor een ongemakkelijke sfeer.

Babetta had sowieso weinig te vertellen. Haar dagen herhaalden zich; er gebeurde niets nieuws.

Raffaella had altijd wel nieuwe roddels die Babetta interesseerden. Zij vulde de stilte met woorden, terwijl Babetta dankbaar luisterde.

Als Raffaella een keer vroeg kwam en het een mooie dag was, liet Babetta zich overhalen om naar buiten te gaan. Dan liepen ze snel over het terrein van Villa Rosa, door de kale tuin, het pad af om naar de zee te kijken die tegen de rotsen sloeg.

'In de zomer dat ik hier woonde, zat ik vaak op deze rotsen,' mijmerde Raffaella terwijl haar gezicht nat werd van het stuivende water. 'Als ik moest nadenken, ging ik altijd hiernaartoe. Maar dat is al heel lang geleden, voordat ik trouwde en kinderen kreeg. Toen het grootste deel van mijn leven voor me lag en niet achter me.'

'Zo oud ben je nog niet,' zei Babetta. 'Je hebt nog een heel leven voor je.'

'Soms heb ik het gevoel dat ik nergens meer op kan hopen,' zei Raffaella somber.

'Binnenkort heb je een kleinkind in Engeland. Daar kun je toch wel hoop uit putten?'

'Hoe dan? Leila heeft heel duidelijk gemaakt dat mijn zoon daar wat haar betreft niets mee te maken heeft. Ik neem aan dat hij daarop kan aandringen... maar dat doet hij natuurlijk niet. Lucio niet.'

'Ik heb geprobeerd met hem te praten, wist je dat?'

'Ja, dat heeft hij me verteld.' Raffaella glimlachte toen ze daaraan terugdacht. 'Hij was verbijsterd, weet je. Toen hij zich realiseerde dat hij Leila zwanger had gemaakt, was hij volgens mij opgelucht. Zij is een vrouw met geld, met een carrière. Zij kan het zich veroorloven zonder hem een kind op te voeden.'

Babetta gromde iets, keek naar de zee en wachtte tot haar vriendin verder zou vertellen.

'Waarom zijn mijn beide zonen zo? Ik snap er niets van. Hebben Ciro en ik hun dan niet het goede voorbeeld gegeven? Hebben we iets verkeerd gedaan toen ze opgroeiden?'

'Je kunt jezelf niets kwalijk nemen,' mompelde Babetta.

'Volgens mij komt het van mijn kant, hun karakter. Ik had een broer, Sergio, die net zo was. Ik had nooit zoons willen hebben als ik had geweten dat ze op hem zouden lijken.'

'Dat meen je niet. Je houdt van je jongens, Raffaella.'

'Natuurlijk doe ik dat. Maar hoe meer ik van hen hou, hoe meer ze me kwetsen. Soms is het gemakkelijker boos op hen te zijn.'

'Het zijn geen slechte jongens... niet echt. Tonino is een harde werker. Lucio is charmant en liefdevol.'

Raffaella zei niets, maar keek fronsend voor zich uit.

'Maar het zijn geen slechte jongens,' herhaalde Babetta. Ze wist niet goed hoe ze Raffaella moest helpen.

'Niet slecht, maar ze hebben hun gebreken,' zei Raffaella ten slotte. 'Dat geldt voor ons allemaal, dat realiseer ik me wel. Lucio's gebrek betekent dat mijn kleinkind in Engeland zal opgroeien en mij nooit zal kennen. Kun je je voorstellen hoe ik me daarbij voel?'

'Wat zegt Ciro ervan?'

'Dat ik moet afwachten. Dat het wel goed komt. Maar dat geloof ik niet. Ik ben niet zo optimistisch als hij.'

Babetta pakte Raffaella's arm en liep met haar naar de trap. 'Weet je nog hoe eenzaam ik me voelde nadat Nunzio was overleden?' begon ze toen ze samen naar boven liepen. 'Toen heb je mij geholpen. Ik dacht dat het goede deel van mijn leven voorbij was, ik verwachtte niets meer van het leven, maar dankzij jou kreeg ik die oude Vespa.'

'Dat herinner ik me nog. Natuurlijk!'

'Nu voel jij je eenzaam en nu zou ik jou graag willen helpen.'

'Maar je kunt helemaal niets doen.'

'Herinner je je die avond dat we met z'n vieren om het vuur zaten? Zo intiem?'

'Jawel,' zei Raffaella ongeduldig.

'Toen waren jij en Leila goede vriendinnen.'

'Dat dacht ik wel.'

'Wat zou er gebeuren, denk je, als je nu naar haar toe ging?'

'Naar Londen?'

Babetta knikte.

'Dan zou Leila tegen me zeggen dat ik moest weggaan en de deur dichtslaan. Als ik haar al kon vinden. Ik weet niet eens waar ze woont.'

'Maar ik heb adressen en telefoonnummers,' zei Babetta snel. 'Die hebben ze me gegeven. Je kunt haar dus zo vinden. Maar durf je dat risico wel te nemen?'

Raffaella staarde naar de roze muren van het lege huis. 'Misschien komen ze hier nooit meer terug,' zei ze. 'Misschien brengen ze de zomers ergens anders door, net als alle andere eigenaren van Villa Rosa. Dat is het lot van dat huis, denk je ook niet? Het is een ongelukkige, eenzame plek.'

'Misschien wel,' beaamde Babetta. 'Maar daar kun je verandering in brengen als je dat wilt.'

'Volgens mij kan ik dat niet,' zei Raffaella overtuigd. 'Dat kind kan ik wel vergeten. Er is niet veel over om op te hopen.'

Alice

Leila's buik was eindelijk tot rust gekomen en zo te zien gold dat ook voor haar stemmingswisselingen. Ze kwam naar Londen zodat we samen babyspulletjes konden kopen en ze leek te genieten van alle voorbereidingen, het geld uitgeven, en het vullen van laden met minuscule kleertjes en kasten met allerlei andere dingen.

Ik maakte me zorgen over het leven met een kind dat de halve nacht lag te huilen in de fraaie wieg die ze bij Baby Dior had gekocht. Als ik door schone witte vertrekken liep die naar lotions en talkpoeder roken, dacht ik aan haar buik die dankzij Lucio's kind bijna op knappen stond en vroeg me af hoe het zou zijn als het was geboren.

Charlie wees me erop hoe onvoorbereid Leila was. 'Ik heb met haar gepraat en ze heeft geen idee,' zei hij steeds. 'Nachtvoedingen, luiers verschonen, koliek-huilen... En zo te zien heeft ze geen hulp, behalve van jou.'

'Ze redt het toch wel?'

'Heeft ze dat ooit gedaan?'

'Nee, maar tot nu toe was dat nooit nodig.'

'Volgens mij gaat dit niet goed,' zei Charlie.

'Maar wat moet ik dan doen?'

'Er is in elk geval nog familie in Italië. Kun je Leila niet overhalen hen hierbij te betrekken?'

'Lucio was gewoon iemand met wie ze naar bed is geweest,' zei ik zonder overtuiging. 'Ze wil zich op geen enkele manier aan hem binden.'

'Zijn ouders dan? Wat vinden zij ervan? Of denkt Leila zoals gewoonlijk alleen aan zichzelf en absoluut niet aan hen?'

'Dat weet ik niet.' Ik voelde me steeds schuldiger naar Raffaella toe. 'Ik denk dat ik wel met Leila kan praten, maar ik heb er weinig vertrouwen in.'

De lusteloze blik vloog van Leila's gezicht toen ik het onderwerp aanroerde. Ze herhaalde dat ze geen enkele reden zag waarom de baby een vader nodig had omdat zij en ik ook zonder vader waren opgegroeid.

Elke week werd ze dikker maar niet minder koppig. Het werd kerst en die brachten we in het huis op het platteland door. Guyon, Charlie en de meisjes kwamen een paar dagen en bleven tot nieuwjaarsdag. We gingen heel omzichtig om met Leila en maakten het allemaal zo leuk mogelijk voor haar.

Ik was het grootste deel van de tijd in de keuken. Ik maakte stoofvlees om ons vanbinnen te verwarmen. Ik liet het urenlang sudderen tot het vlees gaar was en de jus was ingedikt. Ik grilde scharrelkippen, maakte romige soepen van bouillon die ik de hele dag had laten trekken en schalen vol stevige troostrijke heerlijkheden. Buiten vroor het en het pad naar haar huis was modderig en had diepe voren. We bleven binnen, dicht bij het oude AGA-fornuis, bakten platte broden die we dik met zoute boter besmeerden of cakes die plakkerig waren van de karamel en de stroop.

Leila had altijd honger. Ze at met een kalme vastberadenheid, schepte een dikke laag geraspte Parmezaanse kaas op haar soep en dikke klodders slagroom op alles wat zoet was. Alles waar ze zich vroeger druk over maakte, zoals vetgehalte en aantal calorieën, leek te zijn vergeten. Guyon maakte een gekruide dhal en uren later zag ik haar de koude restjes genietend opeten. Charlie legde een biefstuk op de barbecue en ze verorberde dikke plakken bestreken met mierikswortel. Voor elke maaltijd verzamelden we ons rondom de stevige keukentafel, met de open haard aan en als het donker was met brandende kaarsen, en dan werkte Leila zich door elk gerecht dat we maar hadden klaargemaakt.

'Ah, alweer een feestmaal,' zei Guyon toen we op de laatste avond aan tafel gingen. 'Ik heb mijn riem al een paar gaatjes losser gedaan. Dit is mijn lekkerste oud & nieuw ooit.'

Hij en Leila hieven hun glazen met spuitwater en Charlie en ik onze glazen met pinot noir. 'Op de toekomst,' zei ik. 'Op de toekomst van ons allemaal.'

Guyon begon over het onderwerp dat we allemaal hadden vermeden. 'Wat jammer dat Babetta hier niet is om net als in Italië samen met ons te eten,' zei hij. 'Ik vraag me af wat dat oudje doet met kerst en oud & nieuw. Zou ze helemaal alleen zijn?'

'Nee, ze heeft wel familie,' zei Leila kortaf. 'Ik ga ervan uit dat ze bij hen is.'

'Ga je deze zomer nog terug?' vroeg hij nonchalant. 'Naar die heerlijke Villa Rosa?'

Leila leek niet op haar gemak. 'Ik verkoop het, denk ik. Er is geen enkele reden om terug te gaan nu mijn moeder is overleden.'

Quasi onschuldig vroeg Guyon: 'Maar de vader dan, die man van de pizzeria, toch? Zal hij zijn kind niet willen zien? En de grootouders? Je moet dus wel terug.'

'Ik hoef helemaal niets.'

Guyon hoorde de ijzige klank in haar stem. 'O, ik begrijp het. Je vindt het vervelend, hè?'

'Wat bedoel je met vervelend? Je hebt hier niets mee te maken, Guyon. Helemaal niets.'

Hij haalde zijn schouders op. 'Je hebt gelijk, dat is waar, maar ik zou het vreselijk vinden als je een fout maakte.'

'Goed, als je wilt kunnen we het er wel over hebben,' zei Leila woedend. 'De vader – Lucio – heeft een keer geprobeerd me op te zoeken toen hij wist dat ik zwanger was. Zijn moeder heeft die moeite niet eens genomen. Volgens mij hebben ze geen enkele belangstelling voor mij en mijn baby en dat vind ik prima.'

'We weten allebei dat dat niet waar is,' zei ik zacht. 'Raffaella zou dit kind niet willen missen. Dit is iets waar ze al jaren naar verlangt.'

'En Babetta dan?' vroeg Guyon geschokt.

'Zij redt zich wel… dat doet ze al jaren. Ze heeft familie, weet je.'

'Ja, net als je baby,' waagde ik te zeggen, ook al wist ik dat ze zich hierdoor beledigd zou voelen.

Dat was het einde van ons nieuwjaarsfeestje. Leila verdween chagrijnig naar haar slaapkamer, Charlie en ik dronken te veel wijn en Guyon hield een woedend betoog.

'Ze verwacht dat jij haar achter de kont aan loopt, Alice. En als je dat doet, ben je net zo stom als zij.'

Charlie en ik zaten naast elkaar op de bank. 'Nee hoor, dat gaat Alice niet doen. Dat laat ik niet toe.'

'Wacht maar! Ze kan zich toch niet beheersen. Zo is hun relatie nu eenmaal: Leila is de koningin, Alice de werkbij.'

'Ik zit hier gewoon, hoor!' zei ik. 'En onze relatie is niet eenzijdig. Leila heeft mij ook geholpen toen ik haar nodig had.'

Guyon snoof, zeurde nog een tijd door over Leila tot hij er zelf ook flauw van was en ging naar bed. Wij bleven achter, Charlie en ik. We genoten van de laatste warmte van het haardvuur. Onze heupen raakten elkaar bijna doordat de kussens van de bank doorzakten.

'Wat grappig,' zei ik slaperig. 'Ik heb altijd het gevoel gehad dat jullie mijn echte familie waren, jij, Guyon en Leila.'

'Dat is denk ik ook zo,' beaamde Charlie. 'Leila is net mijn zus. Ze irriteert me mateloos, maar toch geef ik heel veel om haar.'

'En Guyon is de bazige oudere broer.'

'Hoe zit het dan met jou en mij?' Charlies been drukte bijna tegen mijn been.

'Hè?' Even wist ik niet wat ik moest zeggen.

'Wat voor relatie hebben wij? Want ik heb helemaal niet het gevoel dat je mijn zus bent, Alice. Dat is nooit zo geweest.'

'Nee,' beaamde ik. 'Maar we zijn al zo lang vrienden. Jij bent mijn echte familie.'

Charlie ontspande zijn been zodat hij mijn been raakte, warm en zwaar.

'De manier waarop Leila zich gedraagt. Ik ben bang dat ik me tegenover jou ook zo heb gedragen,' probeerde ik ons gesprek weer op te vatten. 'Jou buitensluiten... jou de schuld geven van alles wat misging. Het spijt me, weet je. Ik heb zo'n spijt van de manier waarop ik je heb behandeld.'

Hij sloeg zijn arm om mijn schouder en kneep er even in.

'Charlie?' Ik leunde tegen hem aan en dwong mezelf hardop de vraag te stellen die me al zo lang kwelde. 'Is er iemand anders in je leven? Een vrouw?'

'Nee,' zei hij. 'Ik doe niet meer aan vrouwen. Sinds ik de vrouw die ik wilde niet kon krijgen.'

'Maar als dat nu wel zou kunnen? Als ze eindelijk weet wat ze wil met haar leven?'

Hij keek me aan, bedachtzaam, en haalde zijn arm van mijn schouder.

'Charlie.' Ik dwong mezelf het te zeggen. 'Denk je dat je na alles wat er is gebeurd misschien met me zou willen trouwen?'

Met een droog lachje vroeg hij: 'Met je trouwen, Alice? Nu wil je die ring met smaragd dus wel?'

'Nee, Charlie,' zei ik, heel zeker van mijn zaak. 'Het enige wat ik wil, ben jij.'

Babetta

Toen de lente was aangebroken, wachtte Babetta op de *signora* met de leren map. Ze wist zeker dat ze zou komen en rond zou lopen en lijsten zou maken van alles wat gedaan moest worden. Daarna zou er naast de hekken van Villa Rosa een bord worden geplaatst waarop stond dat het weer te koop stond, ook al was er zelden iemand anders dan Babetta die het kon zien of het iets kon schelen.

Ze zei niets, maar soms keek ze door haar keukenraam naar Raffaella en Ciro die de tuin beplantten zoals ze hadden beloofd. Ze was bang dat het allemaal voor niets was. Zouden ze wel kunnen genieten van de eerste tomaten van de zomer of kunnen zien hoe de sprieterige peterseliestekjes tot grote pollen waren uitgegroeid? Niet als de *signora* kwam, en Babetta wist zeker dát ze zou komen.

Babetta had het gevoel dat ook in haarzelf een seizoenswisseling had plaatsgevonden. Ze probeerde zich te herinneren wanneer haar loop was veranderd in geschuifel. Wanneer ze was begonnen ontzettend voorzichtig de terrastrap af te lopen, en 's middags in slaap was gedoezeld. De afgelopen winter waren haar botten pijn gaan doen en de frisse lentekleuren leken veel te fel. Ze bleef binnen, keek en wachtte.

Zelfs de telefoon rinkelde niet meer. Babetta miste de moeizame gesprekken met Leila niet, maar ze dacht nog wel vaak aan haar en probeerde zich een voorstelling te maken van Leila's leven in Engeland. Misschien was de baby er al, Lucio's kind in een nieuwe babykamer. Alice zou daar ook zijn en zorgen voor alle dingen waarvan Leila zich niet eens realiseerde dát ze moesten gebeuren. Babetta kon zich hen goed voorstellen, redderend en knuffelend, alleen maar genietend van de warmte en het gewicht van het kleine kind in hun armen.

Ze herinnerde zich dat gevoel van het prille begin. Kinderen werden groot en ontgroeiden je snel genoeg, maar in die eerste maanden waren ze meer van jou dan iets anders ooit zou zijn. Daarna keek ze weer door het raam naar haar vriendin Raffaella die bonen plantte in de aarde die langzaam opwarmde, en naar haar man die schoffelde net als Nunzio altijd had gedaan. Babetta realiseerde zich hoe gekwetst zij zich moesten voelen.

Zij voelde zich ook gekwetst. Vorige zomer had ze zichzelf in gedachten in de schaduw van de granaatappelboom zien zitten terwijl ze de kinderwagen wiegde of voor het kind zorgde terwijl Leila schreef en Alice kookte. Ze had gedroomd van de komende zomers.

Maar daarna had ze zich gerealiseerd dat dit nooit zou gebeuren. Leila had het mooiste deel van de toekomst voor zichzelf gereserveerd. Dat had Lucio toegelaten.

Babetta keek naar de lege rieten stoel op haar terras. Hij stond in een straal zonlicht, er lag een plaid overheen, nodigde haar uit. Ze zuchtte, trok de versleten keukengordijnen dicht en dacht dat Raffaella misschien toch gelijk had.

Er was niet veel over om op te hopen.

Alice

Voor de tweede keer hield ik een relatie geheim. Charlies ring met smaragd bleef in het doosje en wij waren de enigen die wisten dat onze relatie was veranderd. De geheimzinnigheid was verrukkelijk en het opnieuw ontdekken van elkaars lichaam een heimelijk genot. Dat wilde ik niet bederven door wat anderen hierover zouden zeggen of denken.

Over een tijdje zou iedereen er iets van vinden. Charlies familie zou het afkeuren, net als Leila. Zijn ex zou er een mening over hebben, net als zijn dochters. Zelfs Guyon zou er iets over zeggen. Maar nog niet. Niet voordat we het hun vertelden.

Ik wilde wachten tot na de geboorte van Leila's baby. Sinds de kerstvakantie leek ze onzeker, alsof ze zich nu pas realiseerde wat haar overkwam. We moesten haar eerst maar eens door die bevalling en de eerste paar weken heen helpen, voordat ik haar vertelde dat ik plannen had waar zij geen rol in speelde.

In de laatste weken van Leila's zwangerschap verwende ik haar met lekkernijen. Zachte luchtige mousses van chocolade en ricotta, zandkoekjes met lavendel, honingcakejes met boterglazuur erop. Ik zette trommeltjes lekkernijen bij haar neer en als ik terugkwam, waren ze leeg. Daarom bakte ik nog meer heerlijkheden, wortelcakejes met pastelkleurig glazuur en vierkante citroentaartjes, druipend van siroop.

Terwijl ik haar verdoofde met suiker, realiseerde ik me dat ik haar niet benijdde, zo vol van Lucio's baby. Als ik mijn hand op haar buik legde, voelde ik hem schoppen en wilde ik voor geen goud met haar ruilen. Ik was gelukkig met Charlie en zijn twee kant-en-klare meisjes, en met het nieuwe leven dat me wachtte.

Daarom had ik meer geduld met Leila. Overdag had ik het druk met het opzetten van mijn bedrijf, 's nachts lag ik in Charlies bed en de resterende tijd was voor haar. Die had ze nodig.

Vlak voordat ze uitgerekend was, ging ze weer in Maida Vale wonen. We woonden een tijdje samen, net als toen we nog jong waren.

'Ik wil geen rare thuisbevalling,' zei ze steeds. 'Ik wil artsen en piepende apparatuur en iemand die de troep opruimt. En ik wil jou erbij, Alice. Je hebt het me beloofd. Dat ben je toch niet vergeten?'

Haar zoon werd geboren met een prachtige bos donker haar en zijn huid had een donkerder olijfkleur dan zijn vader. Ik zag zijn gerimpelde gezichtje opengaan, ik hoorde dat hij het uitschreeuwde van de eerste schrik en verwarring en ik hield Leila's hand stevig vast tot ik zeker wist dat ik hem kon loslaten.

'Ik ben er klaar voor,' zei ze. 'Dat had ik niet verwacht, maar het is wel zo.'

'Voel je je anders? Veranderd?' Ik wist bijna zeker dat ik dit zelf nooit zou meemaken en ik wilde precies weten hoe het was.

'Ik voel me nodig.' Leila raakte zijn vingers aan, en zijn wangen. Ze snoof zijn geur op. 'Ik ben blij dat het een jongen is.'

Geen van ons had het over Lucio. Ik vroeg niet of ze Lucio's naam op de geboorteakte zou laten zetten en of ze hem zou laten weten dat hij een gezond kind had. Ik wilde deze tijd niet bederven door onwelkome vragen.

Leila ontdekte algauw dat ze een goede moeder was. Ze haalde de wieg uit de babykamer die ze zo prachtig had ingericht en zette hem naast haar bed, zodat ze haar zoon de hele nacht kon horen ademen. Ze las op internet alles over borstvoeding en slaappatronen, en vertelde het allemaal weer aan mij. Tot mijn verbazing begon ze zelfs te koken.

'Ik zal uiteindelijk toch maaltijden voor hem moeten gaan klaarmaken,' zei ze. 'Ik kan het dus net zo goed nu al leren.'

De baby had nog steeds geen naam. Wekenlang stuurden we haar sms'jes met de meest maffe suggesties, Guyon en Charlie probeerden elkaar af te troeven met het verzinnen van de belachelijkste namen: Tristan, Crispin, Gaylord. Leila glimlachte erom, maar de baby bleef naamloos.

'Dat wordt het eerste definitieve ding voor hem, de eerste belangrijke beslissing van zijn leven. Ik wil het goed doen,' zei ze.

De lente was al voorbij en de zomer net begonnen toen we allemaal moedig genoeg waren om elkaar onze geheimen te vertellen.

'Ik heb een naam gekozen,' zei Leila. We zaten naast de hoge taxushaag in haar grote tuin. 'Eigenlijk wist ik het al meteen nadat hij geboren was, maar ik durfde het nog niet toe te geven. Ik ga hem Ricci noemen.'

Ze had de naam met een Engels accent uitgesproken, maar toch begreep ik het meteen. 'Ga je hem zijn achternaam geven?' Dat was het laatste wat ik had verwacht. 'Waarom?'

'Hij verdient een soort erfgoed,' zei Leila alleen maar.

'Je bent dus van gedachten veranderd? Sta je nu anders tegenover Lucio's familie nu je zelf moeder bent?'

'Ik sta overal anders tegenover, Alice,' bekende ze. 'Maar ik weet nog niet wat ik ga doen, alleen hoe ik hem wil noemen.'

Daarna was de tijd gekomen om haar mijn nieuwtje te vertellen, Charlies naam op een andere manier uit te spreken en de uitdrukking op Leila's gezicht te zien.

Ze schoot in de lach. 'Na al die jaren en na alles wat er is gebeurd, ga je met Charlie trouwen!'

'Ja.' Ik glimlachte ook. 'Dat is wat ik wil, waar ik thuishoor.'

'O, god, en ik heb jarenlang geroepen dat hij niet de ware voor je was,' zei Leila spijtig. 'En nu blijkt dat ik helemaal ongelijk had.'

'Misschien niet,' zei ik. 'Ik denk inderdaad dat Charlie niet de ware voor me was, toen niet. Maar hij is veranderd sinds hij kinderen heeft... en ik ben ook veranderd. Nu passen we goed bij elkaar.'

'Jij en Charlie.' Leila begon weer te lachen. 'Je moet hier natuurlijk trouwen. Een zomerbruiloft in de tuin met een grote feesttent. Ik help je wel met alles organiseren.'

Ik zweeg even. 'Dat is heel lief, dankjewel. Maar dat is niet wat we willen.'

'Nee? Wat dan?'

'Charlie en ik hebben het erover gehad en...'

'Ja?'

'En we hebben besloten te trouwen op de plek waar alles voor ons begon te veranderen.'

'O, god, nee, alsjeblieft!' Leila vertrok haar gezicht. 'Je bedoelt Italië, hè?'

'Inderdaad,' gaf ik toe. 'Een plek in Italië. Een heel speciale plek.'

Babetta

Het was alweer jaren geleden dat Babetta voor het laatst naar een bruiloft was geweest. Ze droeg splinternieuwe schoenen, haar gezette kleine lichaam was gehuld in een zachte blauwe jurk die Sofia haar had laten kopen, en een bijpassende sjaal om haar schouders warm te houden. Buiten stond de zon hoog aan de hemel, maar hierbinnen voor het altaar was het kil en vochtig.

'Dit is toch geen plek om te trouwen?' siste Sofia tegen haar.

Babetta keek naar de ruwe wanden van de grot en de witmarmeren standbeelden die half waren weggerot door het constante gedrup van het water uit het plafond. 'Hier ben ik met je vader getrouwd,' siste ze terug. 'Hier zijn wij ons leven samen begonnen. Waarom Charlie en Alice dan niet?'

Babetta zei niet dat ze een ander nieuw begin zag. Leila en Raffaella zaten naast elkaar, met de baby in zijn buggy tussen hen in. Ze zaten een beetje stijfjes en praatten in korte beleefde zinnen met elkaar. Babetta had gevoeld dat Leila ontdooide, dat de harde blik in haar ogen verzachtte. Nadat Leila de enige vrouw die evenveel van haar kindje hield als zijzelf weer had ontmoet, móést ze immers wel zwichten?

Ze keek naar hen: Raffaella was heel omzichtig, ze hield zich in, ze wachtte tot Leila naar haar toe kwam; Leila die haar niet kon weerstaan. Het zou misschien even duren, maar dit was zeker een nieuw begin.

Om hen heen zaten onbekenden. Charlies familie en Alice' moeder, vrienden van jaren terug met wie het contact een beetje was verwaterd, mensen met wie ze alleen een bloedband hadden. Babetta wriemelde met haar tenen in de ongemakkelijke maar stijlvolle schoenen die ze nooit meer wilde dragen, en glimlachte vriendelijk naar de onbekenden.

Toen verscheen Guyon, zijn overhemd een wirwar van strepen en bloemen, zijn gezicht glimmend van plezier. Hij had Babetta's arm genomen en haar de steile klim op geholpen. Daarna had hij hen geïnstalleerd op een bank vlak bij een gat in de muur van de grot waardoor een straaltje warm zonlicht naar binnen scheen. Ze zag dat hij achteromkeek, om te zien of Alice er al was.

Babetta keek ook achterom, net op het moment dat de muziek begon en een wolk van kant en tule binnenkwam. Ze hoopte dat de dienst niet te lang zou duren, dat de priester niet zou blijven preken tot hij een droge mond had. Ze wilde Charlie en Alice horen, zien wat er gebeurde op hun gezicht als ze elkaar aankeken. En daarna wilde ze terug naar Villa Rosa waar een feestmaal op hen wachtte.

Babetta had aangeboden zelf het eten klaar te maken en ze was opgelucht geweest toen haar aanbod was afgeslagen. In plaats daarvan had ze het allerbeste uit haar tuin aangeboden: knapperige venkel en bloedsinaasappels voor een salade; bossen kruiden en groenten die ze in de koele ochtend had geplukt. Ze hoopte dat de ingrediënten niet werden verpest door de beide koks in de keuken, dat de verbittering tussen de beide mannen niet op de een of andere manier de smaak van de gerechten die ze klaarmaakten zou beïnvloeden.

Zelfs Raffaella was verbaasd geweest toen eerst Lucio en daarna Tonino had besloten het bruiloftsmaal te bereiden. Geen van beiden wilde de huwelijksplechtigheid in de kerk bijwonen en geen van beiden had een keuken willen delen. Maar beiden waren op hun strepen blijven staan en beiden hadden geweigerd toe te geven.

Babetta stelde zich het gekletter van pannen en pollepels voor terwijl de Ricci-jongens samen kookten, vast van plan elkaar te overtroeven. De maaltijd zou uit ontelbare gangen bestaan, ze zouden de hele middag en avond eten. Tonino had een berg ravioli gevuld met kreeft en schijfjes gekonfijte citroen. Lucio had een kruidige *timballo* gemaakt van macaroni en vlees. Ze hadden borden en glazen gehuurd, lange tafels onder de granaatappelbomen gezet en lantaarns aan de takken opgehangen. Pas als het donker was en stil, zou Babetta de houtstapel aansteken die Guyon voor haar had gemaakt en daarna startte het vuurwerk waar Lucio voor had gezorgd.

Ze verlangde ernaar dat Villa Rosa zou worden gevuld met licht en kleur. Het feest zou lang doorgaan, ze zouden drinken en dansen en eindeloos toosten op elkaars geluk. Zelfs als Babetta moe was zou ze erbij betrokken blijven; dan zou ze in haar rieten stoel op het terras gaan zitten en genieten van het lawaaierige geroezemoes en de warme gloed tegen de nachtelijke hemel.

Babetta strekte haar nek toen Alice door het middenpad schreed. Alice had haar verdriet afgelegd als een winterjas in de lente. Babetta hoopte dat het heel lang zou duren voordat het seizoen voor Alice weer zou veranderen.

Alice

Ik was zo uitgeput dat ik tussen de lakens kroop en roerloos bleef liggen. Charlie lag er al. Ik hoorde het ritme van zijn ademhaling en voelde de warmte van zijn lichaam. Het was niet nodig hem aan te raken, niet nodig hem te kussen. Het was meer dan genoeg om hier naast hem te liggen ademen.

Het was een perfecte dag geweest, ondanks mijn bedenkingen vooraf: mijn moeder en Charlies familie die elkaar zouden negeren, Leila die Raffaella zou terugzien, Raffaella's ruziënde zoons in de keuken. Dat had de pret bijna bedorven, maar Charlie had me verteld wat het ergste was wat kon gebeuren: een emotionele scène, te veel zout in een gerecht. Daar liet hij zijn geluk niet door bederven.

Hij stond erop dat ik een bruidsjurk zou dragen, ook al was ik bang dat ik er dan te oud zou uitzien en me belachelijk zou voelen. Maar hij had gelijk gehad: het geruis van zijde en kant toen ik door het middenpad liep had inderdaad iets verleidelijks. De witte jurk stak gracieus af tegen de ruwe wanden van de grot en de melodieus druppende stalactieten.

Mijn satijnen schoentjes waren geruïneerd door de plasjes water in de vochtige grot en de jurk lag afgedankt op de vloer van onze slaapkamer in Villa Rosa, verfrommeld en gekreukt. Ik vond het niet erg, want ik had ze toch niet meer nodig. Ik zou niet meer achteromkijken, alleen vooruit: naar koffie ruikende kusjes in de ochtend, de wittebroodsweken met onze vrienden in Villa Rosa en daarna een nieuw huis en een nieuw leven.

Ik kon niet wachten om weer met mijn handen in de aarde te wroeten en dingen te telen. Het was bedwelmend, de gedachte dat ik andere mensen de dingen zou laten zien die Babetta mij had geleerd. Om hun mijn recept voor het leven te geven.

'Ik ben vierenveertig en ik heb het gevoel dat mijn leven net begint.' Charlie sliep half en hoorde me waarschijnlijk niet eens. Maar dat gaf niet.

Het hardop uitspreken van deze woorden was het belangrijkst.

Babetta

Babetta lag zo diep te slapen dat het jammer leek haar te verplaatsen. Raffaella legde nog een paar dekens over haar schouders en knieën voor het geval er een kille wind zou opsteken, maar het was een warme nacht. De ochtend zou algauw aanbreken en Raffaella was van plan die ochtend terug te komen. Het kon geen kwaad als ze de oude vrouw een paar uurtjes buiten zou laten zitten.

Raffaella bleef even naar Babetta's zachte gesnurk luisteren. Babetta's hoofd was op haar borst gezakt en haar ogen waren stijf dicht. Het hondje Sky lag aan haar voeten al net zo diep te slapen. Hij lag roerloos, zelfs toen Raffaella een deken over hem heen legde.

Raffaella legde even een hand op zijn warme vacht en keek daarna weer naar Babetta. Haar lichaam was knoestig, haar ledematen leken op de takken van een oude granaatappelboom. Niemand wist hoe oud ze was of hoe lang ze nog op de aarde zou verblijven. Misschien zou ze hier nog jaren zijn, of misschien nog maar één winter.

Raffaella bukte zich en kuste haar wang, warm en glad als oud leer. 'Welterusten, lieve vriendin,' fluisterde ze. Daarna liet ze Babetta slapen in wat nog over was van de nacht, tot ze de volgende ochtend zou worden begroet door het uitzicht op een laagje zee onder de lichtblauwe lucht.

Dankwoord

Een paar jaar geleden solliciteerde ik als ghostwriter voor de autobiografie over de beroemde babyfotografe Anne Geddes. Niet omdat ik zin had in die baan, maar omdat ik het geld nodig had. Gelukkig werd ik vrijwel meteen afgewezen door haar man Kel. Hij stuurde me een e-mail met daarin het citaat waarmee ik dit verhaal ben begonnen. Maar hij stuurde me de volgende, langere versie:

> *Je tijd is beperkt, verspil die dus niet door het leven van iemand anders te leiden. Laat je niet insluiten door een dogma: dat is leven met de uitkomst van het denken van iemand anders. Laat je innerlijke stem niet overstemmen door de mening van iemand anders. En het belangrijkste: heb de moed om je hart en je intuïtie te volgen, want zij weten eigenlijk al wat jij echt wilt worden. De rest is onbelangrijk.*

Een tijdlang heeft deze e-mail aan de deur van mijn koelkast gehangen, omdat ik me realiseerde dat dit precies verwoordde wat ik aan het doen was: het leven van iemand anders leiden. Daardoor dacht ik erover na waarom we doen wat we doen en hoe gemakkelijk het is je leven te vullen met allerlei gedoe zonder er ooit echt over na te denken. Op dat moment begonnen de levensverhalen van Alice en Babetta vorm te krijgen in mijn hoofd. Ik ben Kel Geddes dan ook bijzonder dankbaar: een afwijzing na een sollicitatie zal zelden zo nuttig zijn geweest.

Doordat Alice kok was, had ik een excuus om te gaan lezen over eten, mijn grote hobby. Drie boeken vond ik bijzonder inspirerend: *Hitte* van Bill Buford, *Keuken Confessies* van Anthony Bourdain en *Made in Italy* van Giorgio Locatelli. Ik kan ze alle drie aanbevelen.

Dit is mijn tweede boek dat in het stadje Triento speelt. Triento is natuurlijk een slecht vermomde versie van Maratea in Basilicata, waar echt een reusachtig wit beeld van Christus op de berg staat en waar ik in het prachtige huis van de nicht van mijn vader, Clara DeSio, en haar man Antonio heb mogen wonen. Daarvoor wil ik hen hartelijk bedanken.

Anna Bidwill wil ik ook bedanken voor het gebruik van Northcote in Martinborough, waar een groot deel van dit boek is geschreven.

Ook dank aan iedereen bij Orion en Hachette Nieuw-Zeeland en Australië voor hun steun bij mijn werk, aan mijn agent Caroline Sheldon, aan de vrienden en familie die mijn gezeur, gejammer en gemopper hebben aangehoord als alles niet zo voorspoedig verliep, en aan mijn man Carne Bidwill die, altijd als ik roep dat ik iets niet kan, de neiging heeft te zeggen: 'Nou, doe het dan niet.' En dat is veel behulpzamer dan het klinkt.

Lees ook van Nicky Pellegrino:

Italië, midden jaren zestig: Maria Domenica zou een gelukkig leven moeten leiden in het slaperige Italiaanse dorp San Giulio, omringd door de heerlijke geuren uit haar moeders keuken, die al generaties lang de spil van het familieleven vormt. Maar Maria is op zoek naar avontuur. Ze werkt met plezier in Caffè Angeli, waar ze onder de prachtige wandschilderingen van eigenaar Franco leert hoe ze de perfecte *crema* op een kopje espresso krijgt.
Wanneer ze genoeg geld bijeenheeft, neemt ze de bus naar Rome. Hier beleeft ze een stormachtige liefdesrelatie, die haar leven voor altijd verandert, maar die haar ook weer terugbrengt naar San Giulio...

'Een prachtig boek met boeiende personages. Je waant je in het zonnige Italië: dit boek moet je gewoon gelezen hebben!' *Chicklit.nl*

'*Caffè amore* is spannend en bevat veel Italiaanse couleur locale, waarin de prachtig beschreven gerechten tot de verbeelding spreken!' *NBD*

Paperback, 336 blz., ISBN 978 90 325 1118 0

Lees ook van Nicky Pellegrino:

Raffaella Moretti is met afstand het mooiste meisje in het Zuid-Italiaanse plaatsje Triento. Ze trouwt met de jongen van wie ze zielsveel houdt en het geluk lijkt haar toe te lachen. Dat ze een jaar later op handen en knieën als schoonmaakster in het huis van een ander aan het werk is, was wel het laatste dat ze verwachtte.
Raffaella doet haar best om haar leven weer op de rit te krijgen, maar als jonge weduwe blijkt haar schoonheid met andere ogen bekeken te worden. Wanneer een tijdelijke bewoner zijn intrek neemt in de villa buiten Triento, voelt Raffaella zich meteen tot hem aangetrokken, niet wetend dat ze daarmee midden in een wespennest terechtkomt.

'De jonge Italiaanse Raffaella probeert weer gelukkig te worden nadat haar grote liefde is overleden. Pellegrino's beschrijvingen van de Italiaanse keuken doen je het water in de mond lopen.' *Cosmopolitan*

Paperback, 336 blz., ISBN 978 90 325 1199 9

Lees ook van Nicky Pellegrino:

Pieta Martinelli is de oudste dochter van de Italiaan Pepe en zijn Engelse vrouw Catherine. Ze is ontwerpster van bruidsjurken bij een beroemde, maar lastige couturier. Ondertussen is ze in stilte verliefd op Michele, de zoon van haar vaders grootste vijand Gianfranco. Wat er ooit tussen Pepe en Gianfranco is voorgevallen weet niemand en haar vader laat zich er ook niet over uit.

Wanneer Pieta's zusje Addolorata aankondigt dat ze gaat trouwen, werkt Pieta samen met hun moeder in de avonduren aan een bruidsjurk voor haar zus. Pieta grijpt deze intieme uren aan om stukje bij beetje achter het verleden te komen: dat van haar vader, haar moeder en wat er zich al die jaren geleden heeft afgespeeld tussen Pepe en Gianfranco. Zal op deze manier de weg geëffend worden voor Pieta en Michele?

'Opnieuw spelend in Italië: heerlijk eten, zon en een mooie taal (...) Het is een lekker ontspannend boek, waarbij je fijn kunt wegdromen. Een aanrader.' *Chicklit.nl*

Paperback, 296 blz., ISBN 978 90 325 1240 8

Beste lezeres,

Heeft u genoten van *Villa Rosa*?
En wilt u graag bericht van ons ontvangen op het moment dat het volgende boek van Nicky Pellegrino gaat verschijnen?

Stuurt u dan een e-mail naar:
info@defonteintirion.nl

Vermeld in de onderwerpregel s.v.p. 'Nicky Pellegrino'.

Wij houden u op de hoogte!

Met vriendelijke groet,
Uitgeverij De Kern